ANDRÉ TISSIER

LA FARCE EN FRANCE
DE 1450 A 1550

Recueil de textes établis
sur les originaux, présentés et annotés

LA FARCE EN FRANCE DE 1450 A 1550

Du même auteur aux Éditions C.D.U. et SEDES

« *Les fausses confidences* » *de Marivaux :* analyse d'un jeu de l'amour.

« *Tête d'or* » *de Paul Claudel :* étude analytique et dramaturgique.

« *La farce en France de 1450 à 1550* » *:* recueil de textes établis sur les originaux, présentés et annotés. Tome I.

LA FARCE EN FRANCE
DE 1450 A 1550

Recueil de textes établis sur les originaux, présentés et annotés

par ANDRE TISSIER
Professeur à l'Université de Paris III

**

CENTRE DE DOCUMENTATION UNIVERSITAIRE
& SOCIÉTÉ D'ÉDITION D'ENSEIGNEMENT SUPÉRIEUR réunis
88, boulevard Saint-Germain - PARIS V

I.S.B.N. 2-7181- 5555-8

Abréviations

Bb : renvoie à la bibliographie de l'Introduction (tome I)

ATF. : *Ancien théâtre françois*, t.I-II-III (Bb 6)
BM. : Recueil du British Museum (Bb 4 et 7)
Coh. : Recueil Cohen (dit aussi de Florence) (Bb 8)
Four.: *Le théâtre français avant la Renaissance* (Bb 16)
God. : Godefroy, *Dictionnaire de l'ancienne langue française*
Huguet: *Dictionnaire de la langue française du XVIe siècle*
Jac. : Jacob, *Recueil de farces...* (Bb 15)
Leroux: Leroux de Lincy et Fr. Michel, *Recueil de farces...* (Bb 10)
Ms. : manuscrit
Phil. : Philipot, *Trois farces...* (Bb 20)
Six farces normandes (Bb 21)
Pic. : Picot, Recueil de Copenhague (Bb 13)
Recueil de sotties (Bb 18)
RHT. : *Revue d'histoire du théâtre* (Bb 46)
Trep. : Recueil Trepperel, t.I-II (Bb 1-2)

Pour les notes :

cor. : correction de ... (cor. ATF. : correction de Montaiglon dans l'*Ancien théâtre françois)*
éd. : édition.

-

VII
LE BADIN QUI SE LOUE

-

LE BADIN QUI SE LOUE

I - TEXTES

a) ancien :

- *Recueil du British Museum* (Bb 4 et 7) (cote : C 20 e. 13, pièce N° XI), in-4° et en caractères gothiques; 4 feuillets (8 pages, de 57-58 lignes à la page pleine) ; sans lieu ni date (Paris, Nicolas Chrestien, "ruc neufve Nostre Dame" [anciens locaux de Jehan Trepperel], vers 1550 ; d'après H. Lewicka, *Fac-similé...*, pp.X et XIII). - L'imprimeur a eu à sa disposition une copie très postérieure à l'original et qui suppose des réfections. En plusieurs passages, le texte est en mauvais état.

1) *lacunes* : il manque un vers ou des mots pour rimer avec les vers 27, 49, 68, 93, 284 ; et le vers 285 fait difficulté.

2) *coquilles* : v.84 (*toue* pour *tout*) ; v.164 (*et* pour *est*) ; v.178 (*tes deux moins* pour *tes deux mains*) ; et notes des vers 99-101, 112, 130, 221, 269 et 304.

3) *diversité des graphies et des formes morphologiques:* *avec* (devant voyelle, 126 ; devant consonne, mais à prononcer : avec-que, 131) et *avecq* (devant voyelle ou consonne, 58, 64) ; *balier* (75) et *ballies* (79) ; *çà* (44) et *sà* (220); *cervoyse* (12) et *cervoise* (rimant avec *bourgeoyse*, 23); *ceste* rue (38) et *cest* heure (119) ; *diable* (2, 36) et *dyable* (165, 196) ; je *ditz* (78), je *dis* (79) et (je) *dy* (288); *dymoy* (59) et *dis*-le moy (310) ; *donc* (devant consonne, 92 ; à prononcer : donc-que, 144), *doncq* (à prononcer : doncque,51), *doncque* (à la rime, 97) et *doncques* (devant consonne, 121, 210, etc.) ; *donneray* (209, 222) et *donrez-vous* (217, à prononcer : donnerez-vous) ; *et* (= eh!, 105) et *hé!* (248) ; *fol* (235, rime avec : col) et *foul* (325, rime avec : saoul); *icy* pour *-cy* (151) et *cy* pour *icy* (287) ; *Jan* (exclamation, 48) et *Jean* (exclamation, 80) ; vous *louerez* (8) et nous *prirons* (336) ; *mesprins* (228) et *mespris* (335, rime avec:tel pris); je *n'*arresteray point (239) et je *ne* iray jà (*ne* comptant

pour une syllabe, 261) ; *quand* (83, 163) et *quant* (conjonction, 156) ; *qu'il* (183) et *qui* (= qu'il, 338) ; au *revoir* (121, rimant avec : veoir) et au *reveoir* (289) ; *riens* n'y vault (128) et *rien* n'y vault (241) ; *se* tu veulx (49) et *si* tu veulx (100) ; (je) *veulx* (70) et je *vueil* (309) ; je m'en *vois* (43, 238) et je m'en *voys* (46, etc.) ; *voyse* (subjonctif de "aller", 22) et *voise* (122) ; *vrayement* (52, 222) et *vrayment* (189).

b) moderne :

- *Ancien théâtre françois* (Bb 6), t.I, 1854, pp.179-194: transcrit le texte du BM. avec quelques corrections ; ajoute ici des lettres (*aultre*, v.5; *faict*, v.19, etc.), mais modernise ailleurs l'orthographe (*avec*, v.58; *faim*, v.94; etc.) ; plusieurs erreurs de lecture (voir notes des vers 53, 117, 165, 179...; ajoutons au v.316: *gros souillon* pour *orde souillon*, au v.318 : *de la maison* pour *de ma maison*...).

II - DATE ET ORIGINES

A la suite de Beneke, Wiedenhofen(1) datait cette farce des environs de 1500. Halina Lewicka(2) s'appuie sur le fait que la chanson du badin : *Parlez à Binette* "n'est pas notée dans des recueils antérieurs à 1535", pour la situer plus tardivement, "peu avant 1535". Mais une chanson peut avoir été chantée et connue bien avant d'être reproduite dans un recueil ; et avons-nous *tous* les recueils de chansons de cette époque ? Vraisemblablement, *le Badin qui se loue* est antérieur à cette date de 1535 ; la preuve en serait l'absence de tout boniment du "valet à tout faire" (voir la note des vers 35-36). Restons-en donc aux environs de 1500.

Les origines de cette farce ne sont pas mieux connues. L'origine normande de la chanson *Parlez à Binette* (3) ne prouve pas grand-chose. Une chanson, populaire dans une région,

---

(1) *Beiträge zur Entwicklungsgeschichte des französischen Farce* (1913), p.34.

(2) *Romania*, LXXVI (1955), p.349 et *Etudes sur l'ancienne farce*, Bb 41, pp.108-109, 142.

(3) Voir Philipot, *Six farces normandes*, Bb 21, pp.69-70; et ci-dessous farce N° XI, *le Bateleur*, note du v.102.

le devient vite dans une autre ; nous en avons vu un exemple dans *le Savetier Calbain* avec la chanson N° XXX du *Petit Chien* (t.I, p.139).La référence à "la rue de Bièvre" (v.273) n'est pas plus probante pour une origine parisienne. A-t-on remarqué en effet que *Bièvre* servait de rime à *revienne* ? Le texte dont s'est servi l'éditeur parisien, a fort bien pu être une copie faite pour une représentation à Paris ; et le texte aura été vaille que vaille modifié en conséquence. De même, et contrairement à ce qu'affirmait Wiedenhofen, l'enseigne du "Pot d'estain" (v.274) peut ne pas renvoyer à un lieu précis de Paris. On trouve des "Pot d'estain" et des "Plat d'estain" un peu partout à cette époque(4).

Que le texte qui nous est parvenu soit une version parisienne, on peut l'admettre. Mais l'origine de la forme primitive reste impossible à déterminer. La farce des *Chambrières* (Recueil Cohen, N° LI), qui était probablement d'origine normande, a été "arrangée pour un théâtre de Paris"(5) ; la farce du *Savetier Calbain* (ci-dessus, t.I, N° III), malgré quelques formes dialectales, semble au contraire être venue de Paris. Ces remaniements partiels, disons plutôt ces retouches, prouvent au moins que l'audience de maintes farces ne se limitait pas à une région déterminée ; et ces "reprises" attestent leur succès.

III - LE "TYPE" DU BADIN

- NB. Sur le badin, voir Petit de Julleville, *La comédie et les moeurs en France*, pp.281-286 : à l'origine, dit-il, "la sottie a ses *galants* et ses *sots* ; la farce a le *badin*"; Pierre Toldo, *Etude sur le théâtre comique*, Bb 38, pp. 299-315 ; Normand Leroux, "Un personnage de la farce française du Moyen Age : le badin", article de la *Revue de l'Université de Sherbrooke* (Canada, Q.), s.d., pp.141-151(extrait d'une thèse dactylographiée, soutenue à Caen en 1959, sur la *Structure de la farce française médiévale*) ; Charles Mazouer, " Un personnage de la farce médiévale : le naïf" (RTH., 1972, t. II, pp.144-161).

---

(4) Voir *Recueil de poésies françaises des XVe et XVIe siècles*, éd. Montaiglon-Rothschild, t.XI (1876), pp.53 et 81,où le "Pot d'estain" est donné comme l'enseigne d'une taverne à Rouen.

(5) H.Lewicka, Bb 41, p.115.

Nous avons terminé le tome I de ce Recueil avec Jenin, le badin "fils de rien" ; nous ouvrons le tome II avec Janot, un valet badin. Le premier n'était qu'un enfant; le second est un adulte. Le "type" du badin n'a en effet ni âge ni situation déterminée. Il regroupe différents personnages qui n'ont pour trait commun qu'une constante de caractère : une naïveté malicieuse.

Le mot "badin" est un mot d'origine provençale, de la même racine que "badaud". Il désigne quelqu'un qui "baye", qui reste bouche bée, c'est-à-dire grande ouverte. Dans le théâtre comique médiéval, le badin est le "naïf" qui fait rire.

Ecolier (ou apprenti écolier), valet, paysan, jeune garçon ou mari, le badin est un "type" à transformation qui, comme on l'a vu à propos de Jenin, se prêtait sous des noms différents (Jeninot, Colinet, Robinet, Jaquet) à des fonctions et à des situations variées. Il convenait si bien à l'expression du rire qu'il a peu à peu envahi le théâtre comique médiéval : les farces, bien sûr ; mais aussi les sotties (*les Sobres Sots* ; dans Picot, Bb 18, t.III, N° XXI) et les moralités (*le Porteur de patience ;* dans Leroux, Bb 10, t.II, N° XXV). De là, au XVIe siècle, l'extension de son emploi : tout bateleur, et même tout farceur, est dit "badin" (voir ci-dessous la farce du *Bateleur*) ; comme en témoigne Rabelais (*Tiers Livre*, ch. 37), le badin est devenu le type même du joueur expérimenté, à la fois mime, sauteur et acrobate.

Le personnage peut n'être désigné que par ces termes : "le badin", même si, dans le texte parlé, on lui donne un nom : Fouquet dans *le Badin, la femme et la chambrière* (BM., N° XVI), Naudin dans *les Trois Galants et un badin* (Leroux, t.II, N° XXXIX) ; ici, notre badin laisse à ses nouveaux maîtres le choix entre Bonhomme et Janot. Dans plusieurs textes, les personnages ne se définissent qu'en fonction de lui : "la mère du badin", dans *la Bouteille* (Leroux, t. III, N° XLVI). Ailleurs le terme "badin" n'est qu'un qualificatif ajouté au nom d'un personnage : *Mahuet badin, natif de Bagnolet* (BM., N° XXVIII), *Jean de Lagny, badin* (Leroux, t.II, N° XXXI). Enfin tel personnage peut n'être qu'incidemment désigné comme badin ; tel, *Maître Mimin qui va à la guerre* (Coh., N° IV).

A l'exemple du "sot", le badin avait-il un costume qui le signalât à l'attention du spectateur ? Dans *Maître Mimin qui va à la guerre*, Mimin est dit "hasbillé en badin, d'une longue jacquette et en béguyne, d'un béguin" (p.28); dans la farce d'*Un mari jaloux* (BM., N° IX), la première réplique de Colinet est précédée de cette indication : "Colinet commence et est abillé en badin" ; le Jenin de la *Satire pour les habitants d'Auxerre* (Picot, Bb 18, t.II, N° XVIII) est "acoustré en badin". Quel était exactement ce costume? Outre l'indication de *Maître Mimin qui va à la guerre*, on retiendra le passage de *Mahuet badin, natif de Bagnolet*, où, renié par sa mère, Mahuet affirme qu'il est bien lui,qu'il n'a pas changé à Paris :

> Voilà encore les piedz,
> Les chausses et la jaquette,
> Les deux plumes et ce bonnet (...).
> Je suis vostre filz Mahuet.

Je renvoie aussi à la vignette reproduite à la suite du titre dans trois des éditions Chaussard du British Museum : *Jenin fils de rien*, *le Gaudisseur*, *Guillerme qui mangea les figues du curé*, et où le personnage porte une toque à plumet. Enfin il faut rappeler l'*Epitaphe de Jean Serre, excellent joueur de farces*, où Clément Marot évoque le badin, entrant "en salle"

> ..Coiffé d'un béguin d'enfant
> Et d'un haut bonnet triomphant,
> Garni de plumes de chapons.(cité par Ch.Mazouer)

Compte tenu des âges et des situations sociales de tous nos badins, le bonnet pourrait donc avoir été la principale caractéristique extérieure du personnage. On en comprendrait mieux que le badin "qui se loue" veuille, pour une fois,changer et cherche à s'approprier le bonnet du galant.De là aussi l'étonnement du mari lorsque, de retour,il retrouve Janot avec un bonnet qui ne lui convient pas : c'est la première chose qui le frappe (v.302-303). Une situation qui reste comique pour nous, mais qui avec le temps a perdu tout son sel.

S'il est maintes fois appelé "sot" ou "fol", le badin est ingénu plus que "sot" (au double sens du terme). Il l'affirme, et les "sots" avec lui, dans la "farce morale et joyeuse" des *Sobres Sots*, jouée à Rouen au Carnaval de 1536 (Pic., Bb 18, t.III) :

Le premier sot. — Il y a difference
Entre badins, sages et sos ;
Les badins ne sont pas vrays sos ;
Mais ils ne sont ne sos ne sages.
. . . .
Le cinquième. — Es-tu badin ?
Le badin. — Ouy, se me semble.
Suis-je tout seul donc? Nennin, non.
Je sais des gens de grand renom
Qui le sont bien autant que moy.
. . . .
Je suis badin, et non pas sot.

Certes, dans la nombreuse confrérie des badins, il est quelques exceptions ; comme le stupide Mahuet badin, "natif de Bagnolet", qui ne comprend rien à rien ; ou, à l'opposé, le badin Oudin du *Médecin, le badin, la femme et la chambrière* (Leroux, Bb 10, t.II, N° XXXVIII), mari finaud qui trompe sa naïve femme Crépinette avec un aplomb sans pareil. Mais généralement le badin n'est ni foncièrement stupide ni un maître rusé. Il se situe entre les deux : un niais qui n'est pas dépourvu de malice, sans qu'on puisse déterminer à coup sûr la part de l'inconscience et la part de la malice. Parce qu'il est naïf, on peut se permettre devant lui de tout dire et de tout faire ; comme il est niais et qu'on le sait, lui-même peut tout dire et tout faire ; mais comme il est ingénu, il dit bien des choses qu'il convient de taire ; et comme il est malicieux, il les dit au moment où il faudrait qu'il se taise. Voilà pourquoi "partout on l'estime et crainct" *(les Sobres Sots)*.

Se servant de sa sottise "pour attraper ceux qui ont l'air de se moquer de lui", il devient, comme l'écrit Pierre Toldo, "un véritable fléau pour ceux qui le reçoivent dans leurs maisons"(6). Dans *Messire Jehan* (Leroux, t.II, N°XXIX),

---

(6) *Etudes sur le théâtre comique...*, Bb 38, p.303.

Messire Jehan se méfie de Jaquet "qui est badin" : "Y nous joura un mauvais jeu" ; et le curé confirme : "Ma foy, c'est un dangereulx sot".

C'est en raison de ce rôle à double face, propre à renouveler sans effort une situation donnée, que les "faiseurs de farces" ont multiplié les badins et surtout les valets badins.

IV - LES THEMES

Le badin est engagé comme valet. Toutefois le thème des rapports maître-serviteur est ici de peu d'importance : jamais l'autorité du maître n'est contestée ; le badin servira même, si l'on peut dire, les intérêts de son maître en lui dénonçant les activités de l'intrus.

Le thème du manger est lui-même secondaire et ne relève que de la gourmandise traditionnelle du badin. Le badin se loue moins pour servir que pour avoir à manger et à boire. Dans la rue déjà, il "pette et rue / de rage, de fain" qu'il sent (v.39-40). Il rêve d'un "jambon" arrosé d'"une quarte de vin" (v.57-58), de "groings" de pourceaux (v.70-71). La première chose qu'il demande dans l'exercice de ses fonctions est "la clef / de la cave et du celier, / du lard, du pain", et ensuite seulement "de l'argent" (v.85-87). La première chose qu'il fait est de "disner" (v.97-98) et il ne cesse de réclamer "quelque bon breuvage" (v.112, 116). L'envoie-t-on chercher un pâté ? il commence par s'assurer qu'il en aura sa part (v.215-217).

La paillardise est aussi du domaine du valet badin.Mais ne pouvant guère espérer d'une femme(7),le badin se contente de vivre d'amour en imagination, et il s'en tient à décrire avec complaisance les scènes dont il ne serait ou n'est que le témoin : la femme se plaint-elle à son amoureux d'être tenue à l'"estroit" dans le ménage ? il l'imagine aussitôt,

---

(7) Si dans *la Veuve* (Leroux, t.III, N° LIV), le badin Robinet épouse la femme dont il était le valet, c'est parce que la veuve se sentait frustrée et que le solide gaillard avait de quoi la contenter.

chemise levée, dans les bras de son mari (v.184-187) ; il commente longuement le baiser donné par l'amoureux (v. 192-198) ; et dans son rapport au mari, il fait d'un "baiser"une "lutte" d'amour (v.305-314).

Reste un thème essentiel dans cette farce,le retour réitéré de celui dont on souhaite le départ(8). Ce thème revêt ici deux aspects : un retour inopiné et une présence inopportune ; mais le but est le même : retarder et contrarier un tête-à-tête amoureux.

Pour mieux cerner ce thème, comparons notre farce avec celle de *Pernet qui va au vin*, farce qui daterait des premières années du XVIe siècle et qui, dans le Recueil du British Museum, suit *le Badin qui se loue*. Nicole,femme de Pernet, reçoit la visite de son amoureux ; elle craint que son mari ne les surprenne :

> Mais que dira Pernet, s'il vient ?
> Monsieur, vous me ferez infame.

Sur ce, Pernet arrive à point nommé pour surprendre chez lui l'amoureux. Celui-ci pense trouver une échappatoire en se faisant passer pour un cousin germain.Pernet n'est pas dupe : voilà, dit-il, un "embrocheur de cousine" ; mais, devant les affirmations de sa femme, il lui est difficile de contester. Nos amoureux n'ont plus qu'à éloigner le mari gênant : on l'envoie chercher du vin à la taverne. Pernet,avisé, reviendra neuf fois déranger les amoureux : il a oublié son pot ; il veut savoir ce qu'il fera si la taverne manque de vin, si le vin est de mauvaise qualité ; il a oublié de laver son pot, etc. La femme a compris le manège de son mari :

> Sans cesse il va et revient,
> Et ne le fait que par mal songer.

Finalement une sorte d'accord tacite permet aux amoureux de banqueter (le terme revient trois fois dans le texte), sous la surveillance à la fois inquiète et complice du

---

(8) Voir Recueil Trepperel, t.II, p.81 et B. Bowen, *Les caractéristiques de la farce...*, Bb 40, p.38.

mari[9].

Dans *le Badin qui se loue*, le manège du badin s'appuie sur les mêmes procédés que celui de Pernet. Mais la situation de départ est différente puisque le mari s'est éloigné sans intention de ruse (v.161) et que l'importun qui revient est le valet. Il n'y va pas de son honneur ! Il n'agit que pour faire enrager quelqu'un, par simple malice ou par bêtise. La fin aussi est différente : dans le *Badin*, le retour du mari chasse l'amoureux ; et, l'intrus éliminé, le ménage semble momentanément retrouver la paix.

V - LE BADIN EN SITUATION

La situation du mari revenant surprendre sa femme et son amoureux peut prêter à rire par ses effets sur le couple dérangé dans ses ébats. Pour que le retour d'un valet fît rire, il fallait que l'intérêt du spectateur se déplace des amoureux à l'importun. De là l'emploi dans ce rôle du valet badin, personnage par définition comique. On le voit dès son arrivée : il crie (v.34, 37, 42) ; mieux, il "besle" (v.42): toute l'attention du public est déjà fixée sur lui.

L'auteur n'a plus qu'à mettre en "situation" les traits caractéristiques du badin.

Un de ces traits consistait à interpréter à la lettre des expressions métaphoriques, à reprendre un mot dans un sens différent de celui qu'il avait dans la bouche d'autrui, à confondre deux mots de consonance identique ou voisine ; bref, à jouer sur les mots de la façon la plus naturelle qui

---

(9) On pourrait aussi comparer le *Badin* avec la farce du *Pâté* (Coh., N° XIX ; cette farce n'a pour la situation aucun point commun avec la farce du *Pâté et la Tarte*, précédemment étudiée). Là un mari importune l'amant et sa femme en revenant sans cesse vérifier si le pâté n'est pas brûlé ou refroidi. Comme dans la farce du *Badin*, l'affaire se termine par des coups ; mais c'est le curé-amant qui est rossé.

soit[10]. Notre badin joue ainsi sur les mots "appétit" (v. 54-55), "balier" (balayer) et "bailler" (donner) (v.75-76), "privilège" (v.90-93), "il me fasche" (v.110-111 ; dans le premier cas "il" est masculin, dans le second il est neutre), "affaire" (v.114-115), "estroit" (v.184-187),"marchander"(v. 247-249) ; par association d'idées, le mot "taureau" dans la remarque : "il a moins d'esperit que un thoreau", amène la question : "Apporteray-je un pasté de veau?"(v.257-258). Jeu de mots encore, quand le badin fait intervenir des saints qui n'existent que dans son imagination, pour la rime parfois, mais le plus souvent pour faire rire : *Bon*,*Bonnet* (aucune référence ici à saint Bonet, évêque d'Auvergne), *Charlot*, *Marande*.

Un autre trait du badin - et qu'il partageait avec le "sot" - était de ne jamais pouvoir rester en place : il va, il vient ; il sort, il rentre. Ce sont ces mouvements incessants sur un espace scénique réduit, qui favorisent des situations comiques. Je m'en tiendrai à un exemple : à peine l'amoureux a-t-il réussi à se débarrasser du badin et a-t-il eu le temps de regretter que la femme ait pris un tel valet à son service ("sans luy nous estions trop bien"),que le badin mime un retour précipité (v.228-234) ; la femme le renvoie aussitôt et, pour le tenir éloigné le plus longtemps possible, prie Dieu qu'en cours de route il se rompe " le col" ; or, loin de s'en offusquer, le badin prend de nouveau ses jambes à son cou : "Je m'y en vois tout courant",dit-il; ce qui peut signifier : "tout de suite", mais laisse entendre qu'il se met lui-même dans la disposition de se rompre "le col" (v.236-239).

Engagé pour "tout faire", le badin n'aura rien fait de ce qu'on attendait de lui. En moins d'une heure, il se sera restauré ; il n'aura pas rapporté le pâté mais en aura gardé l'argent ; lui qui prétendait tenir le rôle d'un fidèle serviteur, il aura ruiné les espoirs amoureux de la maîtresse de maison ; il aura acquis par chantage un bonnet ; enfin il aura fait rosser sa maîtresse.

Un valet qui se loue, à ne pas louer !

---

(10) Voir ci-dessus t.I, *Jenin fils de rien*, pp. 258-259 et note 10.

VI - STRUCTURE ET DISPOSITION SCÉNIQUE

Remarques : 1) Cette farce est construite de façon très simple. Pas d'"intrigue" ; et le badin n'est pour rien dans le retour inopiné du mari. Son rôle - que le titre dans le texte imprimé ne met pas suffisamment en évidence - consiste seulement à ne pas se conduire comme son entourage l'attendait : le badin s'en tient à faire son "numéro". - 2) La scène est supposée se passer à l'intérieur d'une maison, avec quelques aperçus sur la rue avoisinante. - 3) Nous sommes à une heure indéterminée : le badin meurt de faim et demande à "disner" (repas du midi, v.98) ; le mari va à ses "affaires" (v.120) ; et nos amoureux s'apprêtent à banqueter avant de "faire le cas" (v.153-157).

On peut considérer dans la structure onze mouvements :

1 - v.1-27 (dans la maison) :

a) La femme souhaite plus d'indépendance : son mari est constamment "après elle".

Point de vue du mari : il a toujours besoin de quelque chose ; il ne pense pas en effet à surveiller sa femme : il ne se doute de rien, bien que ce ne soit pas la première fois que l'amoureux profite de son absence pour s'introduire dans la maison (v.153-157).

Point de vue de la femme : 1) ce qu'elle dit : on la traite "comme une pauvre chambrière" ; pour l'heure, ses besoins se limitent à l'approvisionnement en boisson.

2) ce qu'elle pense (on le saura plus tard) : elle veut avoir la possibilité de recevoir tranquillement son amoureux, sans perdre son temps aux apprêts du "banquet".

b) Décision commune : ils loueront une chambrière ou un valet.

2 - v.28-36 (dans la rue). Le badin, affamé, s'offre à qui veut le louer comme valet.

3 - v.37-43 (dans la maison et dans la rue). Le mari et la femme qui l'entendent crier, l'invitent à se présenter.

4 - v.44-121 (dans la maison). Accord conclu, le badin servira l'homme et la femme. En attendant, il se restaure d'une miche de pain bis. Et le mari s'en va à ses "affaires" (on peut supposer qu'il sort par la gauche ; ainsi l'amoureux, qui guettait dans la rue, a pu le voir s'en aller sans le croiser).

5 - v.122-128 (dans la rue). L'amoureux vient trouver son "amye".

6 - v.129-225 (dans la maison). L'amoureux et la femme, sous la surveillance du badin. Interventions du badin,qui le rendent bientôt insupportable :

a) auprès de l'amoureux : il veut savoir ce qu'il vient faire chez son maître ; - il le salue ; - il admire son bonnet.

b) auprès de la femme : il se taira désormais ; - elle a tort de se plaindre que son mari la tienne à l'étroit (équivoque).

c) auprès des deux, après qu'ils se sont embrassés : il racontera tout à son maître.

d) auprès de l'amoureux : il accepte, pour se taire,l'offre d'un bonnet ; - il accepte d'aller chercher un pâté, à condition d'en avoir sa part ; - il lui demande de l'argent pour l'achat du pâté ; - accord pour l'achat du pâté.

Et il s'en va.

7 - v.226-229 (dans la maison). Enfin seuls !

8 - v.230-232 (dans la rue). Le badin revient sur ses pas.

9 - v.233-301 (dans la maison).

a) (v.233-285). Retours et faux départs du badin, qui interrompent le dialogue des amoureux. Le badin ne s'éloigne que de quelques pas et revient presque aussitôt(il ne disparaîtra plus de la vue du public).

1) départs interrompus : combien de pâtés faut-il acheter ? → *je m'y en vois* (238) ; un pâté de quel prix doit-il acheter ? (il insiste) → *je m'y en vois* (255) ; est-ce un pâté de veau, de poule ou de chapon ? (il insiste)

→ *je m'y en voys* (266).

2) départs ébauchés : il a oublié quel pâté il devait apporter et il ignore où l'on vend ces pâtés ; - il a encore oublié ce qu'on vient de lui dire ; - le pâté doit-il être froid ou chaud ? - il redemande l'adresse où il doit aller.

b) (v.286-301). Retour annoncé du mari. Le badin réclame, pour prix de son silence, le bonnet promis. Profitant du départ précipité de l'amoureux, il s'empare de son bonnet et refuse de le rendre. L'amoureux s'enfuit (par où il était venu ; quant au mari, bien que le badin l'ait aperçu "en ce chemin", on doit supposer, pour qu'il n'ait pas à croiser l'amoureux, qu'il rentre par où il était sorti).

10 - v.302-334. Retour du mari. Entre les mains du badin, le bonnet de l'amoureux trahit la femme. Le badin n'hésite pas à dire ce qu'il sait ; il en rajoute même. Le mari rosse sa femme ; puis il lui pardonne.

11 - v.335-339. Adresse au public (faite par le mari).

Ces mouvements scéniques peuvent être schématisés comme suit (voir p.18) [→ : déplacement sur l'échafaud; ---→ : présence scénique (personnages muets)] :

VII - VERSIFICATION

a) Nature : Une grande partie des vers sont des octosyllabes, qu'on ait affaire à une scansion nette : "Le diable vous rompe la teste!" (v.2), ou à une scansion souple : "Il ne fauldroit faire, | en somme" (v.4).

Les vers de sept syllabes sont néanmoins nombreux :

> Je m'en voys à vous parler (46)
> Je le diray à mon maistre (198,200, 205).

Il suffirait souvent d'ajouter un mot pour reconstituer l'octosyllabe sans nuire au sens :

> Tu en auras [bien] davantage (73)
> Mais dictes-moy [donc], je vous prie (149)
> Tu [nous] gastes tout le mystere (168)

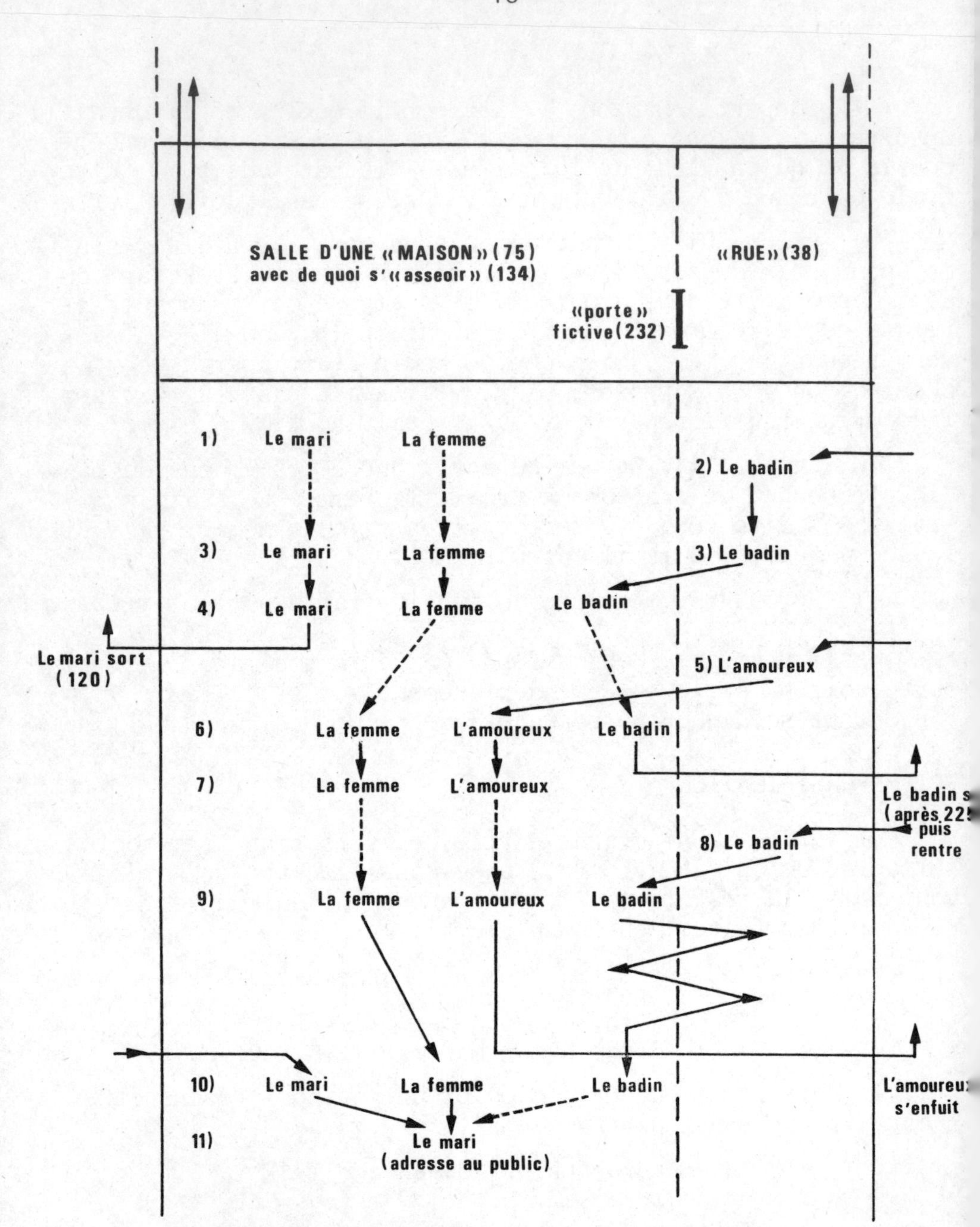
SALLE D'UNE «MAISON» (75)
avec de quoi s'«asseoir» (134)
«RUE» (38)
«porte»
fictive (232)
1) Le mari La femme
2) Le badin
3) Le mari La femme
3) Le badin
4) Le mari La femme Le badin
Le mari sort
(120)
5) L'amoureux
6) La femme L'amoureux Le badin
7) La femme L'amoureux
puis
rentre
8) Le badin
9) La femme L'amoureux Le badin
10) Le mari La femme Le badin
s'enfuit
11) Le mari
(adresse au public)

Mais il va sans dire que j'ai respecté le texte et que je me suis bien gardé de refaire les vers à ma façon.

On compte en outre un décasyllabe (v.36), des vers de six syllabes (60, 146-147, 192, etc.), de cinq (142,277),de quatre (68, 148, 195, 224, 255, 261, etc.),et même de trois syllabes (1, 67, 157).

b) Disposition : aa bb cc dd ...

Quelques particularités. Trois mêmes rimes qui se suivent : 120-122, 195-200 (aaa bbb), 265-267, 307-309; quatre rimes : 33-37, 79-82.

c) Rimes à noter : *dehors - fault* (?) (183-184);*clef - celier* (85-86) ; *désirs - Paradis* (131-132 ; voir t.I,farce N° IV, p.194 note du v.158, ce qui a été dit des finales en *-ir)* ; *ceans - ceant* (= séant, 163-164) ; *achepte - beste* (245-246) ; *solz* (prononcé : sous) - *vous* (253-254) ; *revienne - Bievre* (272-273 ; voir ce qui a été dit p.7 à ce sujet) ; *maistresse - brayette* (312-313) ; *foul* (= fol) - *saoul* (324-325). On notera en outre de nombreux mots qui riment avec eux-mêmes : *appetit* (54-55), *bien* (102-103),*foys* (104-105), etc.

d) Scancion (voir t.I, pp.36-41). Quelques exemples. - NB.[ ]= à ajouter dans la prononciation ; ( ) =à supprimer; [-] = temps d'arrêt ; - ou | = diérèse ou hiatus.

Venez çà ; - hé! mon amy (44)
De la cave et du celier (86)
Pas un seul bien avec [que] luy (181)
Qu(e) aucune chose ne diras (207)
Que tu te puiss(es) rompre le col (236)
Affin que plus ne revi-enne (272)
Il vouloit fair(e), comme je croy (311)
Ha! mort bieu, suis-je encor(es) icy (330).

Scansion du verbe *prier* à l'indicatif (nombreux exemples) :

Je vous pri-e, parlez tout doulx (6)
Je vous pri-e, | abstenez-vous (328)
Je vous pri(e), que me pardonnez (332).

Scansion du futur (et du conditionnel) : 1) *baill(e)ray-je* (76), *chaum(e)ras* (95), *apport(e)ray-je* (258), *retourn(e)-rois* (280) ; 2) *j'en apporteray* (283) ; 3)*perd[e]ray-je*(295), *batt[e]ray* (324).

-

[f]° A r° p.

Farce nouvelle très bonne et fort joyeuse
à quatre personnages, c'est assavoir :

LE MARY, LA FEMME, LE BADIN QUI SE LOUE et l'AMOUREUX.

-

LE MARY *commence*. 1

Guillemette !

LA FEMME.

Le diable vous rompe la teste !
Jamais je ne vis un tel homme.
Il ne fauldroit faire, en somme,
5 Autre chose qu'estre après vous.

LE MARY.

Je vous prie, parlez tout doulx.
Je croy que vous me mengerez.

LA FEMME.

Par mon serment, vous louerez
Une chambrière ou varlet.
10 Car pensez que cela est laid
Qu'il fault que tousjours je voyse
Au vin et à la cervoyse,
Comme une pauvre chambrière.

LE MARY.

Hé! mon Dieu, que tu es fière !
15 Fault-il qu'ainsi parles à moy ?

LA FEMME.

Je vous prometz, en bonne foy,
Que plus si beste ne seray,
Ne si bien ne vous serviray
Que j'ay fait par icy devant.
20 Par quoy, louez quelque servant
Ou quelque bonne chambrière,
Qui voyse querir de la bière,
Du vin et de la cervoise.
Il n'y a si pauvre bourgeoyse
25 Qui n'ait chambrière ou varlet.

LE MARY.

Et bien, bien, il sera fait ;
Vous en aurez un. Sus donc !

LE BADIN, *en chantant*. 2

Parlez à Binette,
Dureau la durée,
30 Parlez à Binette,
Plus belle que moy.
Sang bieu! je suis en grand esmoy,
Que je ne puis maistre trouver ;
Et si ne cesse de crier :
35 Varlet à louer! Varlet à louer !
Varlet, de par tous les diables, à louer !

LE MARY. 3

J'ay là ouy quelqu'un crier,
Ce me semble, en ceste rue.

LE BADIN.

Par la mort bieu, je pette et rue
40 De rage, de fain que je sens.

LA FEMME.

Il semble qu'il soit hors du sens,
A l'ouyr crier et besler.
Je m'en le vois appeller.
v° p.2 Venez çà; hé! mon amy. 4

LE BADIN.

45 Hen! je vous ay bien ouy :
Je m'en voys à vous parler.

LA FEMME.

Es-tu pas varlet à louer ?

LE BADIN.

Et Jan, ouy! [...]

LA FEMME.

Se tu me veulx venir servir,
50 Assez bien je te traicteray.

LE BADIN.

Bien doncq je vous serviray,
De toute ma puissance, vrayement.

LA FEMME.

Il le fault louer vistement,
S'il est bon à vostre appetit.

LE BADIN.

55 Mort bieu, que j'ay bon appetit !
Pensez que desgourdirois
Un jambon, se je le tenois,
Avecq une quarte de vin.

LE MARY.
Dy-moy, sans faire le fin,
60 Comme c'est qu'on te nomme.
LE BADIN.
Les aucuns m'appellent Bonhomme,
Les autres m'appellent Janot.
LE MARY.
Janot est le vray nom d'un sot.
Veulx-tu demourer avecq moy ?
LE BADIN.
65 Et j'en suis content, par ma foy.
LE MARY.
Mais combien te donneray-je ?
LE BADIN.
Et que sçay-je ?
Ha! escoutez :
J'auray six francs pour le moins ;
70 Et si ne veulx avoir de groings,
Au moins s'ilz ne sont de pourceau.
LE MARY.
Ha! par monseigneur sainct Marceau,
Tu en auras davantage.
LA FEMME.
Il fauldra faire nostre mesnage
75 Et balier nostre maison.
LE BADIN.
Bailleray-je du foing à l'oyson,
Ou de la fourche sur la teste ?
LA FEMME.
Je ne ditz pas cela, beste.
Je dis que ballies la maison.
LE BADIN.
80 Jean, ce n'est pas là raison.
LE MARY.
Voylà la clef de la maison
Pour fermer l'huys et la cloison,
Quand tu vouldras aller dehors.
LE BADIN.
Aij r° p.3 Ce n'est pas tout ce qui fault :
85 Baillez-moy, je vous prie, la clef
De la cave et du celier,

Du lard, du pain et de l'argent.
Je m'y monstreray diligent :
J'ay esté frippon d'un collège.

LE MARY.

90 Les femmes ont le privilège
Porter les clefz en leurs pochettes.

LE BADIN.

J'en auray donc, si vous n'y estes,
Privilège de rompre l'huys.
Vous me ferez mourir de fain.

LA FEMME.

95 Tu ne chaumeras de pain, de vin,
Ne d'autre chose quelconque.

LE BADIN.

Je vous prie, donnez-moy doncque
A disner, ma bonne maistresse.

LA FEMME.

Tenez, voylà une grosse pièce
100 De pain bis : disne si tu veulx.

LE BADIN.

Vous disiez que serois heureux
Et que me traicteriez si bien !

LA FEMME.

Si vous n'avez aujourd'huy bien,
Vous aurez mieulx une autre foys.
105 Et, vous mengez tout à la foys :
Il y fault aller gentement !

LE BADIN.

Je ne sçauroys, par mon serment,
Car mes dentz sont trop aguisées.

LA FEMME.

Quel bailleur de billevesées !
110 Voyez un peu comme il me fasche.

LE BADIN.

Par la mort bieu, il me fasche
Que je n'ay quelque bon breuvage.

LE MARY.

Pensez à faire le mesnage,
Car je m'en voys à mon affaire.

LE BADIN.

115 Sang bieu, que en ay-je affaire ?
Je demande à boyre du vin.

LE MARY.

Par ma foy, tu en auras demain,
De cela ; et bien, je t'asseure.
Je m'en voys tout à cest heure
120 A mes affaires pourveoir.

LE BADIN.

Adieu doncques jusques au revoir.

5

L'AMOUREUX.

Si fault-il que je voise veoir,
Quelque chose que l'on en dye,
Se je trouveray mon amye
125 Pour affin de la gouverner
Et avec elle raisonner.
Je m'y en voys sans targer,
Car riens n'y vault le songer.

6

r° p.4

Madame et très bonne amye,
130 Dieu vous doi n t bonne et longue vie
Avec tous voz bons desirs !

LA FEMME.

Jesus, le roy de Paradis,
Vueille acomplir vostre vouloir !
Je vous prie, venez vous asseoir
135 Pour prendre un peu resjouyssance.

L'AMOUREUX.

Certes, de toute ma puissance,
Mettray peine à vous obeyr
Et feray vostre bon plaisir,
S'il vous plaist me le commander.

LE BADIN.

140 Sang bieu, vous venez sans mander.
Et qui vous amene icy ?

LA FEMME.

Te tairas-tu, dy !
C'est un de noz meilleurs amys.

LE BADIN.

Et il aura donc, vraymis,
145 Un bonnadies de ma personne :
Dieu gard de sorte bonne
Monsieur meilleur amy !

L'AMOUREUX.

A vous aussi.

Mais dictes-moy, je vous prie,
150 Qui vous a ainsi bien garnye
De ce bon serviteur icy ?

LA FEMME.

Moy-mesmes certes, mon amy,
Pource que beaucoup me faschoit
Que tousjours aller me failloit
155 Au vin et aux autres prochas,
Quant venez pour faire le cas
Avec moy.

L'AMOUREUX.

Il me suffist. Mais dictes-moy
Où est allé vostre mary ?

LA FEMME.

160 Je vous asseure, mon amy,
Qu'il est allé à sa besongne.
Dieu sçait que c'est ; car il hongne
Sans cesse quand il est ceans.

LE BADIN.

Ce bonnet vous e[s]t bien ceant,
165 Voyre, ou le dyable vous emport !

L'AMOUREUX.

Par mon serment, vous avez tort ;
Ne vous sçauriez-vous un peu taire ?

LA FEMME.

Tu gastes tout le mystère.
Je te prie, ne nous dy plus mot.

LE BADIN.

170 Non feray-je, par sainct Charlot ;
Croyez-moy, puis que j'en jure.

L'AMOUREUX.

Certes, m'amye, je vous asseure
Que, depuis environ huyt jours,
J'ay fait plus de quarante tours
f° Aiij r° p.5 Icy entour vostre logis. 175
Mais tousjours vostre grand longis
De mary present y estoit.

LA FEMME.

Il me pense tenir estroit

Les mains, comme on fait une oye.
180 Voyre dea, et si n'ay de joye
Pas un seul bien avec luy.
Encores, parnenda ! aujourd'huy
Je pensoys qu'il me deust menger.
Si estroit ne me puis renger
185 Que encores je ne luy nuyse.

LE BADIN.

Quand il vous haulse la chemise,
Vous n'avez garde de ainsi dire.

LA FEMME.

Ha! ha! vous avez fain de rire ;
Vrayment, c'est bien raison.

L'AMOUREUX.

190 Je vous prie, madame Alyson,
Un doulx baiser de vostre bouche.

Il la baise.

LE BADIN.

Là, là, fort je me bousche,
Affin de ne vous veoir pas.
Vous n'y allez pas par compas !
195 Tout doulx, tout doulx !
Et que dyable faictes-vous ?
Vous faictes la beste à deux doulx.
Je le diray à mon maistre.

LA FEMME.

Te tairas-tu? filz de prebstre.

LE BADIN.

200 Je le diray à mon maistre ;
Je sçay bien que (je) vous ay veu faire.

LA FEMME.

Mercy Dieu, je te feray taire
Si je metz la patte sur toy.

LE BADIN.

Quoy! mort bieu, o moy !
205 Je le diray à mon maistre.

L'AMOUREUX.

Tais-toy; si tu me veulx promettre
Que aucune chose ne diras
A ton maistre, tu auras
Un bonnet [que] te donneray.

LE BADIN.

210 Rien doncques je n'en diray.
Mais ne vous mocquez pas de moy.

LA FEMME.

Je te prometz en bonne foy
Que tu l'auras promptement.

L'AMOUREUX.

Mais tien! va-t'en dès maintenant
215 Achepter quelque bon pasté.

LE BADIN.

Et, mais que je l'ay apporté,
M'en donrez-vous au moins ?

L'AMOUREUX.

Ouy, toutes plaines tes deux mains,
v° p.6
Sans y avoir nulle faulte.

LE BADIN.

220 Sà donc, de l'argent! mon hoste.
Mais escoutez, j'en mengeray ?

L'AMOUREUX.

Vrayement, je t'en donneray.
Tien! hay, voylà de l'argent.

LE BADIN.

Hé! qu'il est gent !
225 J'en achepteray un pasté.

7

LA FEMME.

Ce folastre a tout gasté ;
Je me repens de l'avoir prins.

L'AMOUREUX.

Ma foy, il a bien fort mesprins ;
Et sans luy nous estions trop bien.

8

LE BADIN.

230 Hé! mon Dieu, je ne sçay combien
C'est qu'ilz m'ont dit que j'en apporte.
Je retourneray à la porte.

9

Combien de pastez voulez-vous ?

LA FEMME.

Hé! vray Dieu doulx,
235 Apporte-en un; tant tu es fol !
Que tu te puisses rompre le col,
Je prie Dieu, en retournant !

LE BADIN.
Je m'y en vois tout courant,
Et si je n'arresteray point.
L'AMOUREUX.
240 Cecy ne vient pas bien apoint ;
Mais rien n'y vault le desconfort.
Prenez, je vous prie, reconfort ;
Et à cela plus ne songez.
LE BADIN.
De quel pris esse que voulez
245 Que je l'achepte ?
LA FEMME.
Hélas! mon Dieu, que tu es beste !
Et ne sçaurois-tu marchander ?
LE BADIN.
Hé, mais! je vous veulx demander
Comment esse que l'on marchande.
250 Je ne sçay, par saincte Marande,
Que c'est à dire cela.
L'AMOUREUX.
Mon amy, mais que tu soys là,
Demande un pasté de trois solz.
LE BADIN.
Bien! allez, pour l'amour de vous,
255 Je m'y en vois.
L'AMOUREUX.
Ma foy, voylà un grand lourdois :
Il a moins d'esperit que un thoreau.
LE BADIN.
Apporteray-je un pasté de veau,
Ou un de poulle ou de chappon ?
L'AMOUREUX.
260 Ce m'est tout un, mais qu'il soit bon.
B r° p.7 Depesche-toy !
LE BADIN.
Je ne iray jà, sur ma foy,
Si ne dictes lequel voulez.
LA FEMME.
Nous sommes certes demourez ;
265 Demande un pasté de chappon.

LE BADIN.
Je m'y en voys, par sainct Bon.
LA FEMME.
Voylà un merveilleux garson :
Je n'en vis oncques de la sorte.
LE BADIN.
Qu'esse que voulez que je apporte ?
L'AMOUREUX.
270 Apporte un pasté de chappon.
LE BADIN.
Mais escoutez, où les vend-on,
Affin que plus ne revienne ?
LA FEMME.
Au bout de la rue de Bièvre,
A l'enseigne du Pot d'estain.
275 Monsieur, vous estes tout chagrin ;
Je vous prie, prenez-en patience.
LE BADIN.
Silence, silence !
J'ay oublié ce que m'avez dit.
Si ce n'estoit pour un petit,
280 Je n'y retournerois, par bieu, jà.
L'AMOUREUX.
Et es-tu encore ylà ?
Demande un pasté de chappon.
LE BADIN.
Bien! j'en apporteray un bon.
Mais le voulez-vous froit ou chault ?
L'AMOUREUX.
Chault.
LE BADIN.
N'esse pas au...
LA FEMME.
285 Au Pot d'estain.
LE BADIN.
Je voy mon maistre en ce chemin,
Qui s'en vient cy, par Nostre Dame.
L'AMOUREUX.
Adieu vous dy doncques, madame,
Jusques au reveoir.

LE BADIN.

290 Par bieu, si veulx-je avoir
Mon bonnet, entendez-vous ?

LA FEMME.

Monsieur, je prens congé de vous,
Vous priant m'avoir excusée.

LE BADIN.

Soubz telle manière rusée
295 Perdray-je ainsi mon bonnet ?
Et je l'auray, par sainct Bonnet,
Avant que partiez hors d'icy.

LA FEMME.

Je vous prie, rendez-le luy ;
v° p.8 Et demain en aurez un autre.

LE BADIN.

300 Ma maistresse, parlez-moy d'autre ;
Car, par bieu, il ne l'aura jà.

LE MARY.

10

Ho, ho! quel bonnet est-ce là ?
C'est le bonnet en grand gallant.

LE BADIN.

C'est mon, c'est mon : c'est un allant.
305 Il a luyté à ma maistresse ;
Mais de la première luyte adresse,
Il la vous a couchée en bas.

LA FEMME.

Mon mary, ne le croyez pas.

LE MARY.

Je vueil estre informé du cas.
310 Que demandoit-il? dis-le moy.

LE BADIN.

Il vouloit faire, comme je croy,
Un hault de chasse à ma maistresse ;
Car il regardoit que sa brayette
Estoit assez haulte pour elle.

LE MARY.

315 Vieille paillarde, macquerelle,
Orde souillon, salle putain,
Vous fault-il mener un tel train
Quand je suis hors de ma maison ?

LA FEMME.
N'estes-vous homme de raison ?
320 Pourquoy ainsi me diffamez ?
LE MARY.
Et, mort bieu, fault-il que causez ?
Du cas suis assez informé.
Par Dieu, qui m'a fait et formé,
Je vous battray tout mon saoul.
LA FEMME.
325 Fault-il que, pour un meschant foul,
Je sois ainsi mal demenée ?
Mon Dieu, il m'a presque assommée!
Je vous prie, abstenez-vous.
LE BADIN.
Hon, hon! quelz coups !
330 Ha! mort bieu, suis-je encores icy ?
LA FEMME.
Mon mary, je vous crie mercy ;
Je vous prie que me pardonnez.
LE MARY.
Si jamais vous y retournez,
Pas ne serez quitte à tel pris.
335 Si en riens nous avons mespris, 11
Nous prirons à la compagnie,
Qui est icy ensemble unie,
Qui luy plaise, sans reffuser,
Nous vouloir trestous excuser.

Fin.

Notes

Titre - BM. : Farce nou-‖uelle tresbonne et fort ioyeuse. A quatre ‖ personnages. Cest assauoir : La [faute répétée dans l'énoncé des personnages en tête de la farce N° XVII, *Jeninot qui fit un roi de son chat*] mary. ‖ La femme. Le badin qui se loue. ‖ Et lamoureux.

vers 15 - La graphie de la 2ème personne du pluriel est dans cette farce en *-ez* ; il faut donc se garder de transcrire : *parlés*. - La femme vouvoie son mari. Le mari commence par vouvoyer sa femme (v.6-7) ; puis il la tutoie (v.14-15), sans doute pour lui rabaisser le caquet ; il revient ensuite au vouvoiement (v.27, 317, 324).

v.18 - "Et que je ne vous servirai (plus)aussi bien...".

v.26-27 - On peut penser que des gestes, ponctuant ces "bonnes paroles", permettaient de prolonger la mesure des vers.

v.28 - BM. : les vers 28-29 sont sur la même ligne; de même les vers 30-31. - Sur cette chanson populaire, dont on a ici quelques vers (déformés) du troisième couplet, voir ci-dessus p.6 et note 3.

v.35-36 - Le "varlet" qui se louait était, par tradition, un valet "à tout faire", comme on le voit encore dans *le Couturier, son valet, deux jeunes filles et une vieille* (Leroux, t.I, N° XX). Plus tard on se plaira à lui faire énumérer ses capacités : *Watelet de tous métiers*, monologue des environs de 1500 (*Recueil de poésies françaises des XVe et XVIe siècles*, éd. Montaiglon - Rothschild, t.XIII);*Maître Hambrelin, serviteur de Maître Aliborum*, daté de 1537 (Recueil de Copenhague, N° IX) ; *Varlet à louer à tout faire*, monologue de Christophe de Bordeaux, écrit à Paris vers 1575 (*Recueil de poésies françaises...*, éd. Montaiglon, t. I).

v.43-46 - Là encore, des gestes et peut-être des exclamations non transcrites devaient permettre de prolonger la mesure des vers.

v.47 - *Louer* est scandé tantôt en monosyllabe (v. 35), tantôt en dissyllabe (v.53).

v.48 - BM. : *Et ianouy* (il manque des mots avec une rime en *-ir)*. *Jan* est une forme exclamative attestée à côté de *Jehan* et de *Jean* ; on verra qu'au vers 80 le badin jure par *Jean* ; comme nous sommes habitués aux graphies disparates(je *ditz* et je *dis* aux vers 78-79), il faut garder ici *Jan*.

v.51 - *Doncq* doit être prononcé comme s'il y avait *doncque(s)* (voir v.97, 121, 210, 288). En revanche, au vers suivant, il faut scander : "De toute ma puissanc(e)".

v.53 - Contrairement à ce qu'a transcrit Montaiglon dans ATF., le texte du BM. a *le* et non *te*.

v.54-55 - Premier jeu de mots du badin ; appetit : 1) goût (en général), 2) désir de nourriture.

v.56 - ATF. : *que* [*je*]... ; mais, rythme pour rythme, pourquoi ne pas corriger les v.59-60 !

v.61 - *Bonhomme* désignait un paysan, simple (d'esprit) et bon, qu'on abusait facilement. Dans *la Comédie de chansons* (1639 ; Fournier, *Le théâtre français au XVIe et au XVIIe siècles*, p.472), le vieux Matthieu se donnera aussi le qualificatif de Bonhomme :

Mais moy, qui suis Jean Bonhomme,
J'endure tout et n'en dy rien. (II,3)

- Pour *Janot*; "niais", voir ci-dessus, t.I, *Jenin fils de rien*, p.254.

v.67-68 - Tel est le texte du BM. : le v.68 ne rime pas ; et, pour le sens, il ne convient guère d'en faire le premier hémistiche du v.67. Peut-être est-ce un mot d'acteur.

v.75-76 - Deuxième jeu de mots, par confusion entre *balier* : "balayer" et *bailler* : "donner".

v.77 - Il s'agit de la fourche dont on se servait pour faner le foin ; mais le sens de ce vers m'échappe.

v.80 - BM. : *la*, qui dans les textes est transcrit à volonté : *la* ou *là*. On peut comprendre : "Ce n'est pas là une raison (pour me traiter de bête)", ou "Ce que vous dites là n'est pas raisonnable".

v.89 - *Frippon* se disait en argot scolaire du cuisinier, du marmiton (de collège) (Huguet, dans son *Dictionnaire* , cite ce passage). Le mot *frippon* désignait aussi quelqu'un qui aimait faire bonne chère ou qui se livrait à de petits vols : les trois sens peuvent s'appliquer à Janot.

v.90-91 - ATF. attribue tacitement cette réplique à la femme. C'est à tort ; et le texte du BM. est à garder.Le mari a donné au badin la clef de la porte et de l'enclos; mais il refuse de lui donner la clef de la cave et du cellier,que garde toujours sur elle la maîtresse de maison.

v.93 - L'*huys* renvoie ici à la porte de la cave et du cellier, et non, comme au v.82, à celle de la maison.

v.95-96 - Scandez : *chaum(e)ras* ; et *quel*[*le*]*conque*(prononciation populaire).

v.99-101 - L'établissement du texte de ce passage est difficile. - v.99, BM. : *Tenez* (cor. ATF. : *Tiens*). Si la femme a tutoyé le badin depuis le v.47, elle adopte le vouvoiement à partir du v.103, revient au tutoiement au v.142, puis au vouvoiement à partir du v.188 ; on a de nouveau le tutoiement au v.199, et le vouvoiement aux v.298-299. Tout dépend du ton de la réplique ; le *Cuvier*, t.I, v.245-254 nous a donné un premier exemple de ces passages du *vous* à *tu*;voir aussi *Calbain*, t.I, v.372-373. Quant à la scansion de ce v. 99, elle nous laisse l'embarras du choix, chacun des dissyllabes pouvant être réduit en monosyllabe. - v.100, BM. : *De pain pis* (cor. ATF.). - v.101, BM. : *Vous diriez que seriez si heureux* ; le vers renvoie au vers 50, où il n'y avait que *assez bien*. ATF. corrige les verbes ; je supprime en outre le *si*. Il me semble en effet que les désinences fautives de ce vers viennent d'une lecture anticipée du vers suivant: le *si* de *si bien* aura ainsi passé à *si heureux*, comme le *traicteriez* a amené *diriez* et *seriez*.

v.103 - ATF. a corrigé à tort *bien* en *rien*.

v.105 - "Eh! vous voulez manger...".

v.108 - Ses dents sont très pointues,prêtes pour le repas : façon comme une autre de dire qu'il a très faim.

v.110 - BM. : *comment* (cor. ATF.).

v.112 - BM. : *bruuage* (cor. ATF.).

v.113 - Reprise partielle du V.74. Mais *mesnage* avait aussi le sens d'"arrangement" ; et on peut comprendre: "Pensez à vous arranger (ma femme et vous)".

v.117 - Il faut élider *tu* (voir ci-dessus t.I, p.39 note 18).

v.118 - BM. : *De cela ;* ATF. a transcrit par erreur : *Deulx*.

v.121 - *Jusques au* est à prononcer : "jusqu'au"(de même au v.289).

v.122 - "Il faut (ainsi) que j'aille voir,quelque chose qu'on en dise, si je trouverai...". Sur le souci du qu'en dira-t-on chez les amants adultères de nos farces, voir t.I, *Calbain*, v.151-154, et ci-dessous *Un amoureux*, v.71-72.

v.128 - "Car il ne vaut rien (de perdre son temps) à y réfléchir".

v.129 - BM. : *tresbon ne amye*. - v.130, BM. : *doit*(cor. ATF.), "donne".

v.131 - *Avec*, à prononcer comme s'il y avait *avecques* (graphie adoptée par ATF.).

v.139 - BM. : *recommander* (cor. ATF.).

v.140 - "Sans demander (à être reçu)".

v.144 - *Vraymis* ; la forme courante de ce juron exclamatif semble avoir été *vresbis* (voir Glossaire) ou *vraybis* : "vrai Dieu!" ; mais comme dans la farce du *Pet* (ATF., t.I,p. 102) on trouve hors rime la forme *vramy*, il convient de garder ici *vraymis*.

v.149 - Après avoir rendu au badin ses politesses, l'amoureux s'adresse à la femme.

v.154 - "Que toujours il me fallait aller..." ; la conjugaison de *falloir* se confondant encore à cette époque avec celle de *faillir*, il n'y a pas à corriger *failloit*.

v.155 - *Prochas* : "ce qu'on recherche, ce qu'on cherche à se procurer" (verbe *porchacier* ; aujourd'hui : "pourchasser"), et par là "ce qu'on achète". La forme est généralement *porchas* ou *pourchas* (cf. le *Débat de la nourrice*, dans ATF., t.II, p.433 : "Plus vault avoir pourchas que rentes").

v.156 - *Faire le cas* avec une femme : "faire l'amour avec elle", au sens moderne de l'expression. Dans la farce de *Frère Guillebert* (ATF., t.I, p.320), l'homme embrasse sa femme avant de la quitter et lui dit : "Je feray le cas au retour"). Dans les farces et les contes de ce temps, les amants "banquetaient" généralement en guise de préliminaires à l'acte charnel (voir ci-dessous, *Un amoureux*, v.80-81).

v.160 - Prononcez : "je vous assure" ; voir v.172,où le mot rime avec *jure* ; ailleurs *seure* (sûre) rime avec des mots en *-eure* comme *demeure* (ci-dessous, farce du *Meunier*,N° X, v.111). - La femme prend soin de donner toute assurance à l'amoureux que son mari ne reviendra pas de sitôt; on verra, v.172-177, que l'amoureux avait en effet bien besoin d'être rassuré.

v.165 - ATF. transcrit : *m'emport*.

v.166 - *Vous avez tort* de jurer ainsi par le diable(ou: de vous mêler de cela).

v.170 - "Je ne dirai plus mot".

v.172 et suiv. - Philipot, *Six farces...*, p.147, a signalé les "ressemblances textuelles"entre cette réplique et celle de l'amoureux dans la farce du *Poulier*, à quatre personnages, v.115-120 :

> Ma doulce amye, croyés d'un cas
> Que j'ey faict plus de mile tours
> Par cy devant depuis huict jours,
> Desirant fort à vous parler.
> Mais tousjours le voyois aler (texte : *voyés*)
> Ou venir à l'entour de vous.

v.179 - ATF. a transcrit : *un coye* ; et l'on comprend que P.Jannet ait mis un point d'interrogation au sens de ce mot dans son *Glossaire* (ATF., t.X, p.173). Le texte du BM. a pourtant sans conteste : *une oye*. Même si la comparaison peut prêter à rire, le sens est clair.

v.182 - BM. : *Encores parnenda.* - Scandez : *encor(es)*, comme au v.330. - *Parnenda :* ce juron de forme populaire et qui semble avoir été particulièrement employé par les femmes, signifierait soit "par Notre-Dame" soit "par le nom de Dieu" ; on trouve à cette époque et jusque dans la seconde moitié du XVIe siècle un grand nombre de formes composées de *enda (en! dea!*, prononcé : "en da", dans *Pathelin*, v.336; Holbrook traduit : "hem! diable!") : *en enda, anenda, par enda, par en da* (dans la farce de *Frère Guillebert), par mon enda, nanda, enanda, parmanda, mananda* (dans *les Contents*, de Turnèbe, V,3), *par manenda*, etc. (voir Huguet, *Dict.)*. La forme *parnenda* ne se trouve, à ma connaissance, que dans cette farce.

v.183 - Transposition du reproche que le mari avait adressé à sa femme au vers 7.

v.184 - "Je ne puis me ranger de façon si étroite que ...".

v.189 - "Vous êtes fou!" (antiphrase).

v.190 - Son mari l'a appelée Guillemette (v.1); Alyson doit être son nom patronymique ; on retrouve ailleurs des femmes du nom d'Alison (ci-dessous farce N° VIII, v.22; Recueil Cohen, N° XVI et XVII). Alison désignera ensuite une "vieille femme", notamment dans la comédie de Discret, *Alizon* (1637), jouée par un acteur qui portait ce nom (voir Fournier, *Le théâtre français au XVIe et au XVIIe siècle*, Paris 1871, pp.400 et suiv.; et S.W. Deierkauf-Holsboer, *Le théâtre du Marais*, Paris 1954, t.I, pp.41-42).

v.192 - En général on se bouche les oreilles pour ne pas entendre ; le badin, lui, se "bouche" les yeux.

v.197 - Le badin joue ici sur les mots *dos* et *doulx*, comme on le verra jouer plus tard, v.312, sur *chasse* et *chaulse*. L'expression était : "faire la bête à deux dos", c'est-à-dire "faire l'amour" ; voir *le Chaudronnier, le Savetier et le tavernier* (ATF., t.II, p.121), *Maître Hambrelin* (Recueil de Copenhague, éd. Picot, p.202) et *le Pèlerinage de Mariage* (Picot, Bb 18, t.III, p.298), où les pèlerines chantent :

Et facent leurs maris coqus
En faisant la beste à deulx dos :
Te rogamus, audi nos.

v.199 - Voir ci-dessus, t.I, N° VI, *Jenin fils de rien*, note du v.35.

v.201 - Faut-il supprimer *je*, comme l'a fait tacitement Montaiglon, ou scander : *j'vous ?*

v.209 - BM. : *Et un bonnet te donneray* ; le *tu auras/ et* me paraît inexplicable. - On se rappelle que le bonnet de l'amoureux avait déjà attiré l'attention du badin (v.164).

v.214-215 - Voir v.153-154.

v.216 - "Et lorsque *(mais que)* je l'aurai apporté". Au v.252, *mais que* et le subjonctif signifiera "lorsque" suivi du futur simple.

v.217 - *Donrez* est à prononcer : don-ne-rez (v.66, 209, 222 : *donneray*) ; les deux formes coexistaient, comme on l'a déjà vu dans *Calbain* (t.I, N° III, v.91 et 109).

v.219 - "Sans qu'il y ait faute (de ma part)"; nous disons aujourd'hui : "sans faute", c'est-à-dire : sûrement.

v.221 - BM. : *Mais escout es* (cor. d'après v.271 ; ailleurs dans ce texte, toutes les 2ème pers. du pluriel sont en *-ez*).

v.230-232 - En aparté, lorsqu'il est "dehors".

v.236-237 - "Je prie Dieu que tu puisses..., quand tu retourneras".

v.241 - "Mais rien ne sert de s'en désoler".

v.247 - *Marchander :* "acheter" chez un marchand, ou en marchandant, comme dans *Pathelin*, v.66-67 : "Vous desplaist-il se je marchande / du drap?". Mais le verbe avait bien d'autres sens : "exercer un commerce, trafiquer,réfléchir..."; d'où la réplique du badin.

v.257 - Malgré la graphie, encore normale à cette époque, on voit qu'*esperit* se prononçait "esprit" ; le *-e* de *que* est également purement graphique.

v.263 - BM. : *quel le voulez* ; je suppose un lapsus par métathèse des syllabes.

v.273 - La Bièvre est une petite rivière qui coule dans (sous)Paris ; et une vieille rue de Paris porte toujours ce nom. Sur cette rime insolite, voir ci-dessus p.7.

v.274 - Le *Pot d'estain* conviendrait mieux comme enseigne à un marchand de vin qu'à un pâtissier ; mais on se rappellera que Guillemette n'avait souhaité avoir un valet que pour qu'il aille à sa place chercher du vin, de la bière et de la cervoise ; de là pourrait venir la confusion.Autre explication : elle envoie le badin chez un marchand où il ne trouvera pas ce qu'il cherche ; il perdra du temps ; et les amoureux seront plus longtemps seuls.

v.275 - Elle s'adresse de nouveau à son amoureux,et lui demande de prendre (son mal) en patience : le badin ne saurait tarder à les laisser seuls.

v.285 - BM. : *Nesse pas au ou*. Le *ou (au... ou...)* marquerait l'hésitation du badin et serait hors métrique.Malgré cette suppression, le vers est trop long,à moins de scander: *N'ess(e)*. On pourrait aussi, pour avoir une rime à *chault*, disposer comme suit :

Chault. - N'esse pas au...
- Au Pot d'estain.

v.287 - *Par Nostre Dame* est un juron.

v.296 - Le badin s'empare du bonnet de l'amoureux.

v.297 - *Partiez* : on notera cette finale du subjonctif présent, à comparer avec la désinence en *-ez* rencontrée jusqu'ici (voir J. Anglade, *Grammaire élémentaire de l'ancien français* : conjugaison en -ir non inchoative, p.119).

v.300 - *Autre* est neutre : "autre chose".

v.301 - L'amoureux s'enfuit avant que n'entre le mari.

v.302-303 - Sur ce bonnet, voir ci-dessus p.9.

v.304 - "C'est mon avis" (voir *Glossaire* : "mon").-BM.: *alland* (par analogie avec *galland*) ; l'expression : *c'est un allant* est fréquente à cette époque pour désigner un homme fourbe, rusé et un "coureur" de femmes.

v.305 - *Luyter* (ou *luiter*) est une forme qui s'est maintenue jusqu'au début du XVIIe siècle, où *lutter* l'a supplantée. Dans nos farces, le terme est souvent employé pour les "luttes amoureuses" ; ainsi dans *Guillerme qui mangea les figues du curé* (ATF., t.I, p.339), où Guillerme raconte au mari que sa femme et le curé ont couché " tous deux ensemble" :

> Et bien souvent se joue à elle ;
> Et puis il l'appelle : "La belle,
> Jouons-nous et luyttons bien fort".
> Mais mon maistre est bien le plus fort :
> Il la gette tousjours en bas.

v.306 - Je comprends *adresse* comme *à droit*, c'est-à-dire : "directement, sans tarder". - Le badin en "rajoute", non "par dépit, comme l'a cru B.Bowen (Bb 40, p.27), et bien qu'il ait pu vouloir se venger des menaces de la femme (v. 202-203), mais par plaisir, avec une intention paillarde non dissimulée. Dans la farce du *Rapporteur* (Leroux, t.II, N° XXX), le badin prenait également plaisir à rapporter aux uns et aux autres les pires calomnies.

v.307 - *Vous* : les grammairiens noteront ce datif éthique, ou "pronom explétif d'intérêt personnel"(Le Bidois), qui suit ici le pronom objet.

v.312 - Contrairement à Montaiglon qui proposait *chausse*, je pense qu'il faut garder *chasse*, sur l'exemple du v.197, et voir un nouveau jeu de mots par référence à "haut de chausse" (culotte).

v.313-314 - *Brayette* désigne ici le membre viril, comme dans la farce de *Frère Guillebert* (ATF., t.I, p.305), où le Frère commence par évoquer "l'incarnation"

> De l'ymage de la brayette
> Qui entre, corps, aureille et teste,
> Au precieulx ventre des dames.

Quant au *assez haulte*, il renvoie au membre en érection ; pareillement, Jeanne, dans la *Comédie de chansons* (déjà citée à la note du vers 61), parlera du "dressoir" de son mari (III,1).

v.330 - Jeu de scène : le badin fait comme si c'était lui qui recevait les coups.

v.339 - Même genre de formule d'adieu dans la farce des *Deux Savetiers* (Fournier, p.215) :

Pardonnez-nous, jeunes et vieux ;
Une autre foys, nous ferons mieux.

-

VIII

UN AMOUREUX

-

U N A M O U R E U X

-

I - TEXTES

a) ancien :

- *Recueil du British Museum* (Bb 4 et 7) (cote : C 20 e. 13, pièce N° XIII, in-4° et en caractères gothiques ; 4 feuillets (8 pages, de 54-56 lignes à la page pleine ; la première page est réservée au titre, et la huitième ne contient que trois vignettes, sans rapport avec le sujet); sans lieu ni date (Paris, Nicolas Chrestien, "rue neufve Nostre Dame" anciens locaux de Jehan Trepperel , vers 1550 ; d'après H. Lewicka, *Fac-similé...*, p.XIII). - Le texte est défectueux. Ne parlons pas de quelques coquilles faciles à corriger (par exemple : v.87, *bouterous* pour *bouterons*),mais de lacunes (les vers 25, 76, 127, 140, 167, 168, 169, 172 , 211, 212, 213, 222 et 239 restent sans rime correspondante) et de passages altérés ou incomplets (voir les notes des v. 33, 131, 140, 210-211, 223, 234, 238). - Là encore,il semble que la copie dont s'est servi Nicolas Chrestien, ait été une copie établie à partir du texte d'un "joueur",approprié à un public d'origine différente de celui de la première représentation. De là des mots mis en fin de vers sans considération pour la rime ; de là un certain nombre de paroles ajoutées au texte et qui n'ont de raison d'être que de prolonger un geste et d'accentuer une affirmation ou une interrogation (voir les notes des vers 50, 93, 121, 135, 144, 163, 187) ; de là enfin un découpage du texte parlé qui ne rend pas toujours compte de la métrique (voir les notes des vers 51, 80, 97, 125, 139, 163, 184).

Diversité des graphies et des formes morphologiques : *acolée* (75) et *accolla* (124) ; *çà* (30) et *sà* (10) ; *c'*est le meilleur (144) et *se* me semble (150) ; *ceste* bouteille (90) et *cest* esguillette (111) ; *cy* (68, etc.) et *icy* (88,etc.) ; *dyable* (173) et *diable* (223) ; *droicte* (164) et *droit* (184); *fait* (19, 66) et *faicte* (24, 33) ; *gramment* (59) et *grandement* (231) ; *las!* (128, 135) et *hélas!* (138, 165) ; *morseau*

(14) et *morceau* (15) ; *moy* (50, etc.; hors rime) et *my* (31, 109; les deux à la rime) ; *moymesmes* (189, hors rime) et *moymesme* (192, à la rime) ; *moysement* (43) et *moise* personne (47) ; *nostre* lict (88), *noz* lict (131) et *no* prestre (225) ; *nulz* excet (237) et *nul* ne scet (238) ; *orine* (169, etc.) et *urine* (218), *uriné* (187, 195) ; *pleurer* (17) et *plourerois* (59) ; *prebstre* (149) et *prestre* (225) ; *sçavoir* (183) et *sient* (pour *scient*, 204) ; je *sçay* (37, etc.)et il *scet* (238) ; *soubsonner* (27) et vous *souppesonnez* (43); je y *voys* (16), je m'en *voy* (22) et je y *vois* (163); je *yray*(56) et *yraige* (143)(voir t.I, p.251 sur *suis-ge*).

En outre on notera pour les formes verbales :

a) la 1ère personne du singulier de l'indicatif des verbes autres que les verbes réguliers en *-er*, avec ou sans *-s* : je *voy* et je *vois* (déjà signalés) pour le verbe "aller" ; je *voy*, du verbe "voir" (21) ; je *croys* (42), je *crains* (46), je *doys* (175), et je *sçay* (37), je *dy* (41) ;

b) 1ère personne du singulier du conditionnel : je *vouldroye* (39), je *rabaisseroye* (79) - le -e final ne comptant pas dans la mesure du vers -, et je *plourerois* (59) ;

c) 2ème personne du singulier du subjonctif sans *-s* : que tu me *baille* (12, hors rime) ;

d) 2ème personne du pluriel avec ou sans *-s* : (vous) *faicte* (24) et vous *faictes* (33, 156) ; en *-é* ou en *-ez* : *escoutez* (27) et *acolé*-moy (77), vous *prendré* (157, rimant avec *diray*) et (vous) *porterez* (159).

b) moderne :

- *Ancien théâtre françois* (Bb 6), t.I, 1854, pp. 212-223. - Un premier essai pour débrouiller le texte ; mais il reste des erreurs de lecture : *je le requiers* (48), *ce* pour *et* (171), *c'est chose* pour *cecy m'est* (177). Certaines corrections tacites sont discutables ; de plus, comme pour les autres textes, on note dans la graphie des mots une fantaisie encore plus grande que celle du BM. ; ainsi, alors que le texte du BM. a toujours *un*, *foys* et *grand*, Montaiglon fait imprimer tantôt *un*, *foys* (216), *grand* (162),tantôt *ung* (129), *fois* (217), *grant* (84, 87, 140).

II - LE QUOTIDIEN SCHÉMATISÉ

Beneke fixait la composition d'*Un amoureux* en 1530. On ne peut ni confirmer ni infirmer cette date.

Le texte, malgré ses transformations, est à peu près sûrement d'origine picarde : vocabulaire picard (*arter*, 44 ; *sapion*, 91) ; formes picardes : *my*, 31 et 109 à la rime - *moy* se trouve dans le texte mais jamais à la rime - ; *noz*, *voz* et *no* déterminant un singulier (55, 57, 103, 119,131,132, 146, 186 ; 79, 189 ; 225 ; et un *vostre*, au v.19,est à scander *voz*) ; *targer* pour *targier* (5), *bucquer* pour *buschier* (122) ; *varye* pour *variée* (17, à la rime) ; ajoutons que les futurs *suiveray* (113), *buveray* (172), qui appartiennent à un vaste domaine, se rencontrent particulièrement en Picardie. Mais comme on l'a dit dans la description du texte imprimé à Paris vers 1550, il est très vraisemblable que la copie dont s'est servi l'imprimeur, a été faite à partir d'un texte retouché en vue d'un public non picard. Le nom de Dinan (v.5) laisserait même supposer une représentation fort éloignée du domaine picard ; à moins que le copiste ait transcrit ce nom de ville pour des raisons purement personnelles, ou qu'il s'agisse de la ville belge de Dinant (voir la note).De toute façon, le texte que nous possédons est si défectueux qu'il faut supposer plusieurs copies entre l'original et le texte du BM.

Est-ce une preuve du succès ?

Pourtant, et plus encore que *Jenin fils de rien*,la farce d'*Un amoureux* est à l'époque moderne consciencieusement passée sous silence.

Dans l'esprit de beaucoup de gens en effet, et avec l'aide des manuels d'histoire littéraire qui n'ont guère évolué, une farce du Moyen Age est, *Pathelin* mis à part,quelque chose de grossier, de vulgaire, relevant d'un comique facile, dit de bas étage. On sait avec quelles précautions Leroux de Lincy présentait en 1837 les farces du Recueil La Vallière : ce recueil, disait-il, se compose de pièces "d'un comique bas, populaire, effronté, et dont on ne retrouve plus de trace que sur les tréteaux, où il fait encore rire le peuple : au quinzième et au seizième siècle, il avait le privilège de faire rire les rois". Vue sous cet angle, la farce d'*Un amoureux* pourrait provoquer une moue dédaigneuse ; et dans son *Répertoire*, N° 67, p.107,Petit de Julleville en 1886 la cataloguait péremptoirement de "farce de bateleurs, très plate et très grossière".Faut-il en rester à ces jugements de littérateurs, qu'on voulait établis *ne varietur ?* Ne confond-on pas texte écrit pour être lu à tête reposée, et texte destiné à être dit et représenté à plein vent ? Ne confond-on pas trivialité et réalisme ? Y a-t-il encore des tabous en matière de quotidien ? Comparée à des films dits d'"art érotique" comme *Emmanuelle* (1.300.000 entrées en 26 semaines) et les *Contes immoraux*, ou à des films destinés à un prétendu vaste public, comme *la Grande Bouffe*, pour ne pas parler de théâtre (mes "amis" sont susceptibles) et pour ne citer que des films "classiques" contemporains, notre farce en matière d'audace ferait aujourd'hui près du public bien piètre figure !

Mais cela dit, je crois que c'est l'essence même de la farce qui est en jeu.

Voyons les choses comme elles sont. La farce tire ses personnages et ses situations de la réalité quotidienne,d'un quotidien que presque tous, peu importent chronologiquement les distances et sociologiquement les évolutions et les révolutions, nous vivrons, nous vivons ou nous avons vécu : la nature est là qui nous imposera toujours son rythme et ses exigences. Les farces schématisent la vie,en ne retenant que certains moments de notre quotidien ou de notre vie dans son banal déroulement : faits, gestes et paroles qui appartiennent à la vie privée et à l'intimité. Par exemple, et pour nous en tenir à la farce d'*Un amoureux*, une femme prendra soin d'uriner avant de se mettre au lit avec son amoureux,et elle s'impatientera de voir celui-ci perdre un temps précieux à dégrafer méthodiquement ses chausses.La farce ignore l'hypocrisie ; elle fait tomber les masques dès qu'ils apparaissent. Les choses que l'on tait, que l'on garde pour soi, la farce les livre au grand jour, sur la place publique. Le public ne doit jamais être dupe ; c'est la règle du genre : une demi-heure de jeu ne permet pas d'étude psychologique ; il faut se donner en pâture au public tel qu'on est, et le plus tôt est le mieux.

Les personnages de la farce non seulement ne représentent qu'un aspect d'un individu, développé à grands traits et à outrance, mais devenus "types" et par conséquent caricatures, ils sont consciencieusement replacés dans la vie quotidienne. Mais, à la différence de certains personnages de la commedia dell'arte, ils sont vidés de tout sentiment ; on a même l'impression qu'ils n'agissent plus que par instinct : ils mangent, ils boivent, ils pètent, ils font l'amour comme ça leur vient.

En outre, ces personnages évoluent dans une situation choisie pour ses aspects cocasses : il y a imbrication du cocasse dans le quotidien. Et, par schématisation, cette situation se développe par juxtaposition des lieux et, le plus souvent, des instants privilégiés. L'auteur supprime les distances, fragmente, écourte, prolonge l'espace temporel ou suspend ici le temps pour lui permettre de s'écouler ailleurs.

Dans un lieu donné, un personnage va passer d'un temps de réflexion A à un temps C, hors de la logique qui imposerait un temps B. La réflexion en devient saugrenue par son cheminement inattendu. Les gestes eux-mêmes perdent toute logique. Ainsi, aux vers 165-168, le mari qui porte chez le médecin une bouteille de ce qu'il croit être l'urine de sa femme, se dit en lui-même (donc aucun doute sur sa sincérité) que si sa femme mourait,il ne pourrait lui survivre.Puis, comme il a grand soif, il boit une gorgée de ce qu'il a à portée de main, l'urine de sa femme. Comme il y a eu confusion dans les bouteilles, il est normal qu'il trouve à cette urine le goût du vin. Il est normal aussi qu'après cette découverte extraordinaire il tienne plus que jamais à ce que sa femme ne meure pas (v.177-180)Or que fait-il,lui qui sait tenir de quoi permettre de trouver remède à la maladie de sa femme ? Il vide d'un trait la bouteille !

L'utilisation du procédé de la "cachette" fournira un nouvel exemple de cette schématisation.

III - LA "CACHETTE"

On a vu avec *le Badin qui se loue* l'effet comique des retours inopinés et des faux départs d'un importun, qui contrarient l'entretien des amoureux : l'importun sait qu'il dérange les amoureux ; et c'est intentionnellement qu'il reste au milieu d'eux. Dans *Un amoureux,* l'importun revient sans qu'il ait connaissance de la présence de l'amoureux; et il repart sans se douter de rien. Logiquement, l'attention du public est déplacée de l'importun aux importunés ; car, pour eux, il est essentiel de ne pas être pris en flagrant délit d'adultère.

De là ce qu'on appelle le procédé de la "cachette". Le public s'amuse de voir l'amoureux, surpris par le retour du mari, chercher un endroit où il sera en sécurité : un coffre *(Frère Guillebert)*, une couverture *(Un amoureux)*, un poulailler *(le Poulier)*, un sac aux lettres *(Réjoui d'amours)*, un cabinet d'aisances *(le Retrait)*. Plus le lieu de la "cachette" est inattendu, plus l'effet est comique. Le public se réjouit de la peur de l'intrus : va être pris qui croyait tromper ; l'audacieux perd contenance ; va-t-il fuir? sera-t-il découvert ?

La farce de *Frère Guillebert* (ATF., t.I, pp.305-327) est construite sur cette situation. I - L'amoureux : Frère Guillebert, après un long monologue (72 vers) sur ses aptitudes à l'amour, offre ses services à une jeune femme insatisfaite. Rendez-vous est pris pour le lendemain matin. II - Le rendez-vous : le lendemain matin, le mari se lève de bonne heure pour aller au marché. Frère Guillebert arrive, alors que la femme est encore en tenue de nuit ; il "se despouille" aussitôt, tout en manifestant quelque crainte. III - La cachette : le mari qui a oublié son "bissac", revient à la maison. La femme cache Frère Guillebert dans un coffre. Le mari, à la porte, s'impatiente ; puis, entré, cherche son bissac, qu'il prétend avoir laissé la veille sur le coffre. Guillebert se voit déjà mort et monologue une parodie de testament. Le mari s'empare des braies (culotte) du frère, croyant avoir trouvé ce qu'il cherchait. Le mari parti, Frère Guillebert s'enfuit sans sa culotte. IV - Le subterfuge : le mari revient sur ses pas ; la femme le berne en lui faisant croire qu'il s'est emparé des braies de saint François. Il se laisse convaincre ; et il ira lui-même au couvent rapporter le précieux "reliquaire".

Frère Guillebert est au centre de la farce ; et la cachette fixe tous les regards. Au contraire, la farce d'*Un amoureux* ne tire aucun parti de la situation du curé caché ; et l'amoureux, bien qu'il crée la situation,n'est qu'un personnage épisodique. Une fois que le curé s'est caché sous le lit, on ne sait plus ce qu'il advient de lui (voir ci-dessous : la répartition scénique des personnages). Au public d'imaginer ce qui n'est pas dit. Il en était aux importunés; le voici, sans transition, mis en demeure de ne s'intéresser qu'à l'importun.

IV - LES PERSONNAGES

a) Identification

L'HOMME est ici "le mari". Dans le Recueil du British Museum(1), seules les farces XIII (ici), XVIII, XXX ont *L'homme* dans le titre et dans la désignation du personnage en tête des répliques. *Le mary* est désigné comme tel huit fois : I, III (mais pour les répliques,on a d'abord *Rifflart le mary*, puis seulement *Rifflart*), VIII, IX, XI, XVII, XIX (dans le titre : *le voysin*, puis pour les répliques : *le mary*), XXV. Le mari peut n'être désigné que par son emploi de théâtre : le badin (XVI) ou par sa profession : le pâtissier (XXVII), le ramoneur (XXXVI) ; ou bien par son nom (cas fréquent) : IV (Jaquinot), V (Jolyet), VI (Thibault, Collart), VII (Hubert), XII (Pernet), XIV (Colin), XV (Naudet), XXII (George Le Veau), XXIV (Jenin Landore), Audin savetier (XXXII), Calbain (XXXIII). Il arrive d'ailleurs que, désigné sous le nom de l'*homme*, du *mary* ou par sa profession,le mari se voie donner un nom dans le dialogue (III, XXX) ; ici, sa

---

(1) Pour simplifier, je m'en tiens au seul Recueil du British Museum, et aux seules trente-six premières pièces, le reste étant en grande partie composé de sermons, de monologues, de sotties et de moralités. Pour ceux qui voudraient pousser les choses plus loin, je signale que le Recueil Cohen possède un Index des personnages.

femme l'appelle *Roger* (v.1, 4, 7, 30 ; voir aussi 63 et 124).

LA FEMME. Dans le texte et en tête des répliques, elle reste le plus souvent anonyme, qu'elle soit *la* femme ou qu'elle soit désignée comme la femme de quelqu'un (*sa* femme) : II, III, IV, V, VII, IX, X (la première femme, la seconde femme), XI, XII, XIII (ici), XIV, XVI, XVII,XVIII,XX, XXII, XXIV, XXV, XXVII, XXVIII, XXIX, XXX, XXXIII, XXXVI. La femme peut encore être dite *la dame* (VIII). Au cours du dialogue, on lui donne quelquefois un nom : Finette (III), Jehannette (VII), Guillemette (XI), Nicole (XII) ; elle est ici appelée Alison (v.22, 41, 49, 54, etc.).

L'AMOUREUX. Trois fois seulement dans le Recueil du British Museum, l'amoureux est désigné par cet "emploi"(XI, XII et XIII)(2). On trouve aussi une fois *l'amant* (XIV) et une fois *le galland* (XXXIII)(3). Quatre fois (XVIII, XIX, XXII, XXXII), c'est "le curé" ou un religieux qui tient le rôle de l'amoureux ; ajoutons le "prestre" de *Jenin fils de rien* (XX), qui revendique la paternité de Jenin ; Messire Domine Johannes, curé de Saint-Séverin, dans *les Chambrières qui vont à la messe de cinq heures* (L) ; et le curé qui dans la *Confession Margot* (XXI) donne comme pénitence à Margot d'aller, tant qu'elle sera "en jeunesse", "tous les

---

(2) Et trois fois aussi dans le Recueil La Vallière: N°XXII, XLIII et LIII.

(3) Le terme "galant" ne désigne qu'accessoirement "l'amoureux" (voir dans ce recueil, t.I, *Mimin*, v.256 ; et t.II,*le Badin qui se loue*, v.303 ; *le Meunier*, v.167).Ordinairement le galant n'est qu'un jeune homme qui fait "bombance"et mène joyeuse vie ; c'est une sorte de chevalier d'aventure, qui songe autant à s'amuser de la vie qu'à conquérir une femme (BM., N° XLII, farce des *Cris de Paris* ; Coh., N° IX, farce des *Amoureux qui ont les bottines Gaultier* ; exception, Coh., N° XXXI, farce qui se joue "à toutes nopces" et où le galant est celui "qui se marie"). Ce type appartient aux sotties plus qu'à la farce (Picot, Bb 18, t.I, N°II,VI; t.III, N° XXI, XXIV, XXV, XXXI ; et Coh., N° XLVII).

soirs ou tous les matins" offrir son "corps" au curé de sa paroisse. Dans *le Meunier de qui le diable emporte l'âme en enfer* (ci-dessous N° X), nous verrons un autre "curé", plus préoccupé du corps de ses paroissiennes que de leur âme, amateur de bonne chère (ou chair : c'est tout un pour ce genre de gaillard). On est tout disposé à croire qu'ici notre "amoureux" est aussi le curé ; le mari d'ailleurs ne s'y trompe pas : dès qu'il apprend qu'il est cocu, c'est au prêtre qu'il pense :

> Ne seroit-ce point de vous, no prestre ?
> Vous passez bien souvent par là. (225-226)

LE MÉDECIN. Pour les gens du Moyen Age, c'est un personnage à mettre au rang des triacleurs (BM., N° XXVI), des devins (*Jenin fils de rien,* ci-dessus N° VI) et autres charlatans (Leroux, t.II, N° XXXVIII). Il ne faut pas le confondre avec le personnage du "docteur" (BM., N° I), qui est le savant patenté, homme d'Eglise et de science, aussi infatué de lui-même que vide d'intelligence et de sagesse. La femme donne ici au médecin le nom de "maistre Eloy" (v.159).

b) Répartition par temps de parole (compte par vers) :

	L'homme et la femme v. 1-60	Arrivée de l'amoureux v. 61-96	Le mari trouble-fête v. 96-162	L'homme et le médecin v.163-243	TOTAL
L'homme	31	—	33	67	131
La femme	29	11	25½	—	65½
L'amoureux	—	24½	8	—	32½
Le médecin	—	—	—	14	14
	60	35½	66½	81	243

Il est curieux de constater que notre farce qui se dit dans le titre "farce (...) d'un Amoureux" (et le rappelle en bas de la première page par ces mots mis en évidence : "L'amoureux") ne donne à l'amoureux qu'un jeu scénique fort réduit. Son rôle est pourtant d'importance, du moins pour la femme ; et c'est parce qu'elle veut sauver ou garder son amoureux qu'elle se débarrasse de son mari en l'envoyant chez le médecin. Mais on quitte l'amoureux des yeux dès qu'à l'annonce du retour du mari, il se cache sous une couverture, au vers 132 ; la farce n'en continue pas moins jusqu'au vers 243 !

En fait, le personnage central est l'homme, le mari qui veut imposer son autorité à sa femme, croit que sa femme le vole, puis apprend qu'elle lui vole même son droit à la paternité ; il s'en tire en s'appuyant sur le code de la morale dite bourgeoise : faire comme si... ; pourvu que ça ne se sache pas, l'honneur est sauf !

c) Répartition scénique

Les mouvements scéniques sont schématisés en fonction des quatre "lieux" ; mais rappelons qu'il n'y avait ni mansions figurées ni décor. Seul accessoire : un lit ; encore conviendrait-il de le placer plutôt derrière que devant le rideau.

⟶ : déplacement sur l'échafaud ; - - - - - -➝ : présence scénique (personnages muets).(voir page 55).

Remarques :

1) A la fin du mouvement N° 1, l'homme sort par la gauche, puisque si l'amoureux dit avoir aperçu Roger "dehors " (v.64), il affirme qu'il n'y avait personne "par voye"(v.70) : il ne l'a pas croisé.

2) A la fin du mouvement N° 4, la femme qui se tient à l'intérieur, dit à l'amoureux : "Entrez céans" (v.71).

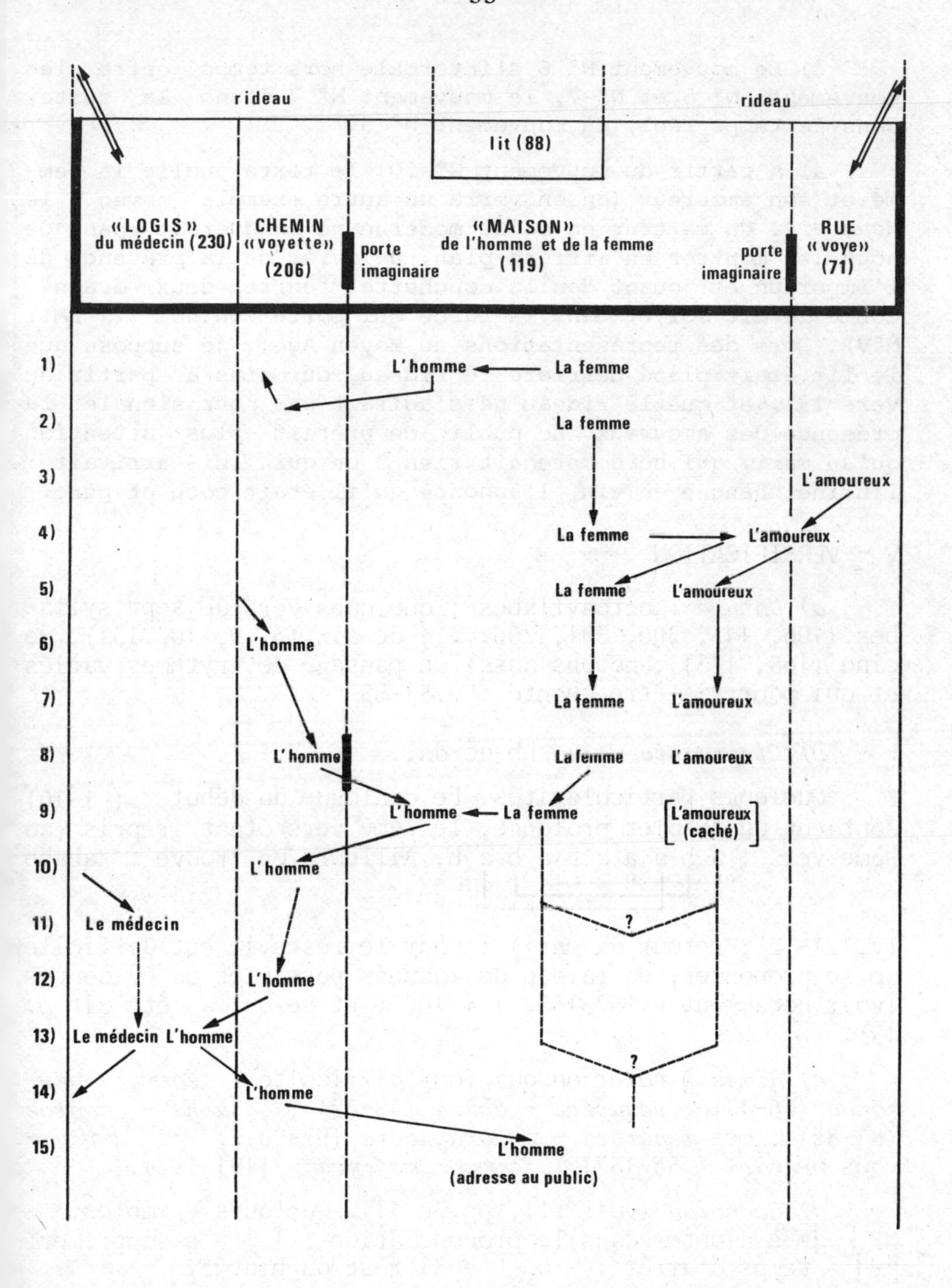

rideau
rideau
lit (88)
«LOGIS» du médecin (230)
CHEMIN «voyette» (206)
porte imaginaire
«MAISON» de l'homme et de la femme (119)
porte imaginaire
RUE «voye» (71)
1)
2)
3)
4)
5)
6)
7)
8)
9)
10)
11)
12)
13)
14)
15)
L'homme
La femme
La femme
L'amoureux
La femme
L'amoureux
La femme
L'amoureux
L'homme
La femme
L'amoureux
L'homme
La femme
L'amoureux
L'homme
La femme
L'amoureux (caché)
L'homme
Le médecin
?
L'homme
Le médecin L'homme
?
L'homme
L'homme (adresse au public)

3) Le mouvement N° 6 s'intercale hors temps entre les mouvements N° 5 et N° 7, le mouvement N° 7 étant la suite, dans le temps réel, du mouvement N° 5.

4) A partir du mouvement N° 10, le texte oublie la femme et son amoureux (on en verra un autre exemple avec le *Meunier*). Un metteur en scène moderne ne manquerait pas de nous les montrer en arrière-plan, délivrés de la présence de l'importun et jouant "en la couchette" "entre deux draps", comme le dit Jolyet dans la farce qui porte son nom (BM., N°V). Lors des représentations au Moyen Age, je suppose que le lit était placé derrière le rideau, du moins à partir du vers 133, et que le rideau ne s'agitait pas pour signaler la présence des amoureux. Le public ne prêtait plus attention qu'au mari, qui ne comprenait rien à ce qui lui arrivait : l'urine changée en vin, l'annonce qu'il était cocu et père.

V - VERSIFICATION

a) Nature : octosyllabes ; quelques vers de sept syllabes (106, 145, 200, 201, 206...), de six (3, 9, 102,131), de cinq (168, 173) ; notons aussi un passage de rythmes variés et qui pourrait être chanté : v.51-55.

b) Disposition : aa bb cc dd...

Quelques particularités. Le dialogue du début (1-10) contient un triolet prolongé, le 3ème vers étant repris au 9ème vers : a b a a a b a b a b. Ailleurs on trouve : ababb (v.121-127, retour du mari) ; pour le reste,il est difficile de se prononcer, en raison de lacunes possibles ou évidentes (voir notamment v.152-155, 164-166 ; et ce qui a été dit p. 45).

c) Rimes à noter ou qui font difficulté : *somme - personne* (46-47) ; *requiers - chère* (48-49) ; *couche - doulce* (81-82) ; mes *menettes* - ma *braguette* (97-98) ; je *diray* - vous *prendré* (156-157) ; *femme - moy-mesme* (191-192).

d) Scansion (voir t.I, pp.36-41). Quelques exemples. - NB.[ ]= à ajouter dans la prononciation ; ( ) = à supprimer; [-] = temps d'arrêt ; - ou | = diérèse ou hiatus.

Aller achepter un chauld(e)ron (6)
Sà, [-] me voici, mon baron (10)
J(e) y voys. Pleure ma bien allée (16)
Je ne vouldroy(e), pour mal avoir (39)
Affin, s(e) aucun de nous s'esveille (89)
Et en taster un sapi-on (91)
Tu es femm(e) pour me desrober (105)
Que bucquez-vous ? [-] qu'esse là ? (122)
Me fault icy boire | un traict (170)
Et fust de l'eau-e du retrait (171).

Dans les futurs (et conditionnels), il faut souvent scander : *-(e)ray*, *-(e)roit*... : 67 *(seroit)*, 74 (*donnerez*, à prononcer comme l'ancienne forme : *donrez)*, 79, 104, 128, 129 *(tura)*, 133, 134, 159, etc. Cet *-e* compte parfois dans la mesure du vers : 114 *(pisseray)*, 194, 196, etc.Enfin on a déjà mentionné les formes *suiveray* (113), *buveray* (172).

-

f° A r° p.1

Farce nouvelle très bonne et fort joyeuse

d'UN AMOUREUX.

A quatre personnages ; c'est assavoir :

L'HOMME, LA FEMME, L'AMOUREUX et LE MEDECIN.

-

v° p.2

L'HOMME *commence*.

1 Ma femme !

LA FEMME.

Que vous plaist, Roger ?

L'HOMME.

Et venez avant, [orderon]!

Vous fault-il tant jocquer ?

Ma femme !

LA FEMME.

Que vous plaist, Roger ?

L'HOMME.

5 A Dinan m'en veulx, sans targer,

Aller achepter un chaulderon.

Ma femme !

LA FEMME.

Que vous plaist, Roger ?

L'HOMME.

Et venez avant, orderon !

Vous fault-il tant jocquer ?

LA FEMME.

10 Sà, me voicy, mon baron.

Que vous plaist-il que je face ?

L'HOMME.

Que tu me baille ma besasse

Et, de paour d'avoir fain aux dens,

Boute un morseau de pain dedans

15 Et un morceau de chair sallée.

LA FEMME.

Je y voys.

L'HOMME.

Pleure ma bien allée.

LA FEMME.
Pleurer, Roger! [ay-]je varye ?
Que pleust à la Vierge Marie
Que vostre voyage fut jà fait !
20 Car j'ay le courage deffait
Incontinent que ne vous voy.
L'HOMME.
Or bien, Alison, je m'en voy.
Garde bien dessoubz et desseure ;
Se autrement faicte, soyez seure,
25 Que doit faire preude femme,
Je compteray au retourner.
LA FEMME.
Mais escoutez soubsonner !
Que malle sanglante journée
Vous soit aujourd'huy donnée !
30 Venez çà, Roger, mon amy :
Avez-vous trouvé faulte en my,
Par quoy me devez cela dire ?
Vous me faictes bien trefves de [yr]e !
Je ne suis point du lieu venue.
35 Me suis-je avecq vous mainten[ue]
f° Aij r° p.3 Autrement que femme de bien ?
L'HOMME.
Nostre Dame, je n'en sçay rien ;
Aussi n'en veulx-je rien sçavoir.
LA FEMME.
Je ne vouldroye, pour mal avoir,
40 Vous faire telle villennie.
L'HOMME.
Alison, je ne le dy mye ;
Ainsi le croys certainement.
LA FEMME.
Vous souppesonnez moysement ;
A cela ne vous fault arter.
L'HOMME.
45 Je n'en veulx point trop enquester ;
Je crains bien d'en avoir en somme.
LA FEMME.
Vous estes une moise personne.
Partez-vous tost? je vous requiers.

L'HOMME.

Or bien, Alison, qu'ay tant chère,
50 Baise-moy au departement.

LA FEMME.

Je le veulx bien.

L'HOMME.

Doulcettement,
Droit à la bouchette !
Mon Dieu, que vous estes doulcette !
Gramercy, Alison.
55 Gardez bien noz maison.
Je yray jusques ylà sans repaistre.
Adieu, noz dame.

LA FEMME.

Adieu, noz maistre.

2

Il s'en est allé longuement ;
Je ne plourerois point grammment
60 Quand il ne reviendroit jamais.

3

L'AMOUREUX.

Il est jà temps, je vous prometz,
D'aller veoir Alison m'amye.
Son mary Roger n'y est mye :
Je l'ay veu en aller dehors.

4

65 Dieu vous gard! belle au gentil corps,
Mieulx fait que s'il estoit de cire.

LA FEMME.

Seroit assez pour vous faire occire
S'on vous avoit cy veu venir.

L'AMOUREUX.

Nennin, ma foy, mon souvenir,
70 Il n'y avoit nulluy par voye.

LA FEMME.

Entrez ceans, qu'on ne vous voye ;
Car je crains le parler des gens.

5

° p.4

L'AMOUREUX.

Aussi fais-je. De voz bras gentz
Vous me donnerez à peu de plaist
75 Une acolée, s'il vous plaist.

LA FEMME.

Sus! de par Dieu, le cueur le veult ;
Acolé-moy doncq à deux bras.

L'AMOUREUX.
Que ne vous tiens-je entre deux draps ?
Je rabaisseroye bien voz quaquet.
LA FEMME.
80 Il [nous] fault faire le bancquet,
Mon amy, avant que on se couche.
L'AMOUREUX.
Nous le ferons tantost, ma doulce.
Hastons-nous tost d'aller coucher :
J'ay grand desir vous aprocher
85 Entre deux draps, mon joli con.
Ceste bouteille de vin bon
Nous bouterons par grand delit
Icy auprès de nostre lict,
Affin, se aucun de nous s'esveille,
90 Vous puist prendre ceste bouteille
Et en taster un sapion.
LA FEMME.
Vous estes un vaillant champion,
Bien entendu en cest affaire.
L'AMOUREUX.
Sà, Alison, qu'est-il de faire ?
LA FEMME.
95 Et que sçay-je? despouillons-nous.
L'AMOUREUX.
Avant, tire là !
L'HOMME.
Mes genoulx
Ont froitz; aussi ont mes menettes :
Je les mettray en ma braguette
Pour estre un peu plus chauldement.
100 J'ay si bel entendement
Que le sang du cul me rebrousse !
Quoy! j'ay perdu ma bourse.
Je l'ay laissée en noz maison.
A! tu y fouilleras, Alison :
105 Tu es femme pour me desrober.
C'estoit bien pour m'adober
D'aller marchander sans argent !
Il me fault estre diligent
De retourner tout maulgré my.

6

LA FEMME. — 7

110 Estes-vous point prest, mon amy ?

L'AMOUREUX.

Je n'ay mais que cest esguillette.
Couchez-vous tousjours, ma fillette ;
Incontinent vous suiveray.

LA FEMME.

f° Aiij r° p.5 Je ne sçay où je pisseray
115 Un peu d'eaue. Voicy merveille :
Dedans ceste vieille bouteille
Je pisseray; c'est le meilleur.

L'HOMME. — 8

Loué en soit Nostre Seigneur !
Je suis bien près de noz maison.
120 Hau! où este-vous, Alison ?
Haulà, hau !

LA FEMME.

Que bucquez-vous? qu'esse là ?
Bucquez bas: ce n'est point bordeau !

L'HOMME.

C'est Roger, qui vous accolla
125 Au soir et gaigna le chauldeau.

L'AMOUREUX.

Pendre le puist-on d'un cordeau !
Je suis bien de malheure né.
Las! où me bouteray-je, Alison ?
Il me tura comme un oyson ;
130 S'il me trouve, je suis destruit.

LA FEMME.

Boutez-vous soubz noz lict ;
Cachez-vous soubz noz couverture.

L'HOMME.

Ne me ferez-vous point ouverture ?
Demoureray-je cy ?

LA FEMME.

On va à vous.
Las! je me meurs. — 9

L'HOMME.

135 Et qu'avez-vous ?

LA FEMME.

Je suis à mon deffinement.

L'HOMME.
Si tost et si hastivement ?
LA FEMME.
Hélas! voir[e], depuis aurens.
L'HOMME.
Et où vous tient ce mal ?
LA FEMME.
Au[x] reins,
Et partout.
L'HOMME.
140 Voicy grand pitié.
Ayez le cueur fermy[...]
A bien, Jesuchrist, roy divin,
Vous yrai-ge querir du vin ?
LA FEMME.
Je ne sçay.
L'HOMME.
C'est le meilleur.
145 N'avez-vous rien sur le cueur
Qu'à noz curé vous vueillez dire ?
Ce chemin vous convient eslire.
Vous n'en povez que de mieulx estre.
LA FEMME.
v° p.6 Point n'est maladie de prebstre,
150 Pour ceste foys-cy, se me semble.
Sentez un peu comment j[e] tremble :
Oncques ne fut en tel mestier !
L'HOMME.
Mon Dieu, que vous avez cauquier !
Ne vous sçaurois-je en rien ayder ?
LA FEMME.
155 Rien n'y povez remedier,
Se ne faictes ce que je diray :
Ceste bouteille vous prendré,
Où j'ay laissé de mon excloy ;
Puis le porterez à maistre Eloy,
160 Qui est medecin bien appert,
Affin qu'il vous die en espert
Dont se grand mal icy me vient.

L'HOMME.

Je y vois. En tant qu'il m'en souvient, 10
Le vray en sauray droicte voye.
165 Helas! se ma femme perdoye,
Je sçay de vray que je mourroye
Après elle; il n'en fault doubter.
Mon Dieu, que j'ay soif !
Sang bieu, de l'orine ma femme
170 Me fault icy boire un traict.
Et fust de l'eaue du retrait,
Par la mort bieu, s'en buveray-je !
Quel dyable esse cy ?
Quoy! ma femme pisse-elle ainsi ?
175 Foy que je doys au roy divin,
Ce pissat a tel goust de vin.
C'est vin! Cecy m'est bien propice.
Puis que son con telle chose pisse,
Pour moy grand dommage seroit :
180 Sans mon retour elle mourroit.
Il m'en fault encore taster ;
Je veulx la bouteille escouter
Pour sçavoir se plus rien n'y a.
C'est droit gloria filia
185 Pour laver ses dens! Alison,
Mais que je soye en noz maison,
Puis que pissez telle urinée,
Je veulx, chascune matinée,
Moy-mesmes vuider voz bassin.
190 Mais que diray-je au medecin ?
J'ay tout beu l'orine ma femme.
Pou, pou! je y pisseray moy-mesme
En la bouteille; il cuydera,
Quand l'orine regardera,
195 Que ma femme l'eust uriné.
Je tromperay le dominé
Bien finement par ceste sorte.

LE MEDECIN. 11

Quoy! medecine est-elle morte ?
Elle ne me fait plus rien gaigner.
Aiiij r° p.7 C'est assez pour enrager, 200
Tant en suis fort tourmenté.
Si suis bien esperimenté
Pour la santé du patient.

L'HOMME. 12

J'ay fait comme un homme sient
205 De pisser en ma boutelette.
J'apperçoy en la voyette
Le medecin, se m'est advis.
Sire, le Dieu de Paradis 13
Vous doint paix et bonne vie !
210 Je vous ay apporté un peu d'eaue.
Or visitez-la.

LE MEDECIN.

Versez cy, que je la voye.
Fy, fy! ruez cela en voye.

L'HOMME.

Y a il à dire en son fait ?

LE MEDECIN.

215 C'est une femme qui a fait
Cela cent foys sans son mary.

L'HOMME.

Cent foys cela? j'en suis marry.

LE MEDECIN.

Son urine ainsi le descoeuvre.

L'HOMME.

Sang bieu! ce n'est point de mon oeuvre ;
220 Car je ne m'en mesle plus gouste.
N'en parlez-vous point en doubte ?

LE MEDECIN.

Nenny certes; il est verité.

L'HOMME.

Que diable esse cy? je suis copault !
Je ne sçay de qui ce peult estre.
225 Ne seroit-ce point de vous, no prestre ?
Vous passez bien souvent par là.
Or tenez, medecin, voylà
Un peu d'argent que je vous donne.

LE MEDECIN.

Gramercy; je vous abandonne
230 Tout mon logis entierement.

L'HOMME.

Je vous remercie grandement.

Suis-je cocu? c'est chose voire. 14
Toutesfoys je ne le puis croire.
Mais qui en soit le père,
235 Il fault que j'en soye le papa.
Jamais femme ne me trompa
Que ceste-cy, sans nulz excet.
Pourtant c'est un bien que nul ne scet,
Se le medecin et ma femme,
240 Et celuy qui m'a copaud[é.]
Et atant fin; prenez en gré, 15
Seigneurs, qui estes icy present ;
Prenez en gré l'esbatement.

FIN

Notes

Titre - BM. : Farce Nou- ‖uelle tresbõ= ne‖et fort ioy‖ euse dun A=‖moureux. A ‖quatre persõ‖nages.‖ Cest assauoir ‖ Lhomme, ‖La femme ‖Lamoureux ‖Et le medecin. ‖ [vignette représentant un homme donnant le bras à une femme ; puis, audessous :] Lamoureux ‖

vers 1 - *Que vous plaist ? :* "Que vous plaît-il (que je fasse ou que je dise)?" ; nous dirions : "qu'y a-t-il?". L'expression est courante à l'époque (voir t.I, *Jenin fils de rien*, note du v.22). - La farce du *Nouveau Marié* (ATF., t.I, p.11) commence à peu près de la même façon :

L'homme. -Thomasse!
La mère. - Que vous plaist-il,Roger?

v.2 - Cor. ATF., d'après le v.8 (triolet).

v.5 - *Dinan*, ville de Bretagne, au sud de Saint-Malo ; ce nom pourrait renvoyer aussi à Dinant,ville de Belgique, au sud de Namur.

v.16 - "Verse des larmes sur mon départ", "regrette que je parte" (voir *Glossaire* : "allée").

v.17 - BM. : *Et ie varye*. ATF. garde cette leçon ; mais Jannet dans son *Glossaire* (ATF., t.X), qui cite ce vers et ces vers de *Frère Guillebert* : "Par Dieu, je varie de crier; / Gagnerois-je rien à prier?", ne donne aucun sens au verbe *varier* ; Godefroy *(Dict.)* lui donne les sens de : "changer", "hésiter" (sens à retenir pour le vers de *Frère Guillebert*), "aller çà et là". - Il me semble qu'il y a ici une erreur de graphie ; il faudrait lire : *ay* (ou *ey) ie varye*, *varye* représentant "varyée", forme normale en picard par réduction en *-ie* de la triphtongue *-iée* des participes passés et de certains noms (on a déjà vu au tome I, au v.15 de la farce picarde du *Chaudronnier*, *empeschye* pour "empeschiée", rimant avec *follye*). - Le sens serait, compte tenu de ce qui suit : "Pourquoi me demander de pleurer sur votre départ ? ai- je changé de sentiments ?"

v.19 - *Vostre* masque la forme picarde *vo* ou *voz* (voir v.57 et 225). - On attendrait la forme *fust* (subjonctif imparfait).

v.21 - "Dès que je ne vous vois pas".

v.23 - "Garder bien dessoubz et desseure (ou : desore)" signifiait : "avoir une extrême circonspection" (God.).

v.24 - Comme dans maintes farces, l'homme use tour à tour avec sa femme du tutoiement (12, 14, 16, 23, 50) et du vouvoiement (2, 3,24, 53, 55). - Après le v.24, il manque un vers pour rimer avec *femme* ; sans tenir compte de cette lacune, on peut traduire : "Soyez sûre que ce que doit faire une honnête femme, j'examinerai à mon retour si vous l'avez fait".

v.27 - Comprendre : "Faut-il que vous me soupçonniez!"- D'après la graphie du v.43, il convient de prononcer: "souppesonner".

v.28-29 - Le contexte montre qu'il n'y a ici aucun retournement, aucune colère. Alison veut seulement signifier qu'elle regrette que son mari s'en aille aujourd'hui,puisque ce départ l'amène à la soupçonner d'être une mauvaise maîtresse de maison. La colère serait éclat de vérité ; or,comme on le verra, elle compte bien profiter de l'absence de son mari pour le tromper : la femme infidèle joue la chatte.

v.33 et suiv. - Passage défectueux. - BM. : *oye*.Faut-il rétablir *joye* et comprendre : "Vous cessez de me faire de la joie" ? Dans la farce du *Nouveau Marié* (ATF., t.I, p.13), la fille regrettant son mariage dit à sa mère :"Oncq puis n'eus bien ne joye" (voir aussi ci-dessus, *le Badin qui se loue*, v.180-181). Mais le *dire* du vers précédent reste sans rime correspondante. A la suite d'ATF., je propose : *yre*. Pour le sens et la scansion, on eût attendu : *Me faictes bien tref-ves de yre*, c'est-à-dire : "Cessez de vous mettre en colère contre moi". - Au vers suivant, j'entends par *lieu* un "mauvais lieu" (au v.122, ne reprochera-t-elle pas à Roger de se croire au "bordeau" ? - Quant au *maintenant* qui termine le vers 35 dans le texte du BM., j'en fais, comme ATF., *mainte-nue*, qui rime avec *venue*.

v.46 - Ce qui suit montre que *en* représente ici: "avoir trop enquesté", le mari ne soupçonnant pas qu'il puisse avoir "des cornes". - *En somme* : "tout bien considéré".

v.49 - BM. : *que iay tant chere* (cor. ATF.).

v.50 - BM. : *Baise moy un peu ...* (cor. ATF.). Comme au vers précédent et au v.56, il semble qu'on ait là des ajouts de "joueurs". - L'homme quittant sa femme dans *Frère Guillebert*, lui dit pareillement :

Adieu, ma mye, que je vous baise
Ung poy à mon departement. (ATF., t.I, p.320).

v.51 - BM. : *Doulcettement droit a la bouchette* (sur une seule ligne).

v.56 - BM. : *Je men yray* (voir v.16). - Prononcez: *jusqu(es)*, comme on l'a vu pour la farce précédente. - *Sans repaistre*, c'est-à-dire qu'il renonce au morceau de pain et au morceau de chair salée (v.14-15). Il est bien imprudent pour la femme de le laisser partir ainsi ; car il sera pressé de rentrer. L'auteur semble avoir voulu justifier par avance le retour précipité du mari ; mais il usera d'une autre nécessité pour le faire revenir encore plus vite.

v.58 - La femme prend ses désirs pour des réalités.

v.66 - La comparaison est banale ; dans la farce de *Réjoui d'amours* (Coh., N° XVIII, v.29), Gaultier dit de sa femme Tendrette qu'elle a "ung corps faictis comme de cire".

v.69 - *Mon souvenir* : "si je m'en souviens bien".

v.76 - ATF. : *mon cueur*.

v.80 - *Nous* est ajouté dans ATF. - *Mon amy* est, dans le texte du BM., mis à la suite du v.80 ; et le v.81 commence par *Avant que*. - Le terme "banquet" désigne un repas pris en dehors du dîner et du souper. Dans la *Condamnation de Banquet* (Fournier, Bb 16, pp.216-271), Nicolas de La Chesnaye distingue nettement les trois compères : Dîner, Souper et Banquet ; et à la fin, seul Banquet sera pendu. Comme le dit Passetemps :

Or est Bancquet executé :
Les gourmans plus n'en jouyront ;
Disner et Soupper fourniront
A l'humaine necessité.

Dans nos farces, il est maintes fois fait allusion à ce joyeux repas que s'offrent les amoureux avant d'"user des oeuvres de Vénus" ; cette périphrase est tirée de la confession de Banquet, avant son exécution ; cette confession serait ici tout entière à citer comme commentaire, ainsi que l'adieu de Banquet : "Adieu, friandises petites...".

v.82 - *Tantost :* "aussitôt" (après). Il y a donc là une entorse au rituel amoureux. L'explication est simple ; a) point de vue de l'amoureux : il est pressé (v.78, 83), et il a déjà bâclé les préliminaires ; il se réserve d'ailleurs de boire au lit (v.86-91) ; b) point de vue de l'auteur; le mari devant surprendre sa femme couchée, on gagne du temps en supprimant le banquet ; la présence de la bouteille près du lit est indispensable pour la suite ; enfin on écourte la scène d'amour parce qu'une telle scène n'offre pas à rire si personne ne vient l'interrompre.

v.84 - BM. : *a vous aprocher* (cor. ATF.).

v.93 - BM. : *Et bien entendu* (cor. ATF.).*En cest affaire ;* ATF. corrige tacitement : *ceste* ; malgré le *ceste* du v. 90, je garde *cest*, non seulement parce que *affaire*,qui était du masculin au Moyen Age, appartient aux deux genres au XVIe siècle, mais parce qu'on retrouve ailleurs cette forme *cest* du masculin employée aù lieu de *ceste* féminin (voir ci-dessous v.111 et *Glossaire*).

v.95 - Quand Frère Guillebert ôte "chausses et pourpoint" pour rejoindre la femme dans son lit, l'auteur dit aussi qu'il "se despouille".

v.96 - Expression qui doit signifier : "Eh bien ! allons-y".

v.97 - BM. : *Mes genoulx ont froitz* sur une même ligne; et le vers suivant commence par *Aussi*...

v.100 - Ironique : "je suis un tel imbécile que...".

v.105 - Même réflexe chez le savetier *Calbain* (t.I, v. 281-284).

v.111 - "Je n'ai plus que cette aiguillette à détacher" ; une aiguillette était un cordon ferré qui attachait les chausses au pourpoint ; autrement dit, il n'est guère avancé ! La plaisanterie ne s'arrête pas là ; car le terme "aiguillette", selon Godefroy, entrait dans des expressions comme : "nouer l'aiguillette" (empêcher la consommation du mariage), "courir l'aiguillette"(courir après des aventures galantes) ; on avait même "dénouer l'aiguillette" (défaire ses chausses pour un besoin naturel). Nous ne sommes loin ni du lit de l'adultère ni du besoin d'uriner qui va prendre la femme. Le public devait être sensible à ces associations de sens, puisque nous en avons déjà vu plusieurs exemples, notamment dans *Jenin fils de rien*.

v.120 - Aux vers 47, 92, 110, 242, la forme est *estes*; mais on a vu *faicte* (24) et *faictes* (33),double orthographe qu'on rencontre dans d'autres farces (voir les graphies de la farce picarde du *Pâté et la Tarte*). Je pense donc qu'il ne s'agit pas ici d'une coquille et qu'il faut respecter cette fantaisie des graphies, marque du temps.

v.121 - Sur cette exclamation, voir t.I, p.41, 5) b.

v.125 - BM. : *au soir* est rattaché au vers précédent, et termine la ligne du v.124. - Le sens est : "C'est Roger qui vous a épousée", c'est-à-dire : "C'est votre mari". Le *chauldeau* (anciennement : *chaldel*, dérivé de "chaud")était, dit Godefroy, une "boisson réconfortante" composée de "lait chaud bouilli, avec du sucre, des jaunes d'oeufs et de la cannelle" ; on la servait particulièrement "aux nouveau-mariés le lendemain matin de leurs noces" (Cohen, *Mince de Quaire*, N° XXII, v.19-20).

v.127 - *Malheure* : le *-e* final est étymologique ("mauvaise heure") ; *né de malheure* se disait de quelqu'un né sous une constellation défavorable ; la fille,dans la farce du *Nouveau Marié*, dit aussi : "Je suis bien de malheure née" (ATF., t.I, p.12).

v.131 - Comme *nostre lict* se trouve au v.88 et qu'on a un *dessoubz* au v.23, on pourrait rétablir l'octosyllabe comme suit : "Boutez-vous dessoubz nostre lict" ; l'emploi de *soubz* et de *noz* au vers suivant ne devrait pas faire de difficulté ; mais, dans le doute, je garde le texte du BM.

v.132 - Même chose dans la farce du *Poulier* à quatre personnages (éd.Philipot, *Six farces...*, p.135) :

L'amoureux.- Et vertu bieu, que ferons-nous ?
La femme. - Metés-vous souldain à genous
Icy soubz ceste couverture.

v.133 - Nos amoureux s'étaient enfermés ; le mari,resté à la porte, demande qu'on lui ouvre (même situation dans *Frère Guillebert*).

v.134 - BM. : *icy*. Le texte a *cy* aux vers 68, 173, 223, 237, et *icy* aux vers 88, 162, 170 ; des confusions sont possibles : ici, au v.150 et peut-être au v.242, la forme *cy* s'impose à la place d'*icy* ; en revanche, au v.212, *icy* devrait remplacer *cy*. - Scandez : *Demour(e)ray-j(e) cy ?*

v.135 - BM. : *Las ie me meurs Roger. - Et quauez vous mamye* (cor. ATF.) ; ces ajouts viennent certainement des "joueurs".

v.137 - Ne pas oublier que Roger la surprend en tenue de nuit. La situation dans *Frère Guillebert* est ici quelque peu différente : le mari est parti de bonne heure, laissant sa femme au lit ; Frère Guillebert n'a eu qu'à s'installer dans la place encore "chaulde" ; quand le mari revient peu après, il n'est pas surpris de trouver sa femme en tenue de nuit ; il lui conseille même d'aller se recoucher : "Et gardez vous que n'ayez froid".

v.138 - BM. : *voir* (cor. ATF.) ; on écrivait *voire* et *pour voir* dans le même sens de "oui, vraiment".

v.139-140 - BM. (sur une seule ligne): *Au reims et par tout ; reims* est ou bien une coquille - on ne trouve nulle part cette forme avec *-m*, ou bien un lapsus par confusion avec *raims, reims* : "rameaux". - La femme réagit vite: ce mal de reins imaginaire va justifier l'analyse d'urine...et l'éloignement du mari.

v.140-141 - Sur une seule ligne dans BM. ; il y a ici manifestement une lacune ; et *pitié* reste sans rime correspondante.

v.143 - BM. : *yraige* ; la soudure du verbe et du pronom inversé explique la finale du verbe et la forme du pronom (voir ce qui a été dit des graphies de *Jenin fils de rien*, t. I, p.251).

v.144 - BM. : *Cest le meilleur de vostre fait ; de vostre fait* est encore un ajout à supprimer (cor. ATF.). - *Le meilleur* signifiait : "le meilleur parti, le mieux"(voir ci-dessus, v.117).

v.146 - Le piquant de la question vient de ce que l'amoureux était le curé (même procédé comique dans le *Meunier*); notons que le spectateur sait ici qu'il s'agit de la même personne (costume), tandis que le lecteur ne le saura qu'aux vers 225-226.

v.147 sauté dans ATF. ; "Il vous convient de choisir cette voie", cette ligne de conduite.

v.149 - "Une maladie (mortelle), qui demande un prêtre pour les derniers sacrements".

v.150 - BM. : *ceste foyz icy* (cor. ATF.).

v.151 et suiv. - Passage altéré et difficile. Tels qu'ils sont, les v.151-152 (*il, fut*) ne peuvent être qu'un aparté concernant l'amoureux (voir note du v.157) ; si l'on corrigeait *il* en *ie* (je) et *fut* en *fus*, la femme insisterait sur sa maladie : apparemment (*se me semble*), elle n'est pas mortelle, mais elle nécessite *(mestier)* les soins urgents du médecin. - *Cauquier*, au v.153, me paraît inexplicable. Le *Glossaire* d'ATF. propose "quelque chose", ce qui n'est guère satisfaisant. On pourrait aussi se référer à *cauquer*, "faire acte de bon coq,faire l'amour", qu'on trouve dans *Frère Guillebert* ; ou à *cauquier*, forme picarde de *chauchier(chaucier)*, "presser, vêtir" (voir *God.*) : mais tout cela ici ne signifie rien. Y a-t-il allusion à l'aparté précédent, et *cauquier* masquerait-il un mot de même nature que *caquet(quaquet*, v.71) ? Enfin le mot serait-il en rapport avec *carquier* (pour "quartier") avec référence à la fièvre quartaine, ou à un mot picard dérivé de "chaud"? - On notera les rimes exceptionnelles: aaaa (avec *-er* au milieu de trois *-ier*).

v.156 - BM. : *Ce ne faictes ce que...* ; ATF. corrige : *Ce ne faictes que...*, et il faudrait mettré un point après *remedier* et comprendre : "Ne faites que ce que je vous dirai". Je préfère rattacher ce vers au vers précédent en lui donnant comme sens : "A moins que vous ne fassiez ce que je vous dirai" ; et je corrige seulement le premier *ce* (qu'on rencontre fréquemment pour le pronom *se*, mais rarement pour la conjonction *se*).

v.157 - Ce vers suppose qu'elle est allée chercher la bouteille près du lit aux vers 151-152 ; ce qui expliquerait l'aparté.

v.163 - BM. : *Je y vois belle dame*
Entant qu'il men souuient
(cor. ATF.).

v.164 - "Je saurai ce qu'il en est (la vérité) sans détour". Les v. 164, 165, 166 ont la même rime; et les v.167, 168, 169 et 172 restent sans rime correspondante.

v.168 - Dans le texte du BM., les v.168 et 173, qui n'ont que cinq syllabes, sont exceptionnellement disposés en retrait.

v.169 - "De l'urine de ma femme...".

v.171 - Il veut dire : "Serait-elle de l'urine de n'importe qui".

v.178 - *Telle* est à scander d'après sa forme étymologique, encore en usage à cette époque : *tel*.

v.179 - Sous-entendre : "si elle mourait".

v.182 - ATF. transcrit à tort : *esgouter*.

v.184-186 - Ces vers, dans BM., sont disposés comme s'il s'agissait de deux vers, la coupure se faisant après *dens*. - *Gloria filia* (on attendrait : *gloriae filia*, "fille de gloire") est, dit Godefroy qui cite ce passage, "une sorte de boisson" ; je n'en sais pas davantage. Comprendre : "C'est tout à fait du bon vin pour passer à travers les dents" (nous dirions : à travers le gosier).

v.186 - "Lorsque je serai à la maison".

v.187 - BM. : *vous pissez* (cor. ATF.).

v.189 - *Bassin :* ce que le chaudronnier (t.I, farce N° II, v.132) appelle le "pot pissoir", et d'autres l'"official" (*Tarabin et Tarabas*, dans Coh., N° XIII, v.201; et *la Veuve*, dans Phil., *Six farces*, p.184, v.142).

v.198 - L'"entrée" d'un médecin ou d'un devin (voir t.I, *Jenin fils de rien*) se fait généralement dans le style des boniments ; et, bien entendu, chacun prétend pouvoir guérir toutes les maladies. Une farce porte même en titre: *Le médecin qui guérit de toutes les maladies et de plusieurs autres* (Petit de Julleville, *Répertoire*, N° 142).

v.202 - Les *esperimens* étaient des expériences de magie et d'astrologie : le malade *(patient)* devait savoir à quoi s'en tenir !

v.209 - *Doint*, 3ème personne du singulier du subjonctif, s'est maintenu dans les formules toutes faites jusqu'au XVIIe siècle. Mais cet exemple montre qu'on pouvait en moyen français, et par analogie avec la forme nouvelle *donne*, continuer d'écrire *doint* et prononcer *donne* (on a vu pour *telle*, au v.178, le phénomène inverse).

v.210-211 : passage altéré.

v.215 - Sur l'expression *faire cela*, voir *Glossaire* à "faire". - Dans BM., *cela* termine la ligne du v.215, et le v.216 commence par *Cent*.

v.220-221 - La graphie *gouste* vient d'une confusion avec *gouster* : l'erreur est trop savoureuse pour que je rectifie. - La pensée de l'homme est claire, mais l'expression imprécise : ma femme est enceinte (voir v.234-235) ; or elle ne peut l'être par mon fait, puisque je ne suis plus guère en état de la satisfaire. La stupidité de l'homme est remarquable ; car il sait que l'urine examinée par le médecin n'est pas celle de sa femme.

v.223 - Le vers ne rime pas avec le précédent.Peut-être faudrait-il supposer : "Que diable cy! Suis copaudé". *Copaud* (ou *copault*) désigne un "mari trompé, cocu"; et *copauder* signifie : "faire cocu". Au vers 240, *copaud*, en fin de ligne, doit manifestement être lu : *copaudé*.

v.225 - "Notre curé".

v.229-230 - Je ne vois pas l'utilité de cette offre, à moins que le "peu d'argent" que lui donne le mari,comble au-delà de toute mesure ce médecin impécunieux.

v.234 - "Quel que soit celui qui en est le père". Dans cette tournure, l'ancien français usait généralement de *qui... que*. Pour obtenir un octosyllabe,il suffirait de corriger : "Mais qui qu'en puist estre le père".

v.238-239 - Passage altéré (le v.239 ne rime avec rien). ATF. propose de supprimer *un*. *Se* : "si ce n'est".

v.242 - *Present* peut être pour la rime l'équivalent de *presens*, ou l'adverbe : "présentement".

-

IX
LE RAMONEUR DE CHEMINÉES

-

LE RAMONEUR DE CHEMINÉES

-

I - TEXTES

a) anciens :

- *Recueil du British Museum* (Bb 4 et 7) (cote : C 20 e. 13, pièce N° XXXVI), in-4° et en caractères gothiques ; 6 feuillets (12 pages, dont une de titre, de 46 lignes à la page pleine) ; sans lieu ni date (Lyon, "en la maison de feu Barnabé Chaussard", entre 1542 et 1548 ; d'après H. Lewicka, *Fac-similé*..., pp.X et XV). - C'est le texte de cette édition qui sera reproduit ici. Ce texte est, dans son ensemble, en bon état ; deux vers seulement n'ont pas de rime correspondante (v.97 et 259).

Diversité des graphies et des formes morphologiques : *appellent* (102) et *apeller* (212) ; *ce* passe (= *se*, 43) et *se* trespasse (52) ; *digné* (= *disné*, à la rime ; 141) et *disner* (154) ; *encore* ne sçay-je (à scander : *encor*; 12),*encor* est-il (142) et *encor* ay-je (161) ; *esbatz* (136, 285) et *esbas* (289) ; *faison* (84) et *faisons* (89) ; *grand* (193) et *grant* (226) ; au féminin, on notera : *grand* pitié (148), *grant* pitié (297) et *grande* et haulte (216) ; *mains* (189, à la rime) et *moins* (230, 268) ; *mengea* (139), *mengay* (258) et *mangé* (179) ; tu *scez* (90) et *ses*-tu (105) ; Dieu *scet* (146) et Dieu *sçait* (220) ; *soulz* (112) et *solz* (rimant avec *poux*, 133) ; *vieil* (56) et *viel* (103).

La 2ème personne du pluriel est généralement en *-ez* ; exceptions : *ayés* (140), *esprouveriés* (170).

- *Recueil Cohen* (Bb 8). Rappelons que nous ne connaissons le Recueil de Florence que par une copie faite par (ou pour) Gustave Cohen et publiée par lui en 1949. *Le ramoneur de cheminées* occupait les feuillets 177-182 du recueil. L'édition était in-4° dans le format oblong,comprenant 6 feuillets (11 pages, dont une de titre, de 52 lignes environ à la page pleine ; la page 12 était blanche). Comme pour les autres textes du recueil, Cohen ayant omis de le noter, on ignore le nom de l'imprimeur. Pour la date,il faut s'en tenir aux dates du recueil, entre 1540 et 1550.La farce a le N°XXX et se trouve dans l'édition de Cohen pp.235-241(sur deux colonnes).

Le texte, hormis un passage de six vers sauté(v.21-26), ne diffère guère de celui du BM. et ferait croire qu'une copie de même origine a été à la base des deux textes. On retrouve les mêmes fautes aux vers 108 (*ie* pour *ne*), 113 (*ne* à supprimer), 250 (*baver* pour *braver*), les mêmes lacunes aux vers 97 et 259, la même glose passée dans le texte (v. 278). Quelques leçons (v.131, 166, 262) sont préférables au texte du BM. ; mais l'inverse se rencontre souvent (v.16, 144,198, 203, 219). Quant à la diversité des graphies, hors celle de la 2ème personne du pluriel en *-és*, hors les tildes sur les voyelles nasalisées et hors la désinence *-age*,il semble bien qu'il faille en attribuer la responsabilité au seul copiste du XXe siècle (voir note des vers 130-131).

Un argument milite pourtant en faveur de l'antériorité du texte du BM. Au vers 68, l'édition du BM., pour gagner de la place, comme il arrive çà et là dans le Recueil, met sur la même ligne la fin d'une réplique et le nom du personnage à qui appartient la réplique suivante :

Bon. Le varlet.

Or Cohen indique que dans son texte *Le varlet* manque.Comment dès lors ne pas penser que l'exemplaire recopié par Cohen a été imprimé à partir de l'édition fournie par la maison Chaussard ?

NB. - Cohen prétend donner "les principales variantes" de l'édition du BM. ; mais c'est évident,il s'est référé non au texte du BM., mais à la transcription qu'en a faite Montaiglon dans ATF.

b) moderne :

- *Ancien théâtre françois* (Bb 6), t.II, 1854, pp. 189-206. Une fois de plus, redisons avec quelle insouciance le texte du BM. a été retranscrit : vers sautés (7-8, 326-327), graphies modernisées (*lui* pour *luy*, v.108 ; j'*ai* pour j'*ay*, v.110; etc.), ou au contraire refaites à l'ancienne (*melodye* pour *melodie*, v.10; *poulx* pour *poux*, v.131; etc.). Ajoutons des erreurs de lecture : *ou lardée* pour *mal lardée* (122) ; *a prins*, où *a* est proposé en ajout, alors que le mot est dans le texte du BM. (151) ; *Ne voyez-vous* pour *Le voyez-vous* (190) ; *or* pour *ort* (251).

II - INTERET DE CETTE FARCE

Voici une farce(1) qui pourrait paraître originale dans

---

(1) Wiedenhofen (Bb 36, p.50) en fixait la composition à Rouen dans le premier quart du XVIe siècle.Il s'appuyait sur des rimes normandes *(grace - tache, royaulme - ame)*, sur le vers 91 où il est dit que la Cour est "en la ville" (et il renvoyait à la venue à Rouen de Louis XII en 1508 ou de François 1er en 1517) ; il mentionnait en outre que deux éditions du *Sermon joyeux d'un ramoneur de cheminées*, qui n'est pas sans rappeler notre farce, avaient été imprimées à Rouen vers 1600. Rien de bien convaincant dans tout cela.Et récemment H.Lewicka (Bb 41, p.131, note 94) a pu, avec d'autres arguments, avancer que la farce était "plutôt picarde".L'allusion à la Cour ne prouve en effet pas grand-chose : nos rois se déplaçaient souvent ; et Rouen n'a pas été le seul séjour en province. L'allusion prouve seulement que la farce du *Ramoneur* n'est pas d'origine parisienne; ce qui découlait déjà du vers 263, où le ramoneur dit qu'il a ramené son valet de Paris. Un fait certain : le lieu est celui d'une grande ville, puisque, contrairement à la plupart des gens de son métier, notre ramoneur n'est pas un itinérant et qu'il revient le soir au logis. C'est tout ce qu'on peut dire. - Beneke datait la farce du *Ramoneur* de 1520. Pierre Toldo (Bb 38, p.217) en reportait la composition à une date postérieure à 1564 ; cette farce était en effet, selon lui,un "souvenir évident d'une des pages les plus enjouées de l'oeuvre de Rabelais", le passage où un moine répond par monosyllabes à toutes les questions qu'on lui pose (*Ve Livre*,ch.XXVIII). En 1911, Philipot (Bb 45, pp.46-56) montra que l'argumentation de Toldo ne résistait pas à l'examen : les éditions de "feu Barnabé Chaussard" étaient antérieures à 1550; et le procédé de la réponse par monosyllabes se trouvait déjà en 1540 dans un dialogue de Marot. Faut-il en conclure avec Philipot que l'auteur du *Ramoneur* "a fort bien pu s'inspirer du dialogue marotique"? Pourquoi donner l'antériorité à l'un plutôt qu'à

la mesure où il ne s'y passe rien : un ramoneur rentre chez lui en fin de journée (v.146), accompagné de son aide : il est vieux (v.102-104, 310-311), fatigué du métier et de la vie ; on lui préfère de jeunes ramoneurs bien gaillards ; et, en chemin, il se laisse aller à évoquer le temps où le travail et les forces ne lui manquaient pas. Il se prépare néanmoins à faire bonne contenance devant sa femme. Celle-ci l'accueille mal. Trahissant la confiance de son maître, le "varlet" l'accable à son tour en le rabaissant au rang des vantards et des inutiles. Une voisine survient(2), qui reçoit les plaintes de la femme. Le ramoneur doit reconnaître qu'il n'est plus bon à rien ; il ne lui reste qu'à conseiller aux jeunes de "ramoner" pendant qu'il est temps.

Pas de mari berné, pas de galant, pas de ruse, même pas de coups de bâton.

Sur quoi repose la farce ? Sur une situation: le retour désenchanté d'un vieux ramoneur ; mais surtout sur une équivoque.

---

(1) suite : l'autre ? Qui a imité qui ? Marot même n'était-il pas capable de "retrouver" le procédé sans imiter qui que ce soit ? Les poètes du temps avaient l'exemple des Grands Rhétoriqueurs ; les rythmes de *Ramoneur*, ses rimes en écho et équivoquées pourraient nous ramener à ces poètes ; et la farce serait ainsi plus ancienne qu'on ne l'a cru. En tout cas, elle pourrait être antérieure à 1512, date de la représentation de *Raoulet Ployart*, farce de Pierre Gringore, qui semble bien avoir pris comme point de départ la farce du *Ramoneur*: équivoque identique, situation identique (le vieux mari impuissant), traits identiques ; mais Gringore ménage moins l'équivoque, et surtout il développe ce qui n'était que suggéré ; il ne se contente pas d'exposer une situation : il met en action les conséquences de cette situation (voir *Oeuvres complètes de Gringore* ; Paris, P. Jannet ; t.I (1858).

(2) Je ne sais pas ce qui a pu faire écrire à G.Cohen, dans le résumé de cette farce (Bb 8, p.XV), que la voisine était "amoureuse" du ramoneur (qu'il appelle d'ailleurs "Jean du Houn", alors que son texte, comme celui du BM., l'appelle *Jehan du Houx*). G.Cohen aura confié à un incompétent le soin de faire ces résumés (le résumé du *Pâté*, N°XIX, p.XIV, est également inexact).

Nous avons déjà relevé dans les farces précédentes des équivoques grivoises. Elles sont plus nombreuses que ne le laisserait croire une lecture cursive ; la raison en est que certaines de ces équivoques reposent sur des mots qui ne sont plus en usage ou dont le sens grivois a disparu du langage courant.

Le public du Moyen Age non seulement n'était pas "choqué" par des mots que nous jugeons grossiers (sinon,leur emploi ne serait pas si fréquent dans les farces),mais il semble avoir pris plaisir au jeu des doubles sens. On l'a vu à propos du badin, dont une des caractéristiques était de ne retenir des mots que ce qu'il voulait leur faire dire.

Pour satisfaire ce goût du public, les "farceurs" ont souvent recouru au double sens, devenu pour eux un procédé comique sûr(3). Ou bien ils développent un dicton ou une expression proverbiale : farces des *Femmes qui font accroire à leurs maris de vessies que ce sont lanternes* (Coh., N° XV)et des *Eveilleurs du chat qui dort* (Coh., XXXIV) ; ils jouent sur un mot : *Regnault qui se marie à Lavollée* (Coh., N° VII). Ou bien ils construisent toute une pièce sur une équivoque grivoise : jeu difficile, car il s'agit, en dosant les effets, de jouer constamment sur le sens propre et sur le sens figuré. Telles les farces des *Chambrières qui vont à la messe de cinq heures pour avoir de l'eau bénite* (BM., N° L)- et l'on devinera bientôt de quel goupillon se sert Dominé Johannès pour son "Asperges me" -; des *Femmes qui font écurer leurs chaudrons* (BM., N° XXIV) :

Mon chaulderon fait de l'eau
Auprès du cul, quand il est chault;
Et pour cause, maignen+,il fault
Que y mettez une bonne pièce.
....
N'y mettez point clou si petit,
Que le trou n'en soit estouppé+.

(+chaudronnier ambulant)
(+bouché)

(3) Voir H.Lewicka, *Etudes sur l'ancienne farce*, Bb 41, pp. 67-72 : "Un procédé comique : la fausse compréhension du langage".

des *Femmes qui font rembourrer leur bas* (Coh., N° XXXVI) ; de *Raoulet Ployart*, de P. Gringore, où chacun est prêt à se mettre à l'ouvrage pour remplacer le mari qui n'est pas capable de "labourer la vigne" de sa femme Doublette.

La farce du *Ramoneur de cheminées* offre cette particularité de ménager avec discrétion l'équivoque,bien différente en cela des *Femmes qui font rembourrer leur bas* et surtout de *Raoulet Ployart*. Elle ne dit pas plus qu'il ne faut dire ; et on n'entre que progressivement dans le jeu de l'auteur. De plus l'équivoque se joue au milieu de rimes et de rythmes savants : ce qui est dit importe moins que la manière dont on le dit ; et c'est en quoi cette farce n'a rien de "trivial".

Autre particularité : nous possédons de cette farce deux éditions anciennes, presque contemporaines. Elles sont le garant du succès qu'obtint en son temps la farce du *Ramoneur*.

Pourtant, celle-ci est d'un abord difficile.Non seulement par l'équivoque qui se développe à mots couverts, mais en raison d'allusions, dont bon nombre restent pour nous obscures. On se parle à demi-mot, on se réfère à des dictons, à des métaphores aujourd'hui hors d'usage. Ici,un public qui se plaît au rire gras, parce que les mots sont crus et que les allusions érotiques sont aisément perçues ; là, un public délicat, celui qui fera la fortune des conteurs du XVIe siècle, qui aime à surprendre à travers telle ou telle polissonnerie une réflexion subtile ou une finesse d'expression.

C'est pourquoi j'ai multiplié les notes explicatives, en les dissociant des notes relatives à l'établissement du texte (regrettant d'avoir dû, par nécessité typographique, rejeter le tout après le texte). Non que je prétende en savoir autant que le public du Moyen Age, ni que j'aie le goût de ces plaisanteries qui peuvent paraître ou trop faciles ou trop recherchées ou gratuites quand elles sont transcrites sur du papier. Mais j'ai voulu donner à qui étudiera cette farce les possibilités de se retrouver en imagination public du Moyen Age.

III - L'ÉQUIVOQUE DE LA CHEMINÉE

Si la farce du *Ramoneur* est le premier texte qui développe l'équivoque de la cheminée, l'équivoque elle-même semble avoir été d'origine populaire et connue depuis longtemps. On la retrouve tout au long du XVIe siècle.

1 - Les cris de Paris

Chaque corps de métier qui supposait une publicité, avait son cri. On connaît ceux du chaudronnier (t.I, farce N° II, v.90 et suiv.) et du savetier (farce N° III, note du v. 315). Celui du ramoneur : "Ramonez vos cheminées haut et bas!" est attesté par plusieurs documents. Dans les *Cris des marchandises que l'on crie parmi Paris* (1532), par Gilles Corrozet(4), on voit des "Piemontoys"

> A peyne saillis de escaille+ (+encore tout jeunes)
> Crians : Ramona hault et bas
> Voz cheminées sans escaille+ ! (+sans échelle)

Dans les *Cris de Paris* (ou les *Cent et sept cris que l'on crie journellement à Paris*) (1545), d'Antoine Truquet(5), le cri est rendu plaisant par l'adresse aux dames, qui laisse entendre l'équivoque :

> Ramonez voz cheminées !
> Jeunes dames haut et bas ;
> Faictes moy gaigner ma journée ;
> A bien houlser je m'y esbas.

---

(4) Dans A. Franklin, *La vie privée d'autrefois*. Paris,1887, pp.156-157.
(5) *Ibid.*, p.172. Voir en outre dans Franklin, p.213 : *les Cris de Paris* (1550), par Clément Jannequin : "Haut en bas, ramoner la cheminée" ; pp.215-216 : *Chanson nouvelle de tous les cris de Paris* (1572). On pourra consulter aussi Brown, *Music in the French secular theater 1400-1550*, Bb 44, p.85.

Ajoutons, pour l'iconographie, qu'une des dix-huit planches gravées des *Cris de Paris*, qui datent du début du XVIème siècle(6), représente un ramoneur, portant sa perche et criant : "Ramõne la cheminee otabas".

(6) L'original appartient à la Bibliothèque de l'Arsenal. Les gravures ont été reproduites en 1885 par Adam Pilinski dans les *Cris de Paris au XVIe siècle*.

2 - Textes

Dans la farce de *Martin de Cambrai* (Coh., N° XLI, p. 318), texte repris dans le *Savetier Audin* (ATF., t.I,p.130), le savetier rappelle avec mépris à sa femme que son "père houssoit cheminées", qu'il était "ramonneux".Allusion n'est faite qu'à la saleté inhérente au métier. Même chose dans *Pantagruel* (ch.XXX), quand Epistémon relatant les métiers qu'exerçaient aux Enfers des personnages jadis illustres, rapporte qu'"Antioche estoit ramonneur de cheminées".

Ailleurs, l'équivoque est évidente.Dans la farce de la *Résurrection de Jenin à Paulme* (Coh., N° L, p.405), qui daterait "de la fin du XVe siècle" (H.Lewicka), Joachim, entendant la "soeur" de Jenin se lamenter, lui demande si elle a besoin qu'on la "ramonne" et s'offre de l'"alléger", c'est-à-dire de lui procurer ce plaisir.

Le *Sermon joyeux d'un Ramoneur de cheminées* est même, comme notre farce, bâti tout entier sur l'équivoque.Ce sermon, publié vers 1520 et réédité à Rouen vers 1600, mérite d'être reproduit ici à titre de comparaison(7) :

Ramonez la cheminée hault et bas.
Dame, chamberière, bonsoir.
N'y a céans riens que houlser ?
Je suis ung fort homme de bras
Pour ramonner et hault et bas.
Jamais n'allez en paradis
S'il n'est vray ce que je vous dis.
J'ay houlsé à Tours, à Blays,
A Paris, en Lorraine, en Mès,
En Gascogne, en Bretaigne,
En Espaigne, en Allemaigne,
En Flandres, à Chartres et à Reims,
Et tout à force de mes rains.
Les femmes ne se plaignent pas
De ramonner leur cheminée hault et bas.

---

(7) Texte cité d'après le *Recueil de poésies françaises des XVe et XVIe siècles*, éd. Montaiglon, t.I (1855), pp.235-239. Voir aussi E.Picot, *Le monologue dramatique*, dans *Romania*, Bb 47, pp.488-489.

Quant je houlse une cheminée
Qui n'a point esté ramonnée,
Dont le tuau est fraiz et tendre,
Ou si vous m'y voyez estandre
Et redis jambes et genoulx,
Vous diriez : Venez chez nous.
Il semble, à veoir à ma trongne,
Que je soys foyble à la besongne ;
Mais je les houlse si au net
Qu'il n'y a vire ne cornet
Qui ne sente bien mes houstilz.
Ce n'est point houlser d'aprentilz.
Je fais cheoir tous vieulx cabas,
Et puis je houlse hault et bas,
Puis au costé, puis au parmy,
Tant qu'on me dict : "Là, mon amy,
Houlsez fort hault et bas,
Ramonnez la cheminée hault et bas."
Je vous en veulx compter ung cas
Qu'il m'est advenu depuis un peu,
Et fut il ne m'en chault où.
Une jeune fille grassette,
Grande, petite, estroicte,
De l'aage de quinze à seze ans,
Qui, en despit des mesdisans,
Print congié de sa propre seur
Pour me hucher : "Houlseur, houlseur,
Venez, tandis que suis seullette,
Avecques moy en ma chambrette
Pour veoir que je veulx qu'on face.
C'est ma cheminée qui est basse,
Que je veulx maintenant qu'on houlse."
Et, quant luy donnay une escousse :
"Fort, ferme, que longtemps y a
Que nestement ne [me] houlsa.
Si vous nestement la houlsez,
Vous aurez de l'argent assez ;
Je vous payeray à l'appetilz.
Voyre mès, où sont vos outilz,
Subitement que je les voye ?"

Et, pour [le] vray vous en compter,
Elle me ayda à monter ;
Et, quant je fuz là encorné,
Dieu set comme il y eut houlsé !
Je coigne, je frappe, je torche ;
Et n'y avoit clerté ne torche,
Homme ne femme que nous deulx
Seulletz. Or, disons [à qui mieulx].
Certes la gentille bourgoise
Estoit bien ayse, aussi estois-je.
Je cuydoys qu'elle me dist : "Holla!"
Mais elle me disoit : "Là, là,
Houlsez fort à val et à mont."
Et, quant elle me veyt suer le front
Et si très fort evertuer,
Elle-mesme se print à suer.
Et, quant j'euz achevé l'ouvraige
Si nestement que c'estoit raige,
Et tout à coup vouluz descendre :
"Comment", dict, "vous voulez vous rendre ?
Qu'avez-vous, houlseur, mon amy ?
Tout n'est pas houlsé à demy."
Je luy dis : "Par saint Nicolas,
Nostre Dame, maistresse, je suis las
Pour ramonner vostre cheminée hault et bas.
Pour ceste foys, je n'en puis plus."
- "Si parferez-vous le surplus,
Ou vous tiendray en ceste place."
Si très bien je fuz en sa grace,
Tellement qu'au partir du lieu,
Je fuz refaict, et puis adieu.
Oncques femme n'eust tel soulas.
Ramonnez la cheminée hault et bas.

-

Dès lors les textes abondent où l'expression "ramoner la cheminée" offre le double sens ; l'équivoque devient banale. Dans une chanson publiée en 1543, une femme implorera :

Ramonnez-moy ma cheminée,
Ramonnez-la-moy hault et bas.
Une dame, la matinée,
Disoit, de chaleur forcenée :
"Mon amy, prenons noz esbas ;
Ramonnez-moy ma cheminée,
Ramonnez-la-moy hault et bas."(8)

Même emploi de l'équivoque dans les *Propos rustiques* (1547-1549), de Noël du Fail(9) ; dans le monologue du *Varlet à louer à tout faire* (vers 1575)(10), où le valet se dit :

Grand despuceleur de nourrices,
Ramonneur de bas et de hault.

Et encore dans la comédie des *Esprits* (1579) de Larivey(acte IV, scène 4).

L'équivoque se maintient au début du XVIIe siècle. Dans la comédie en prose des *Ramoneurs* (vers 1624)(11), à l'acte III scène 4, le valet Martin, déguisé en ramoneur, crie : "A ramonner la cheminée haut et bas" ; puis on passe du sens propre au sens érotique :

Martin. - O la jolie petite Ramonneuse, et qui mérite bien d'estre ramonnée avec une gaule naturelle de juste longueur.

Mais les bienséances rejettent, à partir du milieu du XVIIe siècle, toute allusion scabreuse. La préciosité a gagné, avec l'appui du jansénisme. Elle proscrit du vocabulaire non seulement les mots crus, mais les équivoques. Dans la comédie de Villiers, *les Ramoneurs* (vers 1660), tirée de la pièce en prose, l'équivoque a disparu. Le XVIIIème siècle ne garde plus de la profession que le travestissement qui permet aux amoureux d'entrer dans les maisons et d'échapper à

---

(8) Dans J.B.Weckerlin, *L'ancienne chanson populaire en France* ; Paris, 1887 ; p.428.
(9) Ed. J.Assézat, Paris, 1875 ; t.I, p.260.
(10) *Recueil de poésies françaises...*, éd. Montaiglon, t.I, p.85.
(11) Ed. Austin Gill (Paris, M.Didier; 1957), pp.XXI et XXVIII, notes.

leur identité : *le Ramoneur prince et le Prince ramoneur* (Variétés amusantes, décembre 1784), ou l'image touchante des petits Savoyards : *les Deux petits Savoyards* (comédie de Marsollier des Vivetières, musique de Dalayrac ; Théâtre-Italien, janvier 1789).

3 - Mise en oeuvre de l'équivoque

A priori "ramoneur" ne dit pas plus que "savetier". Ce titre peut n'évoquer que l'un des nombreux métiers dont la farce a utilisé un des représentants comme personnage : le chaudronnier, le chaussetier, le couturier, le bûcheron, le berger, le meunier, le pâtissier, le marchand de pommes et d'oeufs, le médecin, le maître d'école, le vendeur de livres, le juge, le triacleur, le bateleur, etc.

Où l'équivoque commence, c'est lorsque le mot "ramoneur" est précisé par "cheminée" et que le ramoneur s'adresse aux "dames" pour leur proposer de ramoner *leur* cheminée.

Examinons les mots à double sens. Le sexe féminin est désigné par le "bas" (137, 284) et la "cheminée" (à quoi répond le cri du ramoneur : "haut et bas"). Le sexe de l'homme est un "membre" (166), terme banal, mais aussi l'outil même du ramoneur : le "ramon" (277) et la "gaule" (332). *Housser* signifiera tantôt "nettoyer une cheminée, ramoner" (197), tantôt "faire l'amour" (214). Et le *mestier* est celui de la profession et celui de l'amour.

L'habileté de l'auteur consiste à laisser au public, sauf en quelques endroits précis, la possibilité de donner à ces termes leur sens propre.

C'est par le sens propre qu'il commence; et le premier personnage à paraître est le ramoneur, habillé en ramoneur et accompagné de son aide.

Etablissons, pour les cent premiers vers, un classement, en ne retenant que les éléments essentiels :

Sens propre	Equivoque	Sens érotique
1-8: cri du ramoneur	2,8: il ne s'adresse qu'aux *jeunes femmes*.	
11-26: le ramoneur est trop vieux pour gagner sa vie; autrefois *chascun* (21) lui donnait de l'ouvrage.	17-18: jadis, sa tâche *estoit bien d'ung aultre plumaige*.	
	27-33: Il est *comme gros prieurs ou gras moynes*, qui ne peuvent *cheminées housser* (nous disons encore : un bon coq n'est jamais gras).	
	38 : *ma puissance fort diminue*.	
63-68: il ne pense plus qu'à manger et à dormir.	69-71 : il ne lui importe plus de *housser* les cheminées *là où vertus sont minées*.	
	74: *mestier* 1) profession; 2) métier amoureux (emploi fréquent dans les farces; voir *les Femmes qui font refondre leurs maris* (ATF., t.I, p.70). Il remet désormais ce "mestier" *à quinsaine* (75).	
	78: il a *courte alaine* (voir note).	
	86: *quelque malheureuse* à opposer au masculin du v. 21.	90-93: les housseurs de la Co[illegible] *tous nouveaulx et jeunes*.

Plus de doute : aux vers 90-93, l'équivoque est levée. A partir de là, l'auteur va jouer sur les deux sens: le sens propre et le sens érotique.Ainsi dès que le ramoneur retrouve sa femme,se posent le problème de sa vieillesse et celui de sa"débilité de reins"(213),c'est-à-dire de son impuissance sexuelle. A l'impossibilité de travailler s'ajoute l'impossibilité de conduire des *esbatz* (117).

La difficulté d'interprétation peut venir du transfert du sens érotique au sens propre dans les mensonges du ramoneur et du valet. Le valet rappelle au ramoneur le dîner qui lui fut servi la veille,

> Après qu'on vous fist ramonner
> La cheminée que sçavez. (155-156)

La référence au sens érotique est évidente, bien qu'il s'agisse d'une vantardise ; mais le sens propre est non moins évident : la cheminée "que vous savez que vous n'avez pas ramonée" (puisqu'il ne parvient plus à trouver du travail).

Après le vers 280, le sens érotique a définitivement supplanté le sens propre. "Il ne ramonne plus", dira la femme, "non plus qu'ung enfant nouveau-né" (304-305).

IV - VERSIFICATION

Cette farce offre une grande variété de rythmes et de scansion ; reste à déterminer la part de l'art et la part de l'arbitraire (sans compter les lacunes possibles).

a) Nature : octosyllabes. Les vers de sept syllabes sont toutefois nombreux (27, 45, 60, 183, 284, 288, 296,323, etc.); et les huit premiers vers, chantés, sont des vers de sept syllabes. On rencontre aussi des rythmes variés dans plusieurs passages (lyriques ou non) : 43 et suiv., 121 et suiv., 222 et suiv., 281 et suiv., 332 à la fin.

b) Disposition : aa bb cc dd ... - On relève trois triolets (voir t.I, p.176) : 1-8 (avec reprise du 3ème vers au 5ème), 19-26, 76-83. - Outre les passages (lyriques) indiqués ci-dessus où la disposition des rimes est variée(v.121-

133, un vers de trois syllabes reprend la rime du ou des deux vers qui précèdent), relevons les vers 42-61, qui n'usent que des rimes en *-asse* et en *-assé*, avec la disposition: abba ... bbb ... aaa ...; les v.62 et suiv., où les réponses se font par monosyllabes et où domine la disposition : aab| aab.

c) Rimes : 1) rimes par réponse en monosyllabes, en écho (65-71) ; 2) rimes équivoquées (102-103, 227-228,260-261, 266-267, 280-281) ; 3) rimes normandes ou picardes (mais il faut se rappeler que certaines de ces rimes avaient cours même à Paris) : *grace - tache* (16-17), *royaulme - ame* (36-37), *aymer - mer* (118-119), *mains - mains* (= moins;188-189), *nette - ecarlate* (194-195; God. donne aussi la forme *escarlette* ; et voir t.I, *le Pâté et la Tarte*, v.287-288) ; 4) rimes singulier et pluriel : 62-65, 89-90, 152-153); 5)rimes qui renseignent sur la prononciation : *examiné - journée*(81-83), *housseurs - seurs* (= sûrs; 93-94) ; *jus - jeux*(116-117), *fraudé - fardée* (120-121) ; *poux - solz* (132-133 ; voir la graphie du v.112), *serre - voirre* (204-205), *ayde - bride* (241-242).

d) Scansion (voir t.I, pp.36-41) :

A! tu dis vray; je faisoy(e) rage (19)
De bien cheminé-es | housser (30; de même v.156)
Du mestier qu(e) homme du royaulme (36)
S(e) elle fust aussi bien venue (39)
Nous y per-drions nostre langage (88)
Qu'on vous donna hyer à disner (154)
Tant a mangé de soupp(es). - Et puis (179)
Comm(e) le B de Beatus vir (192)
Escoutez cest escorpi-on (207)
Il en est faict, vous l(e) voyez bien (247; Cohen propose de supprimer *le*)
Povre femme, | à qui Fortune (282)
Voysin(e), qu'il n'y voulut penser (319)
Voysine, | vous povez sçavoir (326).

-

M. f° A r° p.1 (Coh., 177r°)

Farce nouvelle
d'ung RAMONNEUR DE CHEMINÉES
fort joyeuse
nouvellement imprimée
à quatre personnaiges; c'est assavoir :
LE RAMONNEUR, LE VARLET, LA FEMME et LA VOYSINE.

-

° p.2
t Coh., 177, v°)

LE RAMONNEUR *commence en chantant.* 1
Ramonnez voz cheminées,
Jeunes femmes, ramonnez !
LE VARLET.
En nous payant noz journées,
Ramonnez voz cheminées !
LE RAMONNEUR.
5 En nous payant noz journées,
Retenez-nous, retenez !
Ramonnez voz cheminées,
Jeunes femmes, ramonnez !
LE VARLET.
Par le corps bieu, vous m'estonnez,
10 Tant menez lourde melodie.
LE RAMONNEUR.
Que dyable veulx-tu que je dye ?
Encore ne sçay-je tant crier
Que gaigner puisse ung seul denier (1) ;
De quoy je m'esmerveille assez.
LE VARLET.
15 Si fais-je plus que ne pensez.
J'ay veu que, quant vous aviez grace
De bien ramonner, vostre tache
Estoit bien d'ung aultre plumaige (2) .
LE RAMONNEUR.
A! tu dis vray; je faisoye raige,
20 Quant premierement tu me veis.
LE VARLET.
Chascun vous mettoit en ouvraige.

LE RAMONNEUR.
A! tu dis vray; je faisoye raige.
LE VARLET.
Il eust alors plus faict d'ouvraige
En ung jour qu'il ne faict en dix.
LE RAMONNEUR.
25 A! tu dis vray; je faisoye raige,
Quant premierement tu me veis.
LE VARLET.
Gens qui sont ainsi massis
Comme gros prieurs ou gras moynes,
Ne furent jamais guères idoynes
30 De bien cheminées housser.
LE RAMONNEUR.
Pourquoy ?
LE VARLET.
Ilz ne font que pousser[3],
f° Aij r° p.3 Et sont pesans comme une enclume.
Et vous ensuyvez la coustume ;
Car vous estes gras comme lart.
LE RAMONNEUR.
35 Par bieu! j'ay aussi bien faict l'art
Du mestier que homme·du royaulme ;
Mais pour l'exercer, sur mon ame,
(Coh.,178 r°) Ma puissance fort diminue.
LE VARLET.
Se elle fust aussi bien venue
40 Devers vous comme declinée(4),
Vous eussiez mainte cheminée
A ramonner, qu'on vous trespasse[5].
LE RAMONNEUR.
Je sçay que c'est : tout ce passe,
Ce que nature a compassé(6) ;
45 Car je suis jà tout passé.
Bien joueroit de passe-passe,
Qui me feroit en brief espace
Corps bien compassé !
Je suis jà cassé,
50 Faulcé(7),
Lassé.

Et tout mon bien se trespasse(8),
De l'or que j'ay amassé
A Gaultier et à Massé
55 De leur bonne grace ;
C'est d'estre en ung vieil fossé(9)
Poussé,
Troussé,
Là où personne ne passe.

LE VARLET (10).

60 Qui vous diroit à voix basse :
"Prens dix escutz en ma tasse",
Qu'en diriez-vous ?

LE RAMONNEUR.

Riens.

LE VARLET.

Ou de vuyder une tasse
Et humer la souppe grasse,
Vous le feriez ?

LE RAMONNEUR.

65 Bien.

LE VARLET.

Et vous fussent assignées(11)
A dormir grans matinées,
Quel estat, quel ?

°p.4

LE RAMONNEUR.

Bon.

LE VARLET.

Mais pour housser cheminées
70 Là où vertus sont minées(12),
Il ne vous en chault ?

LE RAMONNEUR.

Non.

Je souloye avoir regnom ;
Mais maintenant je metz(13),
Tant [le] mestier je congnoys,
75 Doresnavant à quinsaine.
Par mon ame, c'est très grand peine
Que de ramonner à journée(14).

›h., 178 v°)

LE VARLET.

Voyre, pour gens à courte alaine(15).

LE RAMONNEUR.
Par mon ame, c'est très grand peine.
LE VARLET.
80 Croyez qu'il n'y a nerf ne vaine
Qui ne soit bien examiné(16).
LE RAMONNEUR.
Par mon ame, c'est très grand peine
Que de ramonner à journée.
LE VARLET.
Or sà, faison quelque trainée
85 Ou quelque cryée joyeuse
Pour veoir se quelque malheureuse
Ne nous mettra point en ouvraige.
LE RAMONNEUR.
Nous y perdrions nostre langaige(17).
Ne faisons cy plus long sejour ;
90 Car tu scez bien que tous les jours,
Puis que la court est en la ville(18),
Par ma foy ilz sont plus de mille,
Tous nouveaulx et jeunes housseurs.
LE VARLET.
Les jeunes ne sont point si seurs
95 Que les vieulx, vous le sçavez bien.
LE RAMONNEUR.
Il n'est abay que de vieil chien(19),
Pour dire je ne le nye point.
Qui nous faict estre tous chetis?
LE VARLET.
Et quoy ?
LE RAMONNEUR.
C'est que les aprentis
100 Tousjours les meilleurs maistres sont.
f° Aiij r° p.5 LE VARLET.
Et ainsi vous avez...
LE RAMONNEUR.
Le bont(20).
Les jeunes m'appellent vieillart,
Pource que j'euvre de viel lart(21)
Et que je suis plus blanc que Carmes(22),
105 Ses-tu quoy? je me rens aux armes(23).

Mais pour cause que ma mignonne[24]
Ne me faict point chère si bonne
Quant [n]e luy raporte pecune,
Ne revelle point ma fortune,
110 Mais que j'ay bien besongné[25]
Et que j'ay aujourd'huy gaigné
Bien quarante soulz, qu'on me doibt[26].
Je sçay de vray, s'elle entendoit
Par trop parler ou sermonner
115 Que ne peusse plus ramonner,
oh.,179 r°) Velà Jehan du Houx rué jus(27);
Plus n'en auroys esbatz ne jeux ;
Jamais ne me vouldroit aymer.

LE VARLET.

J'aymeroys mieulx estre en la mer
120 Que vostre honneur j'eusse frauldé.

2 a)

LE RAMONNEUR.

Où estes-vous, mal fardée,
Mal lardée?(28)
Que ne parlez-vous à nous ?

LE VARLET.

On vous a bien regardée
125 Et dardée
Au cueur d'ung regard très doulx.

LA FEMME.

Et qui a-ce esté ?

LE VARLET.

Jehan du Houx,
Par dessoubz.

LA FEMME.

Je ne m'en suis point gardée[29].

LE VARLET.

130 Toutesfoys il vous a dardée
Bien ferrée
La flesche.

LA FEMME.

Des poux, des poux !
J'aymeroye mieulx quatre solz
p.6 En ma bource, de bon acquest,
135 Que son regard ne son caquet.
Brief, je n'ayme point ses esbatz.

LE VARLET.
Pourquoy ?
LA FEMME.
Il craint le bas
Plus que cheval de pois[s]onnier(30).
LE VARLET.
Hé! dea, si mengea du poisson hyer,
140 Ne l'ayés pourtant indigné(31).
Pensez, quant il a bien digné,
Encor est-il plus redelet.
LE RAMONNEUR.
Jehan du Houx est itel qu'il est ;
Il n'en fault point tant sermonner.
LA FEMME.
D'où venez-vous ?
LE RAMONNEUR.
145 De ramonner(32)
Tout ce jour, et Dieu scet comment !
Demandez-luy.
----
b)
LE VARLET.
Tout bellement ;
Par mon ame, c'est grand pitié !
(Coh., 179 v°) LA FEMME.
Pis qu'ante ?
LE VARLET.
Mais pis la moytié !
150 Il sera tantost maistre ès ars(33).
LA FEMME.
Pourquoy ?
LE VARLET.
Il a aprins ses pars ;
Il est à ses declinaisons(34).
----
c)
LE RAMONNEUR.
De quoy parlez-vous ?
LE VARLET.
De l'oyson
Qu'on vous donna hyer à disner,
155 Après qu'on vous fist ramonner
La cheminée que sçavez.
LE RAMONNEUR.
Il dit vray.

LA FEMME.
Par bieu! vous bavez ;
° Aiiij r° p.7 Ne vous vantez jà du beau faict.
LE RAMONNEUR.
Holà! j'ay faict ce que j'ay faict.
160 M'avez-vous si bien repoulsé?(35)
Encore ay-je aujourd'huy houssé
Des cheminées plus de douze.
Velà qui le scet.
LE VARLET.
Il se house! (36)
LA FEMME.
J'en vueil bien croyre ses recors (37)
LE VARLET.
165 Pensez qu'il a assez bon corps, (38)
Mais n'a membre qui rien vaille
LA FEMME.
Dictes-vous ?
LE VARLET.
Pas maille.
Je vous ay declairé le point.
LE RAMONNEUR.
Se vous me voyez en pourpoint (39),
170 Vous esprouveriés plus tost mes fais.
LE VARLET.
Il est façonné comme ung fais
De fagotz ou de paille d'orge.
LE RAMONNEUR.
Tu as menty parmy la gorge :
Je suis ung bel homme, et robuste
De corps et de membres.
LE VARLET.
175 Tout juste ;
Par mon ame, c'est bien soufflé(40).
oh.,180 r°) LA FEMME.
Regardez, il est plus enflé
Qu'ung rat noyé dedans ung puis,
Tant a mangé de souppes.
LE RAMONNEUR.
Et puis,
180 Fondez-moy; si aurez le sain!(41)

LA FEMME.
Quel visaige de sainct Poursain![42]
Comme il en a remply ses bouges![43]
LE RAMONNEUR.
S'ont esté ces gros vins rouges,
Qui nous ont paincturez ainsi
185 Les narines de cramoysi,
Ainsi que sçavez qu'on le joue[44].

v° p.8

LA FEMME.
La couleur demeure en la joue ;
Elle n'est pas tombé e ès mains.
LE RAMONNEUR.
Mon compaignon n'en a pas mains.
190 Le voyez-vous, le dominé ?
Il a le groing enluminé
Comme le B de Beatus vir[45].
LA FEMME.
Mais voz yeulx me font grand plaisir;
Car ilz n'ont point la couleur nette.
LE RAMONNEUR.
Quelz sont-ilz ?
LA FEMME.
195 Doublés d'escarlate[46].
LE RAMONNEUR.
J'ay tant par villes et par bours
Houssé, qu'ilz en vont à rebours.
Des(47) pouldres qui sont cheuz dedans.
LE VARLET.
Il a menty parmy ses dentz :
200 Il ne luy vient que de trop boyre.
LE RAMONNEUR.
Pour Dieu, ne le vueillez point croyre,
Ma doulcinette, ma mignonne,
Ma gogette, ma toute bonne ;
Car, quant je ne suis point en serre[48],
Je ramonne aussi bien...
LE VARLET.
205 Ung voirre
Qu'oncques fist gorge de pion(49).

LE RAMONNEUR.

Escoutez cest escorpion,
Comme il me point! Que je suis ayse (50),
Et je sçay bien, plaise ou non plaise,
210 Qu'entre tous housseurs je suis homme.

LE VARLET.

Il a perdu le plait à Romme,
(Coh.,180 v°) Il peult bien apeller à Rains (51).

LE RAMONNEUR.

Esse debilité de reins (52)
De housser en une journée
215 Seize foys une cheminée
Qui estoit bien grande et bien haulte ?

LE VARLET.

Il dit vray; (53) il fist une faulte :
B r° p.9 Ce fut quinze et, somme toute,
Une foys houssa tout de route (54);
220 Encore Dieu sçait à quel peine !

LE RAMONNEUR.

Et je fis (55), ta fiebvre quartaine !
Se aujourd'huy je t'os mot dire
Ne mesdire
Contre moy aulcunement,
225 De mon poing sans contredire,
Par grant ire,
En auras ton payement.

LE VARLET.

Cil qui paye ment
Vrayement,
230 Au moins s'on ne l'en retire,
Et vous envoyez [b]elle tire.
Qui vous tire
A mentir si lourdement (56)?
Dictes or, par mon serment,
235 Tant qu'est à luy, il en est faict (57).

----
d)

LA FEMME.

Il me faict enraiger, de faict,
De dire que si v[aillam]ment
A huy ramonné.

LE VARLET.

Hé! il ment ;
Jamais ne luy eusse accordé (58).

LA FEMME.
Il est doncques...
LE VARLET.
240 Il est cordé(59),
Jamais n'en aurez...
LA FEMME.
Grant ayde.
LE VARLET.
On luy eust bien...
LA FEMME.
Lasché la bride.
De courir n'est point...
LE VARLET.
Enrengé(60);
Je vous entens.
LE RAMONNEUR. e)
Je l'ay songé :
245 Ouy, j'ay faict ce que je vous dis.
(Coh.,181 r°) LE VARLET.
Dictes-en ung De profundis(61).
v° p.10 Il en est faict, vous le voyez bien.
LE RAMONNEUR. f)
Dictes-en ung estront de chien
En ton nez! Fault-il tant baver(62)!
250 Mais comment m'oses-tu b[r]aver,
Ort, sanglant, paillart, contrefaict,
Moy qui t'ay faict !
LE VARLET.
Qu'avez-vous faict ?
LE RAMONNEUR.
Je t'ay faict.
LE VARLET.
Vous l'avez faict belle !
LE RAMONNEUR.
S'on ne te pent, paillart, rebelle!...
Je t'ay faict.
LE VARLET.
255 Quoy? apoticaire ?
LE RAMONNEUR.
Escoutez, il ne se peult taire !
Il me faict enraiger d'ennuy.

LE VARLET.

Je ne mengay huy.
De quoy dyable seroys-je plain ?

LE RAMONNEUR.

260 Tu es remply de faulce envye
Contre moy, qui le tient en vie :
Je prins ce paillart [ratisseur]
A Paris chez ung rotisseur ;
Et n'avoit pas vaillant deux blans,
265 Et couchoit, dont il est si blans(63),
Au four à quoy la paille art(64).
Brief, je t'ay faict.

LE VARLET.

Quoy ?

LE RAMONNEUR.

Ha! paillart,
Je t'ay au moins faict tant d'honneur
Que tu es maistre ramonneur,
270 Passé par les maistres jurez(65).

LE VARLET.

Pas ne fault que vous en jurez ;
Je n'en donroys pas ung oygnon.
Depuis que je suis compaignon(66),
Je n'ay pas gaigné mes despens(67). ——— g)

LA FEMME.

275 Par ma foy, à ce que j'entens,
Il ne peult plus lever le boys
Du ramon(68).

Bij r° p.11 (Coh.,181 v°)

LE RAMONNEUR.

On dit maintes foys
Qu'il a tant faict qu'il n'en peult [mais](69).
On le doibt bien laisser en pays,
280 C'est une auctorité commune(70). ——— h)

LA FEMME.

Las! je demeure ainsi comme une
Povre femme, à qui Fortune
Pour sa griefve importune(71),
Quant mon mary vient en bas(72).
285 Puis qu'en si piteulx esbatz
On l'impugne(73),
Plus je ne puis par voye aulcune,
Pour argent ne pour pecune,
Avec luy prendre mes esbas.

3

LA VOYSINE *commence*.

290 A qui esse que tu t'esbatz,
Ma voysine et ma doulce amye ?

LA FEMME.

Croyez que je ne chante mye,
Mais ay le cueur triste et marry ;
Car c'est de mon povre mary,
295 A qui Dieu bonne mercy face !
Je ne sçay plus que je face(74),
De grant pitié qui me remort(75).

LA VOYSINE.

Comment! vostre mary est mort ?

LA FEMME.

Tout mort au paradis des chièvres(76).

4

LE RAMONNEUR.

300 Et je suis(77), tes sanglantes fiebvres,
Puis qu'il convient que je responde.

LA FEMME.

Il est mort, c'est-à-dire au monde,
Comme ung Chartreux ou reclus(78).

LA VOYSINE.

Comment ?

LA FEMME.

Il ne ramonne plus,
305 Non plus qu'ung enfant nouveau-né.

LE RAMONNEUR.

Ramonner! c'est bien ramonné ;
Il n'est homme qui ne s'en lasse
De ramonner si longue espasse
Que j'ay faict, ne par tant d'ans!
310 Il y a plus de soyxante ans
Que le mestier je commençay !

v° p.12

LA VOYSINE.

Vous n'en povez plus.

LE RAMONNEUR.

Je ne sçay;
Ma femme me le dit ainsi.

LA VOYSINE.

(Coh.,182 r°) Comment le sçavez-vous ainsi ?

LA FEMME.

315 Je le sçay par ma cheminée,
Qui souloit estre ramonnée

Tous les jours bien cinq ou six foys[80] ;
Mais il y a bien troys moys,
Voysine, qu'il n'y voulut penser.

LE RAMONNEUR.

320 C'est tousjours à recommencer !
Qui fourniroit au residu(81),
Il vauldroit mieulx estre pendu
Ou estre mis en gallée(82).

LA VOYSINE.

Vostre peau sera gallée,
325 Ou vous ferez vostre debvoir[83].

LA FEMME.

Voysine, vous povez sçavoir
Qu'il ne fera jamais grans fais.

LE VARLET.

Il pert cy ung beau jeu d'ec[h]es ;
Bien faict seroit qu'on l'en blamast.

LA FEMME.

Comment ?

LE VARLET.

330 Il est sec et mast[84],
Puis qu'aultrement ne s'employe.

LE RAMONNEUR.

Ma gaulle ploye[85]
Si tost que l'ouvraige regarde.
Pour Dieu, messieurs, prenez garde,
335 Qui vous meslez de ramonner,
Qu'à ramonner point on ne tarde
Les cheminées qui ont mestier(86).
Et pour la cause abréger
Et aussi qu'il ne vous ennuye,
340 Il est temps de nous en aller.
Adieu toute la compaignie !

5

Cy fine la farce du ramonneur de cheminées.

-

I - *Etablissement du texte*

Titre - BM. : Farce nou= ‖ uelle dung ramon= ‖ neur de cheminees / fort ioyeuse. Nou= ‖ uellement imprimee / A quatre person= ‖ naiges. Cestassauoir. ‖ Le ramonneur. ‖ Le varlet. La femme. ‖ Et la voysine. ‖ [deux vignettes, sans rapport avec le sujet ; puis au-dessous :] Le ramõneur.

- Coh. (la disposition du titre est de G.Cohen) : Farce nouuelle | du ramonneur de cheminees fort ioyeuse | nouuellemẽt imprimee | A quatre persõnages | Le ramonneur | Le varlet | La femme | et la voysine. | [vignette].

vers 1 - Coh. : *vo* (et dans les v.3 à 7 : *noz* et *voz*).

v.3 - BM. : *iourneez* (mais v.5 et Coh. : *iournees*).

v.6 - Coh. : *Retenez-nous, retenés* (ailleurs, les finales sont généralement en *-és*).

v.7-8 sautés dans ATF.

v.11 - Coh. : *que je (te) dye*.

v.12 - Scandez comme s'il y avait : *encor* (cor.ATF.; et voir v.142) ; Coh. : *Encore ne sçay tant crier*.

v.16 - Coh. : *ayez grace*.

v.18 - Coh. : *un* (et au v.13 : *ung* ; BM. a toujours : *ung*).

v.19 - Coh. : *je fesoye rage* (rimant avec *plumaige*); v. 20 : *vis*. On peut penser que cette diversité des graphies vient de G. Cohen ou de son copiste.

v.21-26 omis dans Coh. (le texte d'ATF. est en note).Par des points de suspension entre les vers, Cohen laisse entendre que le texte du BM. est lui-même incomplet, ce qui est faux : rien ne manque au triolet.

v.22 - BM. : *rage* (cor. d'après v.19 et 25).

v.28-29 - Coh. : *moyne... gueres ydoines*.Scandez:*guer - (es)*, de la même façon que dans les farces précédentes *jusques à* était à scander : *jusqu'à*.

v.36 - Coh. : *royaume*.

v.43 - BM.-Coh. : *Je ne sçay*. Sur l'exemple du v. 113, où manifestement *ne* est à supprimer, je pense qu'il faut lire : *Je sçay que c'est*, avec un arrêt après l'exclamation. - Coh. : *se passe* (je suppose là une correction tacite d'après v.52).

v.47 - *Brief* est monosyllabique (de même *le Pâté et la Tarte*, t.I, v.246). - Coh. : *en briefve espace (espace* gardait encore à cette époque le genre féminin ; mais on rencontrait déjà le masculin).

v.56 - Coh. : *viel*.

v.62 - BM.-Coh. : *Riens* (ATF. corrige : *rien* pour rimer avec *bien* ; mais la forme *riens* se rencontre encore souvent dans nos farces ; et on trouvera plus loin, v.89-90,un mot à désinence du pluriel rimant avec un mot à désinence du singulier). - Variantes orthographiques de Coh. dans ce passage : *escus* (61), *diriés* (62), *vuider* (63), *soulloye... renom* (72).

v.73 - Coh. : *mentz* (cor. : *metz*). Le vers n'a que six pieds.

v.74 - BM.-Coh. : *Tant que mestier*.

v.76 - Coh. : *grant paine ;* v.78 : *Voire... allayne*.

v.81 - BM.-Coh. : *examiné*. Pour rimer avec *journée*, on pourrait au besoin corriger : *examinée*, par accord avec *vaine*.

v.86 - Coh. : *ce* (cor. *se*) ; v.87 : *ouvrage* ; v.88:*perdrons... langage* ; v.90 : *sces*.

v.94 - Coh. : *po[i]nt ;* v.95 : *vieux... sçavés ;* v.96 : *aboy... viel* (mais v.103 : *vieil* !).

v.102-103 - BM. : *vieillart - viellart* (soudé) ; Coh. : *viellart - vieil lart*.

v.105 - Coh. : *Ses tu pour quoy ?*

v.108 - BM.-Coh. : *ie* (je) (cor. Lecoy) ; voir v. 115-118, les verbes sans pronom personnel sujet exprimé.

v.113 - BM.-Coh. : *Je ne scay* (cor. Lecoy). La faute doit venir de ce que *je ne sçay* (comme le *ses-tu quoy ?* du v.105) avait perdu, en incise, sa valeur propre.

v.117 - Coh. : *auray... jeulx.*

v.120 - BM.-Coh. : *frauldé. Honneur,* féminin en ancien français,tend à devenir masculin en moyen français. Comme au v.81, on notera cette rime masculine insolite ; mais le vers occupant toute la ligne, le *-e* final a pu sauter,comme on en a vu ailleurs plusieurs exemples.

v.121 - Coh. : *Qu'estes-vous...*

v.130-131 - BM. : *toutesfoys* et *serrée* ; Coh. : *toutef-fois* (comme au v.277 : *mainteffois*) et *ferrée.* La confusion vient sans doute de ce que *s* et *f* ne se distinguaient guère dans les caractères et l'écriture gothiques que par la barre médiane du *f* ; BM. a évidemment raison pour *toutesfoys,* mais *ferrée,* en parlant d'une flèche, est le mot qui convient.

v.137 - Vers de six syllabes.

v.138 - BM. : *poisonnier* (voir vers suivant) ; Coh. : *poissonnier.*

v.139 - Coh. : *Ha!... yer. Si* : "s'il" (voir *Glossaire).* - On peut ou supprimer *du,* comme l'a fait ATF., ou prononcer *hé! dea* d'une seule émission de voix.

v.141 - Coh. : *Penser... disné* ; v.143 : *est-il tel;* v. 150 : *maistre en ars* (cor. *ès-ars).*

v.149 - BM. : *Pis quantem* ; Coh. : *Pis que antem* (cor. *ante). Ante* est l'adverbe latin, bien connu : "auparavant".- Je pense que la réplique de la femme est interrogative.

v.151 - Coh. : *apris.*

v.157-158 - Coh. : *Par Dieu* et *de beau fait.*C'est aussi le texte d'ATF.; Cohen, qui avait sous les yeux le texte d'-ATF., aura été influencé, par mégarde, par ce texte.

v.168 - Coh. : *Je vous ay declairay.*

v.170 - ATF. et Coh. proposent de supprimer *plus* ; mais on peut scander : es-prou-v(e)riez (comme on a vu au v.88 : per-drions, dissyllabique).

v.173 - Coh. : *ta gorge.*

v.178 - BM. : *Qung* (graphie abréviative qu'on rencontre çà et là). Dans Coh., manque *noyé.*

v.179 - BM. : *mangé* (cette forme en *man-* est très rare) ; Coh. : *mengé.*

v.188 - BM. : *tombé* ; Coh. : *tombée.*

v.189 - Coh. : *moins* ; voir *Glossaire* : "mains", forme particulièrement employée dans le domaine picard.

v.198 - Coh. : *qu'ilz* (comme au vers précédent).

v.203 - Coh. : *Ma gorgerette; gogette* est sans doute, par affaiblissement du *-r-*, la prononciation de *gorgette* (voir ci-dessous, farce N° XI, *le Bateleur*, note du v.40).

v.219 - Coh. *: Une fois, hou! l'a tout deroute (deroute* est le participe passé féminin de "derompre" : "briser, déchirer, fendre"), texte jugé par G. Cohen "préférable" à celui du BM. ; je ne suis pas de son avis.

v.221 - Coh. : *Et je fis tes fièvres quartaines / Se...* (avec un point après *dire.* - Peut-être faut-il scander: *S(e) aujourd'huy* (comme au v.39) et faire commencer par ce vers ce passage en rythmes variés où dominent les vers de sept syllabes.

v.228 - BM. : *payement* ; Coh. : *paye ment.*

v.230-231 - BM. : *Au moins son ne len retire / Et vous enuoyez celle tire* ; Coh. : *Au moins s'on l'en retire / Et vous ensuivés celle tire.* En donnant à *retirer* le sens de "détourner", en gardant *envoyez* (du verbe *envoier* : "se mettre en voie") et en corrigeant *celle tire* par *belle tire,* expression qui signifiait "promptement, vite", je pense qu'on peut traduire : "A moins qu'on ne l'en empêche (de mentir ; ou mieux : de procéder à ce "payement") et que vous vous en alliez au plus vite".

v.236 - Coh. : *Il me fait enrager de fait* (rappelons que dans BM. la désinence est *-aige* et dans Coh. *-age*).

v.237 - BM. : *villainement* ; Coh. : *vaillamment* (c'est d'ailleurs ce mot que Montaiglon dans ATF. supposait con - venir ici ; je l'adopte, mais avec une restriction ; car une fois encore il se pourrait que G. Cohen ait par mégarde re-pris ce mot sur ATF. ; voir note des v.157-158 et 261).

v.240-243 - Les points de suspension,comme à l'ordinai-re, ne sont pas dans l'éd. du BM.

v.242 - Coh. : *lascher* (cor. *lasché*).

v.243 - Coh. : *courre... enragé* (voir note 60).

v.248 - Coh. : *estron (estront* est la forme ancienne) ; sur cette injure, voir t.I, *le Cuvier*, note du vers 187.

v.250 - BM.-Coh. : *bauer* (cor. ATF. et G. Cohen).

v.258 - Après ce vers, il manque dans BM. et Coh. un vers qui rimerait avec *plain* et qui justifierait la question du valet.

v.261 - Coh. et ATF. : *te tient*.

v.262 - BM. : *totilleur* (mot inconnu) ; Coh.:*ratisseur*. Compte tenu des rimes riches ou équivoquées de ce passage, je pense que la leçon de Coh. est à adopter ; le mot *ratis-seur*, d'après Godefroy et Huguet, peut s'entendre de deux façons : 1) celui qui racle (Rabelais, II, 30: "ratisseur de papier") ; 2) (terme de jeu) celui qui dépouille quelqu'un de son argent.

v.264-265 - Coh. : *blancs / blanc*.

v.272-273 - Coh.: Je n'en devois pas ung oignon ;
Depuis que sommes compaignon,

- La note de G. Cohen a une coquille ; le texte du BM.et d'-ATF. n'a pas : *Je m'en* mais *Je n'en*.

v.278 - BM.-Coh. : *qu'il n'en peult plus*. ATF. propose avec raison *mais* (pour rimer avec *pays* : "paix" ; Coh.trans-crit : *pais*).

v.281 - BM.-Coh. : *commune* (cor. ATF. et G.Cohen);et,v. 282, BM.-Coh.: *fortune* (cor. ATF. et G.Cohen).

v.287 - Coh. : *Plus ne puis par voye aucune* ; v. 288 : *esbatz*.

v.291 - BM. : *daulce* (coquille).

v.298 - BM.-Coh. : *est il* (cor. ATF. et G.Cohen).

v.303 - Coh. : *Cõme ung Chartreux ou ung Recl*[*us*]. Bien qu'au vers 192 *comme* devant consonne ait exigé la scansion *comm(e)*, rien n'empêche ici de scander : *comme - ung (voysine*, aux v.312 et 326, donne un autre exemple de cette scansion souple).

v.308 - Coh. : *si long espace* (et en note le texte fautif d'ATF. : *par tant d'espace*).

v.327 - BM. : *grand fais* ; Coh. : *grans fais* (pour le sens, voir v. 170).

v.328-329, sautés dans ATF. (mais non dans BM., comme l'affirme G.Cohen) ; et la réplique *Comment ?* du v.330 y est donnée à la voisine. - v.328, BM.: *de ces* ; Cohen transcrit dans son édition : *d'ec*[*h*]*ez*. Le vers 330 montre en effet qu'il y a référence ici au jeu d'échecs. Ce jeu, importé d'Orient, était depuis longtemps connu en France ; et nos chansons de gestes y font plusieurs fois allusion (par exemple, la *Chanson de Roland*, v.112).

v.331 - Coh. : *Puisque*. Notons qu'au v.333, Coh. a exceptionnellement une désinence en -aige : *ouvraige*.

v.334 - Coh. : *messeigneurs, pnez...* (sur *pre-* abrégé en *p-*, voir ce qui est dit de *p-* pour *par-* dans la farce du *Bateleur*, N° XI, note du v.135) ; v.335 : *mellez*.

Cy fine...; Coh. : *Explicit* (voir t.I, la fin du *Pâté et la Tarte*, et note).

II - Commentaire et notes

- Mouvement N° 1 (vers 1-121) : Dans la rue ; dialogue du ramoneur et de son aide (le "varlet").

(1) "Encore ne sais-je crier assez fort pour pouvoir gagner un seul denier ; ce dont je m'étonne beaucoup. - Je m'en étonne bien davantage."

(2) "Bien d'une autre façon". Je n'ai pas trouvé ailleurs l'expression ; je suppose ici une allusion équivoque, quelque chose comme : "vous étiez un fier oiseau (ou un bon coq)".

(3) Lecoy (*Romania*, LXXI) a fait remarquer que *pousser* avait ici le sens de "être poussif", être essoufflé.

(4) La phrase est à l'imparfait du subjonctif avec le sens de l'irréel du présent. Et le valet, me semble-t-il, veut dire : "Si vos possibilités *(puissance)* vous revenaient aujourd'hui aussi bien qu' *(comme)* elles sont parties, vous auriez..."

(5) On peut comprendre : "qu'on vous achève (si je mens)", le trépassement étant la mort et *trépasser* pouvant signifier : "transpercer". Mais Jannet, dans son *Glossaire*, cite ce passage en renvoyant à l'"expression triviale": passer devant le nez ; *que* serait alors un relatif ayant pour antécédent *cheminée* ; et le sens serait : "qui maintenant vous échappe".

(6) Je comprends : "Je le sais bien : tout ce que la nature a réglé arrive".

(7) *Faulcé* ne veut pas dire "fauché"; c'est ici le participe passé de *faulcer (faulser)*, qui au figuré signifie : "endommager, percer" ; on *faussoit* une ligne de soldats : on la rompait (Huguet).

(8) Passage peu clair. "Et tout mon bien s'en va, tout l'or que j'ai amassé en prenant à l'un et à l'autre...". Gaultier et Massé sont des noms qui renvoient à des personnes indéterminées (voir t.I, *Calbain*, note du v.26) ; Massé est employé moins fréquemment que Gaultier (mais voir ATF., t.II, p.26, *la Résurrection de Jenin Landore* : "C'est bien dit, Massé", nom qui ne désigne personne en particulier; et Coh., *les Queues troussées*, où Macé est un lanternier ; dans cette même farce, au vers 13, Macé interpelle Michault en lui disant : "Que te fault-il, Gaultier?"). - *De leur bonne grace* était une de ces expressions "à la mode" (Huguet) où entrait le mot "grâce" ; le ramoneur veut dire : "sans qu'ils aient protesté".

(9) "C'est comme si j'étais..."

(10) Après le passage lyrique précédent, on a, pour varier le dialogue, quatre groupe de quatre vers qui comprennent chacun une interrogation du valet suivie d'une réponse

monosyllabique du ramoneur. Tout ce dialogue revient à dire que le ramoneur n'est plus bon qu'à manger et à dormir ; l'auteur encadre les deux réponses affirmatives (manger, dormir) de deux réponses négatives, correspondant à un refus d'agir (les dix écus représentant une somme importante) ou à une impuissance.

(11) "Et si l'on vous donnait de grandes matinées à dormir, quel serait votre état ?"

(12) "Miner" a ici le sens de "ne plus exister".

(13) "Mais maintenant, comme je connais fort bien le métier, je remets à quinzaine", c'est-à-dire : je ne le fais que tous les quinze jours. Appliquée au "métier amoureux", cette affirmation sera contredite par la femme du ramoneur (v.315-319). Sur ce sujet, la vantardise des hommes et les plaintes exagérées des femmes sont de tout temps (voir t.I, *le Cuvier*, note du v.145).

(14) "Ramoner à la journée, toute la journée" (cf.Rabelais, *Pantagruel*, ch.XXXII : "on loue les gens à journée pour dormir").

(15) *Alaine* : "haleine" (avoir le souffle court) ; mais il peut y avoir aussi une plaisanterie (voir v.80) par rapprochement avec *alaisne* : "alène, poinçon de cordonnier,stylet" (à membre court).

(16) Il doit vouloir dire qu'on ne donne pas une cheminée à ramoner à quelqu'un qui n'en a pas la force (nerf et sang).

(17) "Ce que nous dirions ne servirait à rien".

(18) "Depuis que la Cour..." (voir ci-dessus, p.83,note 1).

(19) "Il n'y a que les vieux chiens pour aboyer" (voir v.85 : *cryée)*. Le passage qui suit, n'est pas clair, parce qu'il manque un vers après le v.97. Le sens est : les vieux ne savent que parler, tandis que les jeunes, eux,ont de quoi agir. Ce qui amène le ramoneur à soutenir (v.99-100)que dans le métier (d'amour) les apprentis (jeunes)sont les meilleurs maîtres (le valet et sa qualification professionnelle sont ici hors de cause).

(20) Avoir *le bont* (bond) est une de ces nombreuses locutions empruntées au jeu de paume (il nous reste : prendre la balle au bond, faire faux bond). *Bailler le bond* signifiait "chasser la balle" et au figuré : "abandonner quelqu'un" ; *avoir le bond* veut donc dire au figuré: "être chassé, abandonné". Autre locution empruntée au jeu de paume et utilisée dans le langage amoureux : une femme qui abandonnait son amoureux, prenait sa "volée" (voir Villon,*Testament*, v.617-618).

(21) Je fais le métier avec une vieille couenne (de lard) ; autrement dit : mon corps n'est plus que peau,je n'ai plus que la peau ... et les os.

(22) Les Carmes étaient des religieux qui revêtaient par-dessus leur robe brun marron un manteau, avec capuce, de laine blanche. Le ramoneur parle ici de ses cheveux(et peut-être de sa peau privée de sang).

(23) On rendait les armes en les offrant à son vainqueur. Le ramoneur s'avoue vaincu.

(24) *Ma mignonne* : sa "femme" (voir v.202).

(25) "Mais (rapporte-lui) que...". Comme l'a remarqué Lecoy (*Romania*, LXXI), la correction proposée par Cohen :*j'aye* pour *j'ay* "fait contresens".

(26) On relèvera l'astuce : il n'a pas en poche les quarante sous.

(27) Jehan du Houx est le nom plaisant (voir *housseur* : celui qui utilise un "ramon" de houx ou "houssoir")que l'auteur donne au ramoneur (on le retrouvera aux v.127 et 143). Mais sachons que Lehoux est un nom patronymique français,comme Dubois ; il a même existé à la fin du XVIe siècle un poète normand du nom de Jean Le Houx (voir la thèse d'Armand Gasté, *Jean Le Houx*, 1874).

- *Mouvement N° 2 (vers 121-289) : Chez le ramoneur ; a)v. 121-147 : le ramoneur et son aide arrivent à la maison.*-Pour qu'il y ait équivoque aux v.128 et 284 *(par dessoubz* et *en bas)*, il conviendrait de supposer pour la maison une portion de tréteau surélevée, à laquelle on accéderait par quelques marches ; la femme se tiendrait ainsi à la porte de sa maison au niveau supérieur (pour dominer son mari, au propre et au figuré).

(28) "Frottée de lard" en guise d'onguent.

(29) "Je n'y avais pas pris garde" (jeu de mots possible : "je ne m'étais pas mise en garde contre le dard").

(30) Jeu de mots sur *bas* : 1) *bas* désigne les parties sexuelles de la femme ; Frère Guillebert, dans la farce de ce nom (ATF., t.I, p.306), dit :

Entendez-vous bien, mes fillettes,
S'on s'encroue+ sur voz mamelettes +s'accroche
Et qu'on vous chatouille le bas,
N'en sonnez mot: ce sont esbatz.

2) *bast, bas* est le "bât", la selle que l'on met sur le dos des bêtes pour leur faire porter des fardeaux; voir la farce d'*Un mari jaloux* (ATF., t.I, p.143) : "Je cuide que le bas vous blesse" et *le Pont aux ânes* (t.II, p.46): "Le bon vieil asgne craint les bas". - Pour le rapprochement entre "poisson, marée" et le sexe féminin, je renvoie au début de la farce des *Femmes qui font accroire à leurs maris de vessies que ce sont lanternes* (Coh., N° XV).

(31) "Ne le méprisez pourtant pas".

(32) On notera que dans ce passage c'est surtout le valet qui joue sur les doubles sens. Le ramoneur, lui, s'en tient à sa vantardise : il a bien travaillé.

- *Mouvement N° 2 b) v.147-152 : le ramoneur, qui n'est guère intervenu jusqu'ici, s'en va à l'écart,* pensant que, fidèle à sa promesse, le valet dira que son maître a bien travaillé.

(33) Etait *maistre ès ars* celui qui avait obtenu le premier grade universitaire, l'autorisant à enseigner les arts (humanités et philosophie). Mais Etienne Pasquier, dans ses *Recherches*, VIII, 19, note que lorsque l'on voulait se moquer d'un homme, on l'appelait "un maistre ès arts" (cité par Huguet, *Dict.*). Bien entendu, c'est ce sens ironique qui convient ici.

(34) Les *pars* désignaient les rudiments qu'apprenaient les écoliers (ce que, toute proportion gardée, on enseigne aujourd'hui dans les écoles dites primaires). -*Declinaisons*, jeu de mots sur un terme de grammaire : 1) les déclinaisons latines ; 2) le déclin (*estre à ses declinaisons* était "être vieux, près de la mort").

- *Mouvement N° 2 c) v.153-233 : le ramoneur revient.* Devant lui, le valet change de ton ; mais pas pour longtemps.

(35) Peu clair. Faut-il comprendre : "Pourquoi me repoussez-vous ainsi ?"

(36) "Houser", qui ne doit pas être confondu avec"housser", signifie au sens propre "mettre des heuses,des bottes". Comme l'a expliqué Philipot dans *Romania*, t.LVI (1930), employé ironiquement, il signifie qu'on repousse "des prétentions par un pied de nez". On pourrait donc traduire ici : "Allez donc voir!"

(37) "Ce qu'il me raconte".

(38) *Membre* (viril). - Passage défectueux. En adoptant le texte de Coh., on pourrait rétablir :*Mais il n'a membre*.. - Au vers suivant, les deux textes (BM.-Coh.)sont identiques. Pour compléter, on peut supposer : *Que dictes-vous ? - Je ne dis maille* (c'est-à-dire : rien).

(39) On a vu dans *Calbain* (t.I, v.85-86) que les hommes mettaient une robe par-dessus leur pourpoint ; et dans *Jenin fils de rien* (t.I, v.149 et note), que "se mettre en pourpoint" signifiait "ôter sa robe pour ne garder que le pourpoint" ; c'était la tenue des premiers "ébats" amoureux ; mais on ôtait le pourpoint pour "faire cela" (voir le *Dialogue de Beaucoup Voir et Joyeux Soudain*, dans *Trep.*, t.II, p. 17).

(40) Jeu de mots sur *soufflé*, qui peut signifier: "dit" ou "exagéré" (sens qui prépare le *enflé* du vers suivant).

(41) On pense à la farce des *Femmes qui font refondre leurs maris* (BM., N° VI). - Jeu de mots sur *sain* : 1) ce qui est bon, bien portant ; 2) graisse (voir : saindoux).Le jeu de mots se prolonge au vers suivant par l'homophonie: *sainct Poursain*.

(42) Encore un jeu de mots. Saint *Poursain* évoque un porc, un pourceau ; mais aussi le vin renommé de Saint-Pourçain (ville d'Auvergne qui doit son nom à saint Pourçain [VIe siècle]). Le jeu de mots se retrouve dans le *Sermon joyeux de Bien Boire* (BM., N° XXIII) :

Tenez! quel nés de sainct Poursain,
Enluminé de vin de Beaune !

(43) *Bouge* désignait un petit sac de cuir,et aussi tout ce qui avait une forme bombée. Les étymologistes prêtent des origines diverses à ce mot aux sens multiples.Ici il renvoie aux "joues" du ramoneur (voir v.187), et non, comme l'a cru Jannet (*Glossaire* d'ATF.), à ses "poches" ; "emplir ses bouges" signifiait "bien boire et bien manger" ; et Huguet cite ces vers de Gringore :

J'empliray aujourduy mes bouges,
Puis qu'ay bon vin et bonne viande.

(44) Peu clair. Ou bien : "C'est lorsqu'on est bien rouge de vin que l'on joue à l'amour" (le jeu d'amour se disait : "le beau jeu") ; sens qui justifierait le reproche que va adresser la femme à son mari, de n'avoir du rouge, c'est-à-dire de la vigueur, que sur la joue. Ou bien: "C'est ainsi qu'on joue à saint Poursain" (voir le jeu du saint Côme, dont il a été question dans la farce du *Chaudronnier*, t.I, v.124).

(45) BM. : *le B de beatus vir*. "Heureux l'homme...", ce sont les premiers mots du Psaume 111, chanté en latin aux vêpres du dimanche. Le ramoneur fait allusion aux enluminures qui ornaient la première lettre d'une prière dans les psautiers.

(46) L'écarlate (Coh. : *escarlatte)* renvoyait à une couleur éclatante ; le mot se disait du vert,du blanc et plus spécialement, comme aujourd'hui, du rouge.

(47) *Des* : "par suite des..."

(48) Dans la farce des *Femmes qui font accroire à leurs maris de vessies que ce sont lanternes* (Coh., N° XV, v. 275-276), les femmes demandent à une vieille de les conseiller sur ce qu'elles doivent faire pour tenir leurs maris "tousjours en serre". Ici, après tous les termes de tendresse,qui

ne peuvent être ironiques, le mari ne fait certainement pas allusion à la "serre" où le tient sa femme. Veut-il dire seulement que, lorsque rien ne l'en empêche, quand il peut agir librement, il "ramone" aussi bien qu'un autre ?

(49) "(Il ramone aussi bien) un verre, que ramona jamais gosier d'ivrogne". Le *pion* se disait d'un franc buveur; dans le *Recueil de poésies françaises des XVe et XVIe siècles* (éd. Montaiglon), on trouve, t.I, pp.116-124, le *Dialogue d'un tavernier et d'un pion*, et t.III, pp.77-83, le *Grand Testament de Taste-vin, roi des Pions*.

(50) *Que je suis ayse* (BM.-Coh.) : grammaticalement, cet hémistiche et la suite font difficulté. Faute de mieux, je traduis : "Ecoutez ce scorpion comme il me fait souffrir (me pique) ; car je suis solide, et je sais bien...".

(51) La partie est perdue, car on plaide d'abord à Reims avant d'en appeler au pape à Rome.

(52) *Debilité de reins* : "impuissance sexuelle".

(53) Asyndète : "mais...".

(54) *Une foys* : "en une fois" ; *tout de route*, expression courante : "de suite, à la file".

(55) "Je le fis quand même" (malgré la peine que tu dis que j'ai eue).

(56) Il s'adresse toujours au ramoneur ; mais celui-ci se retire à l'écart et est censé ne plus l'entendre.

- *Mouvement N° 2 d) v.234-244 : dialogue du valet et de la femme, tandis que le ramoneur s'est quelque peu éloigné.*

(57) Le valet s'adresse à la femme. "Pour ce qui le concerne, c'en est fait de lui" (il est "fichu"). Cet *Il en est faict* qui ouvre le dialogue entre la femme et le valet, sera repris par le valet au vers 247, au moment du retour du ramoneur.

(58) Le valet éprouve le besoin de justifier le manquement à sa promesse (voir v.109-120).

(59) Expression usuelle à cette époque: "C'est un point arrêté".

(60) Jannet, dans le *Glossaire* d'ATF., met un point d'interrogation sur le sens de ce mot. *Enreng(i)er* signifiait "mettre en rang, arranger" ; je suppose qu'il faut donner ici au participe le sens de "en bon état de". *Enraigé,* si l'on corrigeait d'après le texte de Coh., signifierait: "ayant un désir furieux de".

- *Mouvement N° 2 e) v.244-247 : le ramoneur revient, après avoir "réfléchi" à l'écart. J'ai faict ce que je vous dis* renvoie aux v.213-216.

(61) *De profundis* : premiers mots du Psaume 129, que l'on chantait aux cérémonies funèbres ("Des profondeurs, j'ai crié vers toi, Seigneur"). Nous dirions : "Faites-en votre deuil".

- *Mouvement N° 2 f) v.248-274 : altercation entre le maître et le valet.* Pendant ce temps, la femme, tout en restant présente, vaque à ses occupations.

(62) *Baver,* comme au v.157, signifie : "parler à tort et à travers, bavarder" ; une *baverie* était un bavardage et le *bavoir* le lieu où l'on bavardait (voir dans *Pathelin,* v. 490 : "Or laissez celle baverie" et v.1283-1286) ; nous disons encore : "tailler une bavette" pour "bavarder".

(63) Il est possible, note G.Cohen, que ce vers montre que l'acteur était "enfariné" (voir ci-dessus, t.I, p.19).

(64) "Au four où l'on brûle la paille".

(65) Dans les anciennes corporations, le maître était dit *juré* quand il avait prêté le serment requis pour la maîtrise.

(66) Le "compagnon" travaillait chez un "maître".

(67) "Gagner ses dépens", c'était "gagner de quoi payer ce qu'on dépensait" ou "compenser, par les services rendus, la dépense occasionnée à celui qui vous employait" *(Dict.général).*

- *Mouvement N° 2 g) v.275-280 : la femme revient prendre part à la conversation*. Mais conformément à la mesure du temps scénique de nos farces (voir ci-dessus, t.I, p.175), elle reprend où elle en était restée au v.247 ; et le *il* du v. 276 désigne son mari.

(68) Le *ramon* (balai des ramoneurs) tenait du verbe "ramoner" son sens érotique de "membre viril" ; sur *lever*, voir ci-dessus *le Badin qui se loue*, note des v.314-315.

(69) Réflexion désabusée du ramoneur (*il* et *le* sont indéterminés), et qui va amener tout naturellement les plaintes de la femme.

(70) "C'est une maxime générale" (renvoie au v.278).

- *Mouvement N° 2 h) v.281-289 : la femme se plaint, en aparté, de son triste sort*. Le ramoneur et le valet restent à l'écart (la voisine ne verra pas le ramoneur, quand elle viendra consoler la femme, v.298).

(71) "Que Fortune, pour son malheur, ne cesse de se rendre importune". - ATF. met un point après *importune* et une virgule après *en bas*. J'adopte la ponctuation de G.Cohen.

(72) On notera, pour l'équivoque, que *bas* rime avec *esbatz* (de même aux vers 136-137).

(73) *On* renvoie à *Fortune* ; "on le contrarie", c'est-à-dire que le mari se trouve impuissant à satisfaire sa femme.

- *Mouvement N° 3 (vers 290-299) : la voisine "entre" et interroge la femme sur l'objet de ses plaintes*.

(74) "Ce que je dois faire".

(75) "Qu'il me cause" ou "qui me tourmente" (manifestement, *remort* n'est là que pour amener *mort*).

(76) Je n'ai trouvé nulle part une semblable expression. La suite indique qu'on peut comprendre : Mon mari n'a plus l'impétuosité du bouc ; il est au paradis des chèvres, là où le bouc ne les importune plus.

- Mouvement N° 4 (vers 300-331) : le ramoneur intervient et se voit, devant tous, acculé à reconnaître son"impuissance".

(77) "Pardon! je suis bien vivant...".

(78) On appelait *reclus* ceux qui par pénitence vivaient isolés dans des cellules, comme les moines chartreux.

(79) Elle s'adresse à la femme.

(80) Voir t.I, *le Cuvier*, v.145 et note. Dans les *Nouvelles Récréations et Joyeux Devis* (1558),de Bonaventure des Périers, nouvelle N° 86, il est dit que, pour une nuit, "une fois n'est rien, deux font grand bien, troys c'est assez,quatre c'est trop, cinq est la mort d'un gentilhomme,sinon qu'il fust affamé ; au-dessus, c'est à faire à charretiers"(éd. P.Jannet, 1856, t.II, p.287).

(81) "C'est toujours la même chose! Au reste *(au résidu)*, si un mari s'acquittait sans lésiner de ce que sa femme attend de lui, il vaudrait mieux qu'il fût pendu...".

(82) On envoyait les indésirables ramer sur les galères (*gallées*) du roi. On en trouve un témoignage dans *l'Aveugle et le Boiteux*, moralité qui date de 1496 (dans Fournier, Bb 16, p.160 col.1).

(83) Le fameux "devoir conjugal"!

(84) Plaisanterie sur "échec et mat" ; *sec* : comme s'il n'avait plus de chair, comme s'il n'avait plus rien à dire, ou, mieux encore, parce que la source de sa virilité est tarie.

- Mouvement N° 5 (vers 332-341) : adresse au public.

(85) Dans *Raoulet Ployart*, farce de Gringore, où il avait été question de bêcher, de "labourer la vigne" de sa femme, Raoulet, aussi impuissant que notre ramoneur,dit: "ma besche ploye" (*Oeuvres* de Gringore, éd. elzévirienne, 1858, t.I, p.275).

(86) "Qui ont besoin (d'être ramonées)".

-

X

LE MEUNIER DE QUI LE DIABLE EMPORTE L'AME EN ENFER

-

d'ANDRÉ DE LA VIGNE

(1496)

-

LE MEUNIER DE QUI LE DIABLE EMPORTE L'AME EN ENFER

I - TEXTES

a) ancien :

- *Manuscrit La Vallière* de la Bibliothèque Nationale (mss. fr. N° 24 332), contenant les textes d'André de La Vigne, écrits pour le spectacle donné à Seurre, en Bourgogne, au mois d'octobre 1496. Manuscrit autographe (280 x 205 mm) sur tranches dorées et relié en maroquin olive : 264 feuillets. Il comprend : le *Mystère de saint Martin*(ff.1-233), la *Moralité de l'Aveugle et du Boiteux* (ff.234-240) et la *Farce du Meunier* (ff.241-254; 28 pages) ; les derniers feuillets contiennent les noms de ceux qui ont joué dans le Mystère (ff.255-259) et le procès-verbal de la représentation, daté du 12 octobre 1496 et signé par A. de La Vigne(ff.260-264).- Le texte de la farce, reproduit ici, est, comme pour l'ensemble du manuscrit, écrit en lettres gothiques et à l'encre noire, sur des pages de 28-29 lignes tirées à l'encre rouge, avec une marge à gauche et à droite, et un bas de page spacieux ; quelques trous de vers. - Les jeux de scène,non soulignés dans le manuscrit, sont écrits pour la plupart d'une écriture moins appuyée ; et l'encre a, de ce fait, pâli davantage. En les comparant sur une même page (ainsi au f. 245 v°), on pourrait penser que certains jeux de scène ont été écrits après coup. Mis à part le premier jeu de scène (v.1), ils se trouvent tous dans la marge de droite. Les abréviations y sont fréquentes.

Un manuscrit en lettres gothiques est plus difficile à lire qu'un texte imprimé en caractères gothiques. De là de nombreuses erreurs de lecture dans les éditions modernes de la farce du *Meunier*. J'ai relu minutieusement le manuscrit à la loupe, ce qui m'a permis de corriger maintes fautes de mes prédécesseurs. A leur différence, et une désinence exceptée (v.132), j'ai respecté le texte original et j'en ai reproduit toutes les graphies ; ces graphies se rétrouvent d'ailleurs dans le *Mystère* et dans la *Moralité*: elles caractérisent l'orthographe de l'auteur(1). Mais en comparant ce texte avec les autres farces de notre Recueil, on se rendra compte que, hors quelques manies de l'auteur, il n'y a guère de différences essentielles entre le texte manuscrit de 1496 et les textes des farces imprimées vers 1550 ; ce qui tend à prouver que les imprimeurs du XVIe siècle ont respecté l'original ou la copie qu'ils avaient sous les yeux.

Graphies d'A. de La Vigne à noter, bien qu'on ait pu en rencontrer de semblables çà et là dans d'autres farces :

a) prédominance de *-a-* dans certains mots et dans certaines désinences : *boutaille* (401, rimant avec *bataille*), *commancer* (390, 395), *commant* (56, 101, 153, 174, 254, 297, 382, 392), *contant* (205), *estandre* (384), *payne* (179, 486), *prandre* (158, 379, 441 où le verbe est hors rime), *santement* (79), *souvant* (413) ; en revanche : *confience* (396,rimant avec *pascience*) ... ;

b) désinence *-aige* et non *-age* (172, 175..., 220..., 317..., 341...) ; on notera qu'au v.339 *charge* rime avec *tripotaige* ;

c) présence irrationnelle d'un *-c- : actens* (450), *barbecte* (99), *doinct* (103, 218), *goucte* (166, 168), *mectre* (6, 11, 139, 195, 241, 270, 332, 388, 445, 477), *scilence* (188); on trouve de même *pascience* (183, 394) ; et l'auteur transcrit les finales en *-tion* soit normalement : *solution* (73) soit avec un *-c- : resolucion* (365) ; mais il écrit toujours *nuyt* (35, 132) et non *nuyct ;*

d) nombreux *-i-* intérieurs transcrits par *-y- : amytié* (143), *assouvye* (486, rimant avec *envie), certayne* (309),*dernyère* (88), *faryne* (426, rimant avec *domine), lyesse* (103),

---

(1) Mais, comme pour les textes imprimés des autres farces, j'ai résolu les signes abréviatifs et les abréviations ; ils sont ici nombreux. On trouve entre autres : *q* pour "que",*chun* (334) pour "chacun", *cun* (314) pour "quelqu'un", *srmt* (296) pour "serment", *mainten.* (49, 107, 337) pour "maintenant",*Jhu* (56) pour "Jhesu", *Brih* (360 ; ailleurs *Berith*).

lymosin (221), *manyère* (90), *myen* (310), *myne* (190,423),*planyère* (482, rimant avec *arrière), poitryne* (195, rimant avec *cousine), proye* (449), *soubdaynement* (376), etc.;

e) consonnes géminées : *apprès* (409), *cella* (54, 163, 452), *deffens* (487), *enffer* (titre, 318, 335), *haynne* (486), *hellas* (136, 444), *Luciffer* (342, 447, 476), *reffaire* (348), *transsi* (237), *vella* (374), *voller* (39, 444), etc.

Diversité des graphies et des formes morphologiques : *autre* (42) et *aultre* (339) ; *ceste* (64, 88, etc.) et *celle* (229, 350, etc.) ; je *crie* mercy (386) et je *cry* mercy(476); *cu* (181, 359, 464) et *cul* (442, 445 ind. scén.);*doinct*(subj. de donner ; 103, 218) et *doint* (183, 429) ; il *fait*(151,311) et il *faict* (144, 356) ; je *foys* (verbe "faire"; 37) et je *fois* (155, 167) ; *grant* (épithète au féminin ; 7, 186, etc.) et *grande* (attribut au féminin; 253) ; suis *je* (non soudé ; 1) et seraige (101) ; *legyerement* (200) et *legierement* (247; 355) ; *maladie* (2) et *malladie* (268) ; *munyer* (titre, etc., 462) et *munier* (22, etc.; 460) - j'ai respecté cette alternance dans le nom du personnage en tête des répliques -; *poinct* (26, 49, etc.) et *point* (236, rimant avec *poinct)*; de même *pourpoint* (52) rime avec *contrepoinct* ; je vous *prie* (229) et je vous *emprie* (290) ; si s'estoit (289), *se* semble (457) et *ce* n'est (490) ; *si*, conj. (204) et *se*, conj. (210, etc.); *ung* (5, etc.; 361 : plutôt devant consonne) et *un* (179, 361 : plutôt devant voyelle ; mais v.416 : *un* carlin); je *vois* (verbe "aller"; 82, 86) et je *voys* (362, 375, etc.).

Remarques sur certaines formes verbales : a) 1ère pers. sing. présent de l'indicatif : je *doybs* (28) et je *sçay* (32, etc.) ; b) 1ère pers. sing. du futur : je *feray*(83) et j'en *despescheré* (213) ; c) 1ère pers.sing. de l'imparfait et du conditionnel en *-oye* (105, 107, 290, 292, etc.) ; d) 2e per. sing. de l'indicatif et du subjonctif présent : tu *radoubte* (165, à la rime), tu *confonde* (350, à la rime), tu *ayme*(484, hors rime et devant consonne).

On notera enfin l'élision du pronom personnel après l'impératif : *donnez m'à boire* (18), *laissez m'en paix* (98, 234).

b) modernes :

- *Poésies des XVe et XVIe siècles*, publiées d'après les éditions gothiques et des manuscrits. Paris, Silvestre, 1830-1832 ; fascicule N° 13, publié en 1831 par Francisque Michel : 37 pages (pp.139-158 du Recueil factice).- Texte imprimé en caractères gothiques. Pour une première lecture du manuscrit, les erreurs sont minimes (NB.: dans le fascicule suivant, consacré à la *Moralité de l'Aveugle et du Boiteux*, Fr. Michel a rectifié son erreur sur l'auteur, qu'il avait d'abord appelé : N. De La Vigne).

- Jacob [Paul Lacroix], *Recueil de farces*... (Bb 15), 1859, pp.233-265 (rééd. Garnier frères, 1873, pp.231-264).- La transcription des graphies mise à part, on compte une trentaine d'erreurs de lecture (j'ai relevé dans les notes les plus importantes, car elles se retrouvent dans le recueil de Fournier); plusieurs indications scéniques ont été ajoutées.

- Fournier (Bb 16), 1872, pp.162-171 (sur 2 col.): suit le texte de Jacob.

- Mabille, *Choix de farces*... (Bb 17), 1872, t.II, pp. 271-315 : modernise quelque peu les graphies; a relu le manuscrit : lecture plus sûre que celle de Jacob, sauf à partir du v.203 (du v.203 à la fin, on relève une vingtaine d'erreurs de lecture ou de transcription).

- *Pathelin ; la farce du Munyer*. Paris, le Fleuve étincelant, 1947, 120 p. in-16 (*La farce du munyer de qui le diable emporte l'âme en enfer*, pp.85-113). BN. 16° Yth 456. - Suit le texte de Jacob.

NB. - Sur André de La Vigne et le spectacle qu'il donna à Seurre en 1496, on consultera avec profit : Kerdaniel (Edouard L. de), *Un auteur dramatique du XVe siècle : André de La Vigne*. Paris, Ed. Champion, 1923 ; 125 p.

II - ORIGINALITE DE CETTE FARCE

Le sujet, tel qu'il est énoncé dans le titre, n'a d'original que l'application particulière aux meuniers de ce qui avait été dit des "vilains", c'est-à-dire des campagnards rustres, dans le fabliau de Ruteboeuf(XIIIe siècle), *le Pet au Vilain*(2). Mais si l'on peut admettre que la farce du *Meunier* "reproduit à la lettre tous les incidents de ce fabliau", comme l'a écrit P.Toldo(3), rien ne serait plus faux que de croire qu'elle se contente de développer scéniquement le fabliau. Ruteboeuf racontait en 76 vers l'histoire suivante(4) :

Comme l'enseignent les saintes Ecritures,les "vilains" n'ont pas de place en paradis auprès de "Jhesu Christ" ; et jusque-là, ils allaient tous en enfer.

Les choses ont changé à la suite d'une mésaventure survenue à un diable.

---

(2) A. de La Vigne a pu vouloir jouer sur les mots "vilain" (employé d'ailleurs trois fois dans la farce pour qualifier le meunier : v.46, 191, 234) et "meunier".En effet un poisson (notre "chevesne") s'appelait "meunier", parce qu'on le trouvait particulièrement près des moulins; et on le disait aussi "vilain", parce que, très vorace, il mangeait n'importe quoi (voir God., t.VIII, p.243).

(3) *Etudes sur le théâtre comique*... (Bb 38), p.257.

(4) Ruteboeuf, *Oeuvres complètes* ; éd. A.Jubinal. Paris,bibliothèque elzévirienne, 1874-1875, t.II, pp.86-92. - Dans les *Fabliaux ou Contes du XIIe et du XIIIe siècle* , publiés à la fin du XVIIIe siècle (Paris, E.Onfroy, t.II, 1781, pp. 295-298), Le Grand accompagne le résumé du fabliau d'une curieuse note : il s'étonne que ces "scandaleuses facéties" aient pu être "la récréation des grands seigneurs aux fêtes de l'année les plus solennelles" et que leurs auteurs aient pu vivre "tranquillement" et mourir "dans leur lit",dans le même temps où le monarque exterminait par le feu "certains hérétiques qui ne différaient qu'en quelques points de la croyance générale".

Un jour que l'enfer s'apprêtait à recevoir l'âme d'un méchant "vilain", on dépêcha sur terre un diable pour recueillir l'âme dans un sac. Le diable arrive sur place, prépare son sac, persuadé que l'âme d'un vilain ne peut sortir que de son "cul". Or ce vilain n'était malade que d'avoir trop mangé ; et le sac ne reçoit que ce qui est évacué du ventre du vilain. Le diable, abusé, noue le sac et s'empresse de rapporter en enfer ce qu'il croit être une âme. Les diables maudissent cette âme nauséabonde ; et le lendemain, après avoir tenu conseil, ils jurent de ne plus recevoir les âmes des vilains, car elles puent.

Le ciel et l'enfer leur étant refusés, où iront donc désormais, demande Ruteboeuf, les âmes des vilains ?

André de La Vigne n'a utilisé les données du fabliau que pour le titre et le dernier tiers de sa farce(v.318-362, 374-381, 430-490). Pour le reste, il reprend un grand nombre de thèmes farcesques.

Certains de ces thèmes nous sont devenus familiers. 1) La rivalité dans le ménage de la femme et du mari: "Commant! serai-ge poinct maistresse?" (101), rivalité qui se termine par des coups (mais comme le mari est malade et incapable d'agir, c'est lui qui les reçoit) ; 2) le mari berné par l'amoureux ; et une fois encore, c'est le curé qui est l'amant ; 3) le manger et le boire ; et c'est encore un "pasté" arrosé de bon vin qu'on sert à l'amoureux ; 4) les thèmes scatologiques, déjà inclus dans le fabliau, mais développés ici à plaisir. Ajoutons quelques thèmes que nous n'avons pas encore rencontrés dans les farces de ce Recueil,en précisant qu'il s'agit moins de thèmes que de procédés comiques et qu'on les retrouve dans d'autres farces(5). 5) Le cousinage invoqué pour justifier la présence de l'amoureux;généralement, le mari n'est pas dupe, mais il ne trouve aucun argument sérieux pour chasser l'intrus ; ainsi dans *Pernet qui va au vin* (BM., N° XII) et dans le *Poulier* à quatre personnages

(5) La plupart de ces farces sont postérieures au *Meunier* ; ce qui ne veut pas dire que le procédé soit ici nouveau:tant de farces ne nous sont pas parvenues !

(Ler., N° XLIII); 6) le déguisement : dans *le Meunier*, le curé s'habille en villageois pour se faire admettre comme cousin germain et revêt ses habits ecclésiastiques dès qu'il s'agit de confesser le moribond (v.201-202, 373) ; dans les farces du *Savetier Audin* (BM., N° XXXII), de *Martin de Cambrai* (Coh., N° XLI) et du *Retrait* (Ler., N° LIII), le curé va jusqu'à se déguiser en diable(6) ; 7) la confession, procédé également très répandu dans les farces : dans *le Nouveau Pathelin* (Recueil Jacob, N° II), Pathelin use de la confession pour voler un prêtre ; dans *le Brigand et le curé* (Coh.N°X), c'est le curé qui se sert de la confession pour éviter d'être détroussé ; l'auteur de la *Confession Margot* (BM.,N°XXI) profite de ce que la confession est par définition secrète pour permettre à Margot les aveux les plus osés et les plus circonstanciés ; dans la farce de *Celui qui se confesse à sa voisine* (Coh., N° II), la voisine, "habillée en habit de prêtre", confesse le mari et apprend ainsi qu'il a "dépucelé" sa fille ; dans *le Pourpoint rétréci* (Coh., N° XLIV), Gaultier, déguisé en prêtre, confesse Thierry Bachoue et apprend que celui-ci est depuis cinq ans l'amant de sa femme et le père de ses fils(7). La nouveauté dans le *Meunier* est que l'auteur ne recourt au procédé de la confession que pour faire la satire de la profession des meuniers.

André de La Vigne fait oeuvre originale sur des éléments rebattus ; il combine très habilement différents thèmes et divers procédés farcesques à partir d'une idée qui ne les incluait pas.

Mais bien d'autres aspects peuvent retenir notre attention, et faire de la farce du *Meunier* une oeuvre exceptionnelle. Voici une farce datée avec une précision rare, dont le texte nous est fourni par l'auteur lui-même, auteur sur lequel les érudits ont réussi à glaner quelques renseignements

---

(6) Citons encore pour les déguisements: *le Chaudronnier, le Savetier et le Tavernier* (BM., N° XXXII), *les Trois amoureux de la Croix* (Coh., N° VIII), *le Savetier, le Moine et la femme* (Coh., N° XXXIII) où un moine revêt les habits du savetier et le savetier ceux de sa femme ; etc.

(7) Ajoutons *les Quatre femmes* (Coh., N° XLVI), *le Badin, la femme et la chambrière* (BM., N° XVI), où la femme confesse son mari.

précis[8] ; une oeuvre dont la versification rejette la succession des rimes deux par deux ; une oeuvre, enfin,qui mêle intimement la Terre et l'Enfer. C'est même la seule farce connue, où les diables de l'enfer ont un rôle à jouer;c'est-à-dire que contrairement à la plupart des farces qui n'ont pour but que de faire rire après un long spectacle édifiant, contrairement à la farce du *Brigand* qui sert de pause à l'intérieur du *Mystère de la Vie de saint Fiacre* (Four., Bb 16, N° IV), celle-ci s'intègre au spectacle en utilisant certaines données du *Mystère ;* car, comme on le verra plus loin, ce sont la plupart des diables qui jouaient dans la *Vie de saint Martin,* qui se retrouvent comme diables dans la farce du *Meunier*. Ces liens étroits avec le Mystère amènent un curieux dosage de dévotion et de licence. Etrange équilibre de nos ancêtres, capables, à l'occasion d'un spectacle qui se prétend édifiant, de rire d'un curé amoureux qui ridiculise le sacrement de confession, d'un meunier qui se soulage devant le public et dont l'âme n'est que "bran", et trouvant tout normal de se rendre ensuite à l'église en procession solennelle pour implorer Dieu et son vénéré saint !

III - LA REPRÉSENTATION À SEURRE EN 1496

Le procès-verbal de la représentation du *Mystère de saint Martin*(9) relate dans quelles circonstances a été représentée en octobre 1496 la farce du *Meunier* à Seurre,petite ville de Bourgogne, à cette époque très florissante(10).

---

(8) Le basochien André (ou Andrieu) de La Vigne était né à La Rochelle vers 1457. Il fut le secrétaire du duc de Savoie, puis d'Anne de Bretagne. Il suivit l'armée de Charles VIII en Italie. En 1496, il semble établi à Seurre ; et c'est là qu'il compose le *Mystère de saint Martin*. Il mourut à une date inconnue, entre 1514 et 1527. Entre autres oeuvres,signalons de lui les *Complaintes et Epitaphes du roi de la Basoche* et un *Vergier d'honneur,* recueil de prose et de vers qui se rapporte en partie à l'expédition d'Italie.

(9) Manuscrit autographe (voir ci-dessus, p.129). Ce procès-verbal a été publié par Fournier, Bb 16, pp.172-174; par Petit de Julleville, *Les Mystères,* Paris, 1880, t.II, pp. 68-71 ; par Kerdaniel, *André de La Vigne,* pp.27-33 (c'est le texte de Kerdaniel que je cite ici ; de même, le *Mystère de*

Le 9 mai 1496, s'étaient rassemblés à Seurre des notables de la ville et André de La Vigne, pour préparer " par personnaiges" la représentation de la vie de saint Martin, patron de Seurre. Cinq semaines plus tard, le *Mystère* était écrit. Mais Seurre, ville frontière entre la Bourgogne depuis peu française et la Franche-Comté autrichienne,se trouvait exposée aux rivalités entre la France et l'Autriche; et "le bruyt de guerre et l'abondance de gendarmes qui survindrent audit Seurre" firent repousser la date de la représentation. On établit néanmoins la liste des personnages et le nom des "gens suffisans de les jouer". Lorsqu'il fut décidé qu'on pourrait jouer le dimanche après la foire, de nouveaux bruits de guerre se répandirent ; puis "se commancèrent vendanges de tous costez, pour quoy force fut d'actendre qu'elles fussent faictes, aultrement il y eust heu peu de gens". Enfin les "maistres gouverneurs et joueurs" s'assemblèrent "et conclurent entièrement qu'ilz feroient leurs monstres le mardi IIIIe jour du moys d'octobre,et joueroient le dymanche ensuivant, jour de saint Denys. Laquelle conclusion ainsi prise, lesdits joueurs firent leur debvoir de quérir acoustremens et habillemens honnestes. Mondit sieur le maire eust la charge de faire achever les eschaffaulx qu'il avait fait encommancer à drecer dès devant ladite foire...".

Rien ne venant cette fois contrarier leurs projets, la "monstre" à travers la ville eut effectivement lieu le mardi 4 octobre, chacun des "joueurs" du Mystère étant "acoustré selon son parsonnaige" et monté à cheval : une cavalcade d'environ cent quatre-vingt chevaux ! Puis le samedi, comme il faisait "beau temps", chacun "mist payne d'acoustrer" les "eschaffaulx" : loges, tréteaux, etc.

Mais "le lendemain qui fut dymanche matin,quant on cuyda aller jouer, la pluye vint si habondamment qu'il ne fut plus possible de rien faire ; et dura sans cesser depuis

---

...*saint Martin* restant inédit, je le cite d'après les nombreux extraits publiés par Kerdaniel, pp.38-92).

(10) C'est aujourd'hui un chef-lieu de canton de l'arrondissement de Beaune, au sud de Dijon.

trois heures du matin jusques à trois heures le disgner[11], sans faillir, qui fut chose fort griefve aux joueurs et aux autres. Et de fait, ceux qui estoient venus des villes circunvoisines se deliberèrent d'eulx en aller,quant ilz virent ledit temps ainsi changé. Cecy venu à la cognoissance de mondit sieur le maire et autres, fut conclud quant on vit venir le beau temps, qu'on yroit jouer une farce sur le parc (12) pour les contenter et aprester. Pour quoy la trompecte fit le cry que tous joueurs se rendissent incontinant habillez de leurs habitz, en la maison Monsieur le Marquis (13) , et tous les aultres allassent sur les eschaffaulx (14).Ledit cry fait d'une part et d'aultre, chacun fit son debvoir.Lors on mist les joueurs en ordre, et yssirent de chelz mondit sieur le Marquis les ungs après les aultres, si honnourablement que quant ilz furent sur le parc, tout le monde en fut fort esbahy ; ilz firent leur tour comme il appartient,et se retira chacun en sa loge, et ne demeura sur ledit parc que les personnages de la farce du Munyer, ci-devant escripte. Laquelle fut si bien jouée que chacun s'en contentit entièrement et ne fut fait aultre chose pour celui jour".

Après la représentation de la farce, tous les joueurs, en rang et accompagnés "à sons de trompetes, clerons, menestriers, haulx et bas instrumens", s'en allèrent à l'église Saint-Martin prier Notre-Dame qu'elle leur accorde du beau temps pour qu'ils puissent enfin jouer leur Mystère.

---

(11) "Après dîner" (repas du milieu du jour).

(12) Petit de Julleville a fait remarquer à juste raison que, contrairement à ce qu'avait pensé Fournier, il ne s'agissait pas du "parc" du château, mais de la "scène, qui était fermée par une barrière" (le mot s'employant souvent en effet pour un lieu clos). La suite d'ailleurs le confirme.

(13) Le marquis de Hochberg, seigneur de Seurre.

(14) *Tous les aultres* désigne le public qui se rend *sur* le lieu de la représentation, tandis que les joueurs s'habillent chez le Marquis.

De fait, le lendemain lundi, il fit beau ; et pendant trois jours, toute affaire cessante, on joua le *Mystère de saint Martin*. Un incident survenu le lundi matin au début de la représentation avait pourtant failli tout gâcher : tandis que Lucifer, qui parlait le premier dans le *Mystère*, monologuait sur l'échafaud, celui qui jouait le personnage de Satan "volut sortir de son secret par dessoubz terre" et aussitôt "le feu se prist à son habit autour des fesses, tellement qu'il fut bruslé ; mais il fut si soubdaynement secouru, devestu et rabillé" qu'il put jouer son personnage"sans faire semblant de rien"(15). "De ceste chose furent moult fort espoventez lesdits joueurs ; car ilz pensoyent que puisque au commancement inconvenient les assailloit, que la fin s'en ensuivroit. Toutesfois moyennant l'ayde de mondit seigneur saint Martin, qui prist la conduyte de la matière en ses mains, les choses allèrent trop mieulx cent foys que l'on ne pensoit"(16).

Le *Mystère de saint Martin* comprenait cent cinquante-deux personnages ; les acteurs - tous des hommes, et parmi eux Jacques Bossuet, celui qui sera l'arrière-grand-père de l'évêque de Meaux - furent moins nombreux, plusieurs rôles pouvant être donnés au même interprète. Le procès-verbal ne fournit que le nom des "joueurs" du Mystère.Mais les diables de la farce furent certainement ceux du Mystère, c'est-à-dire :

Lucifer : Amye Oudot, parent du vicaire de l'église St-Martin, Messire Oudot, qui joua le rôle du père de Martin.

---

(15) Ce qui ne l'empêcha pas l'après-midi, quand il revint jouer son personnage, de dire en s'adressant à Lucifer :

Mallemort te puisse avorter,
Paillart, filz de putain cognu.
Pour à malfaire t'enhorter[+] ([+] t'exhorter)
Je me suis tout bruslé le cu.

(16) Le *Mystère* fut joué le lundi de sept-huit heures du matin à onze-douze heures ; puis, "l'après-disnée",de une heure à cinq-six heures, avec en fin de représentation une procession à l'église pour rendre "grâces à Dieu"; mêmes horaires le mardi et le mercredi.

Satan : Symphorien Poincenot.
Proserpine : Messire Ponsot.
Astaroth : Jehan Bonfilz.
et Bérith : Robert Cordin.

A l'origine en effet, d'après une note du *Mystère*, la farce devait être incluse dans le Mystère durant "l'après-disnée de la troisième journée", au moment où l'évêque de Tours, à l'heure de la mort, se recommandait à Dieu. Le Mystère reprenait ensuite : saint Martin dont Satan avait en vain essayé de ravir l'âme, mourait sur un lit de cendre après avoir reçu l'hostie des derniers sacrements. Six anges et six vierges venaient "quérir" son âme et l'emportaient"en paradis". L'âme était figurée par un grand voile blanc qui recouvrait entièrement un acteur : ce voile blanc devait faire contraste avec le sac rouge et nauséabond de Bérith. Puis on ensevelissait "pontifficalement" l'évêque, et, après une dernière péripétie, tous se mettaient en ordre de procession. Le *Mystère* se terminait là.

On joua à la suite la *Moralité de l'aveugle et du boiteux*, ce qui explique que, conçue pour une fin de spectacle, elle n'ait de moralité que le nom et que, par ses personnages et par ses thèmes, elle s'apparente à une farce. Elle se rattachait au *Mystère* dans la mesure où elle relatait un miracle opéré par saint Martin ; et elle se situait au moment même où l'Official et les chanoines allaient emporter le corps de l'évêque de Tours, resté jusque-là sur l'échafaud.Je la résume brièvement : un aveugle et un boiteux mendiants décident de s'entraider : l'aveugle, qui est fort et vigoureux, portera le boiteux sur ses épaules, et celui-ci le guidera ; mais le boiteux est pris d'un besoin urgent de soulager son ventre. Pendant cet arrêt(17), la procession s'est mise en route. Nos deux mendiants craignent d'être guéris, car ce serait les priver de leur gagne-pain et les obliger à travailler: il faut fuir. Trop tard ! la procession passe devant eux et

(17) Et dans la *Moralité*, une note précise à cet endroit:"Sur ce poinct, le boiteux descent, et l'Official va veoir se les moynes dorment ; et quant les chanoynes emportent le corps ilz recommancent à parler".

saint Martin les guérit. L'aveugle rend grâces au saint; le boiteux se désespère, puis se console en pensant qu'il n'aura qu'à contrefaire l'invalide pour continuer de gagner sa vie en mendiant.

IV - LES RAPPORTS CIEL - TERRE - ENFER

a) Les personnages

Le Mystère de saint Martin utilisait les trois lieux dans lesquels se situe généralement l'action d'un Mystère : le Ciel (ou Paradis) à gauche ; la Terre au centre, comprenant un certain nombre de "mansions" ; et l'Enfer à droite, représenté par une horrible gueule d'où sortent feux et flammes(18). Au Ciel : Dieu, les trois archanges Gabriel, Michel et Raphaël, plusieurs saints et, en figuration, les anges ; la Terre voyait évoluer un très grand nombre de personnages ; l'Enfer avait Lucifer, Satan (orthographié le plus souvent Sathan), Proserpine, Burgibus, Astaroth, Agrapart, Bérith et, en figuration, les diables(19).

---

(18) Voir G.Cohen, *Le théâtre en France au Moyen Age*, t.I, pp.69-71 et planches XI, XX, XL et XLI. - A la différence du Ciel, présent dans la plupart des Mystères, l'Enfer y figure très irrégulièrement ; mais son emploi tend à se répandre de plus en plus au XVe siècle.

(19) Quand l'Enfer est représenté dans les Mystères, on voit le plus souvent autour de Lucifer : Sat(h)an (dit dans le *Mystère de saint Clément* "roi des enfers") et Astaroth (dit dans *l'Incarnation et la Nativité* "messager d'enfer"). Parmi les diables qui les entourent, un des plus assidus est Bérich (*Passion* d'Arnoul Gréban, *Résurrection* de Jean Michel, *Assomption de la Vierge*) ou Bérith (Mystères de *sainte Barbe*, de *saint Denis*, de *sainte Marguerite*). Dans la liste des personnages dressée par Petit de Julleville (éd. des *Mystères*, t.II), je n'ai pas trouvé de Proserpine avant le *Mystère de saint Martin* ; mais en 1527, dans le *Mystère de saint Christophe*, elle figure de nouveau aux côtés de Lucifer, Satan et Astaroth.

Dans la farce du *Meunier* le Ciel est exclu. Du moins sa présence figurée ; car n'oublions pas que Dieu est là en la personne du curé : un bien mauvais représentant,il est vrai, mais qui saura quand même invoquer Dieu à l'heure d'une confession grotesque. Aucune incertitude sur son identité : dès le vers 120, la femme s'adresse à lui en l'appelant "curé" ; et ce nom reviendra plusieurs fois au cours de la farce(174, 176, 289, 299). Par ailleurs, comme dans la plupart de nos farces, l'invocation de Dieu est constante (9, 19, 83, 118, 124, 173, 183, 233, 386, 396). On invoque Jésus (56), le "doulx Roy de gloire" (277) ; on jure "par le sainct Sang" (149), on loue "la grace divine" ; et c'est au nom de "la Passion" que le meunier demande "confession / pour mourir catholiquement" (75-77) avant d'aller "en paradis" (91). La Vierge Marie est elle-même invoquée (48), ainsi que quelques saints : saint Jean (180, 434), saint Pierre (69) et saint Remy (311). Mais tout cela n'est rien de moins que banal.

En revanche, la présence de l'Enfer est ici unique[20]. Et c'est devant nous qu'on apporte la "chauldière" où est jeté ce que Bérith croit être l'âme du meunier. On retrouve là Lucifer, le "roy" de l'enfer (447), le seul d'ailleurs qui soit dans le texte, hors du nom des personnages, désigné nommément (342, 476). Il a autour de lui trois des diables du *Mystère* : Sat(h)an, Astaroth et Bérith. Est également là, "fresche, tendrete et drue", l'étrange Proserpine(21), tout

(20) Si l'Enfer n'est présent que dans cette farce, il se rencontre dans plusieurs moralités, avec Lucifer, Satan, Astaroth et maints diables (voir Petit de Julleville,*Répertoire*, N° 13, 14, 22, 37, 38, 40, 54).- Point de comparaison utile pour la farce du *Meunier*: dans la moralité picarde de la *Vie et histoire du mauvais riche* (BM., N° LX),on voit Satan demander au diable Rahouart de l'aider à ravir l'âme d'un "ladre". L'affaire manquée, Lucifer, "prince, maistre de ... tout enfer", commande à Satan d'attraper l'âme du mauvais riche. Satan, accompagné de Rahouart, s'en va alors avec un croc, une hotte et de "bons liens" pour lier l'âme dans sa hotte. L'âme apportée en enfer, on la met "en la chauldière"

Où il n'a clerté ne lumière.

droit sortie de la mythologie antique qui faisait d'elle la femme de Pluton et qui, dans le *Mystère*, passée au service de Lucifer, se transformait pour les besoins de la cause en Vénus amoureuse du saint évêque de Tours. Seuls ici ont un rôle caractérisé Lucifer et le petit Bérith ; les autres se contentent d'être là ; et d'être là avec de nombreux diables figurants: "nous sommes bien mil et cinq cents /devant toi", dit Satan à Lucifer (322-323)(22).

A la différence du Ciel qu'on se contente d'invoquer ou d'évoquer, l'Enfer participe à l'action. Bérith vient sur terre recueillir l'âme du meunier. Mais les vivants sont censés ne pas voir les diables et les diables ne leur parlent pas. Il y a ce qui se passe en enfer, comme il y a ce qui se passe sur terre : la terre et l'au-delà sont séparés par l'incommunicable. Néanmoins la présence de l'enfer,comme celle du ciel, est sentie ; et l'on jure par l'un et par l'autre sans effort (173-174).

Reste notre humaine Terre, enserrée dans ces deux mondes inconnus, que seule la mort peut nous faire atteindre.

Le meunier est là[(23)], près de passer dans l'un de ces mondes, aspirant au paradis mais menacé par l'enfer.Pourquoi un meunier ? sa confession nous l'apprend. L'auteur a voulu inclure dans sa farce une satire de la profession. Etait-il

---

(21) Dans la farce des *Pauvres Diables* (Ler., t.I, N° XV,pp. 6-7), Proserpine, seulement évoquée, est dite par la réformeresse "nourisse du grand Astarot", et par le sergent "la Déesse d'Enfer , d'Astarot la metresse".
(22) Ph. Erlanger rappelait récemment (*Figaro*, 26 février 1974) que la "puissance de l'ange déchu atteignit son apogée""à la fin du XVe siècle", et qu'en 1568 le savant Jean Wier dénombrait 72 princes de l'enfer et 7.405.926 diables!
(23) Dans les autres farces, on ne trouve un meunier que dans le *Poulier* à 6 personnages (Ler., t.II, N° XXVII) où il ...malmène deux gentilshommes venus courtiser sa femme, et dans *le Meunier et le Gentilhomme* (col. Montaran, N° X), qui daterait du milieu du XVIe siècle.

traditionnel de dénoncer les "fourberies" des meuniers et "leurs vols dans la manutention des farines"? Jacob le pense (*Recueil de farces*, p.236), en se référant au *Tracas de Paris* de François Colletet et au proverbe : "On est toujours sûr de trouver un voleur dans la peau d'un meunier". "Cette disposition railleuse et agressive des gens du peuple à l'égard des meuniers, écrit-il, devint pour ceux-ci une sorte de persécution permanente, que le Parlement de Paris dut faire cesser, en défendant, sous peine de prison et d'amende, d'injurier les meuniers dans les rues ou de les poursuivre par des quolibets". Mais à l'époque de notre farce, nous n'avons de témoignages de cette satire que cette confession et une allusion dans deux *Sermons joyeux*(24). La longueur de cette confession dans une farce déjà inhabituellement longue, son inutilité dans l'"action" montrent bien toutefois que l'auteur tenait à ce hors-d'oeuvre pour faire rire.

Il tenait plus à cette confession qu'à nous faire savoir ce que deviendront notre meunier, la meunière et son curé. Il est vrai qu'en fonction du *Mystère* le rapt d'une âme importait plus ici qu'une scène de cocuage. Et on a déjà dit que dans une farce le mot "fin" ne signifiait le plus souvent qu'un arrêt et non une conclusion ou l'aboutissement d'une situation.

---

(24) *Sermon joyeux des quatre vents* (Ler., t.I, N° II, p.8), et *Sermon d'un quartier de mouton (Ibid.*, N° III, p.9) :

> Prions pour ces loyaux muniers,
> Que tous chascuns disent larons,
> Qui puissent aller tous mitrés
> En paradis à reculons.

b) Répartition des personnages. NB.: [-] = présent,mais muet ; - = absent.

- Mouvements -

		1	2 - 3	4	5	6	7	8	9	
TERRE	Le meunier	55½	9½	85	[-]	9½	[-]	49	[-]	208½
	et sa femme	27½	6	74	[-]	[-]	[-]	4	[-]	111½
	Le curé amoureux	—	3½	56	[-]	2	[-]	11	[-]	72½
ENFER	Bérith, lien entre Terre et Enfer	—	—	—	10½	—	8	[-]	14	32½
	Lucifer	—	—	—	22	—	—	—	26½	48½
	Satan	—	—	—	5½	—	—	—	3	8½
	Astaroth	—	—	—	4½	—	—	—	[-]	4½
	Proserpine	—	—	—	2	—	—	—	1½	3½
		83	19	215	44½	11½	8	64	45	490

c) *Mouvements scéniques*

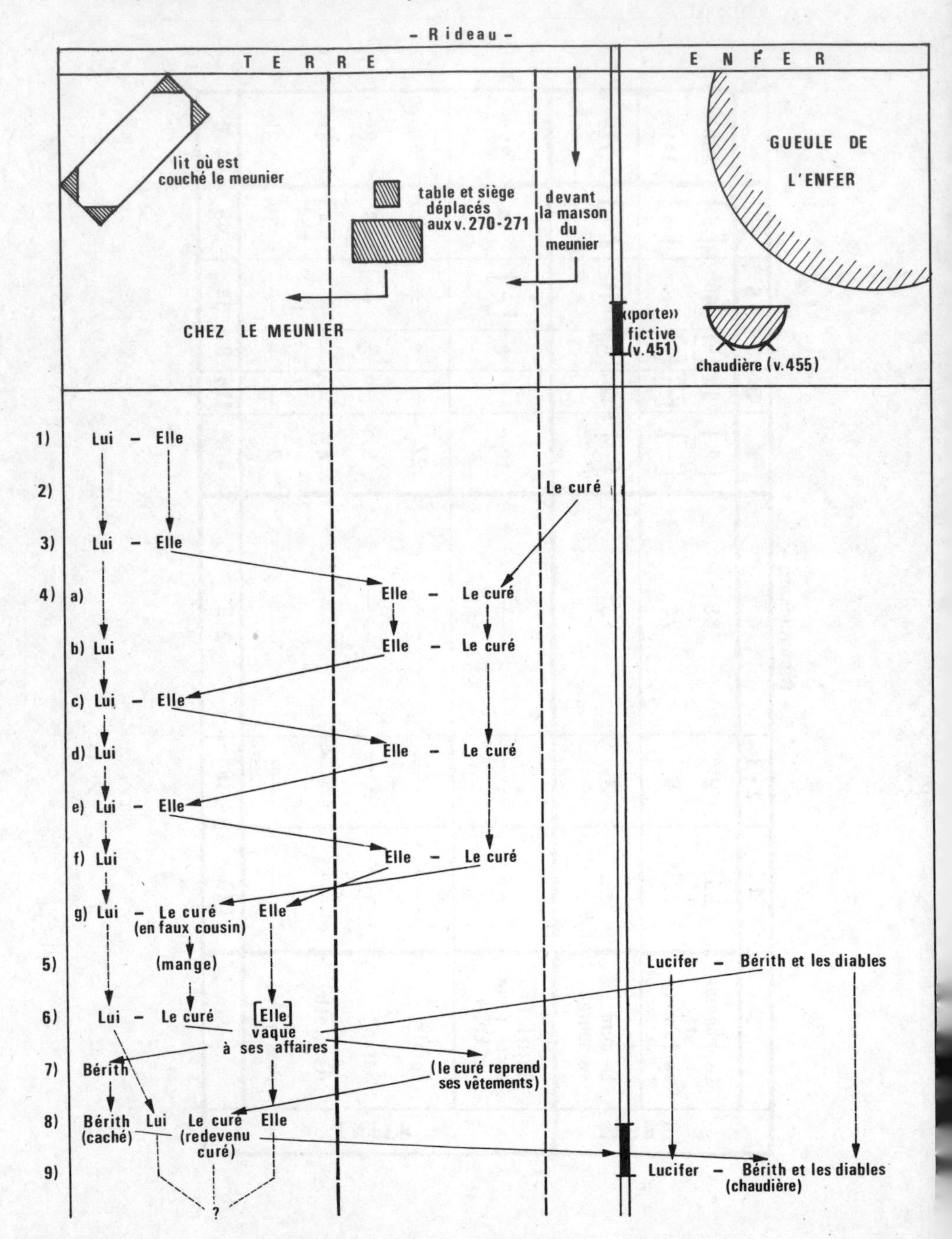

Remarques :

1) Le meunier, continuellement présent, doit se tourner face au rideau de fond pour ne pas voir ce qui se passe en enfer ; mais il voit le curé entrer en curé, la femme et le curé s'embrasser (142, 146), le curé s'habiller en villageois (200-202) puis reprendre ses vêtements de curé (373).

2) Durant le mouvement N° 4 g) (v.218-317), la femme est souvent muette ou se tient à l'écart (aux v.279-280, elle va chercher pâté et vin).

V - VERSIFICATION

a) Nature : octosyllabes. Les exceptions ne sont qu'apparentes et peuvent être résolues par l'adjonction d'un temps entre deux répliques ou après une exclamation.

b) Disposition. Contrairement aux autres farces, la disposition des rimes suit ici l'ordre croisé, avec reprise de la dernière rime dans le groupe suivant : abab⊥bcbc⊥cdcd⊥dede ...(25). Dans plusieurs passages, un ou deux vers viennent rompre cet ordre : v.17-19, 100, 109, 198-199, 204-206, 243-248, 309-311, 316-317, 436-437, 442-443, 460-462 ; la confession du meunier (v.397-427) offre aussi une disposition particulière :
a|abaa|bb|bcbb|cc|cdcc|dd|dedd|ee|efee|ff.

Déjà dans ses *Complaintes et Epitaphes du roi de la Basoche*, André de La Vigne avait usé d'une métrique fort savante et compliquée. Il récidivait dans le *Mystère de saint Martin*, où il se livrait, dans la nature et dans la disposition des rimes, à des "tours de force prosodiques"(26) : il avait pourtant écrit en cinq semaines ce Mystère de 10.457 vers ! Rien d'étonnant qu'il ait tenu à faire montre de la même virtuosité dans la moralité et dans la farce qui s'y incorporaient et qui ont sans doute été écrites en même temps que le Mystère.

---

(25) Cette disposition était fréquemment employée dans les Mystères (voir Petit de Julleville, *Les Mystères*, t.I, p.289).
(26) Kerdaniel, pp.85-92. Dans un passage du début de la première journée, quarante vers se suivent dont les rimes se terminent par la lettre *-c*.

c) Rimes. On notera seulement pour la prononciation l'abondance des diérèses : *delici-euse* (25), *Passi-on* (75), *milli-on* (131), *consci-ence* (185), *jo-ys* (= je jouis, 210) ; en revanche, le groupe *-ièr(e)* est monosyllabique:*mu-nyèr(e)* (85), le-gye-re-ment, etc.

d) Scansion (voir t.I, pp.36-41). Quelques exemples :

Par maladi(e) gri-efv(e) et dure (2)
De vostre corps, quant bien j(e) y pense (21)
Car vi-e trop maulgraci-euse (30)
Mort bieu! je fe...[-] - Vous grongnez (61)
Pour quoy ?[-] - Pour ce que mourir (108)
Mais quoy! vous en pairez l'amende (209)
Pas tant je ne l'en pri-e-roye (290)
De peur.[-] - Dictes hardiment (294)
Ou se j(e) yray tout bellement (371)
Que proy-e nouvelle j'apporte (449).

-

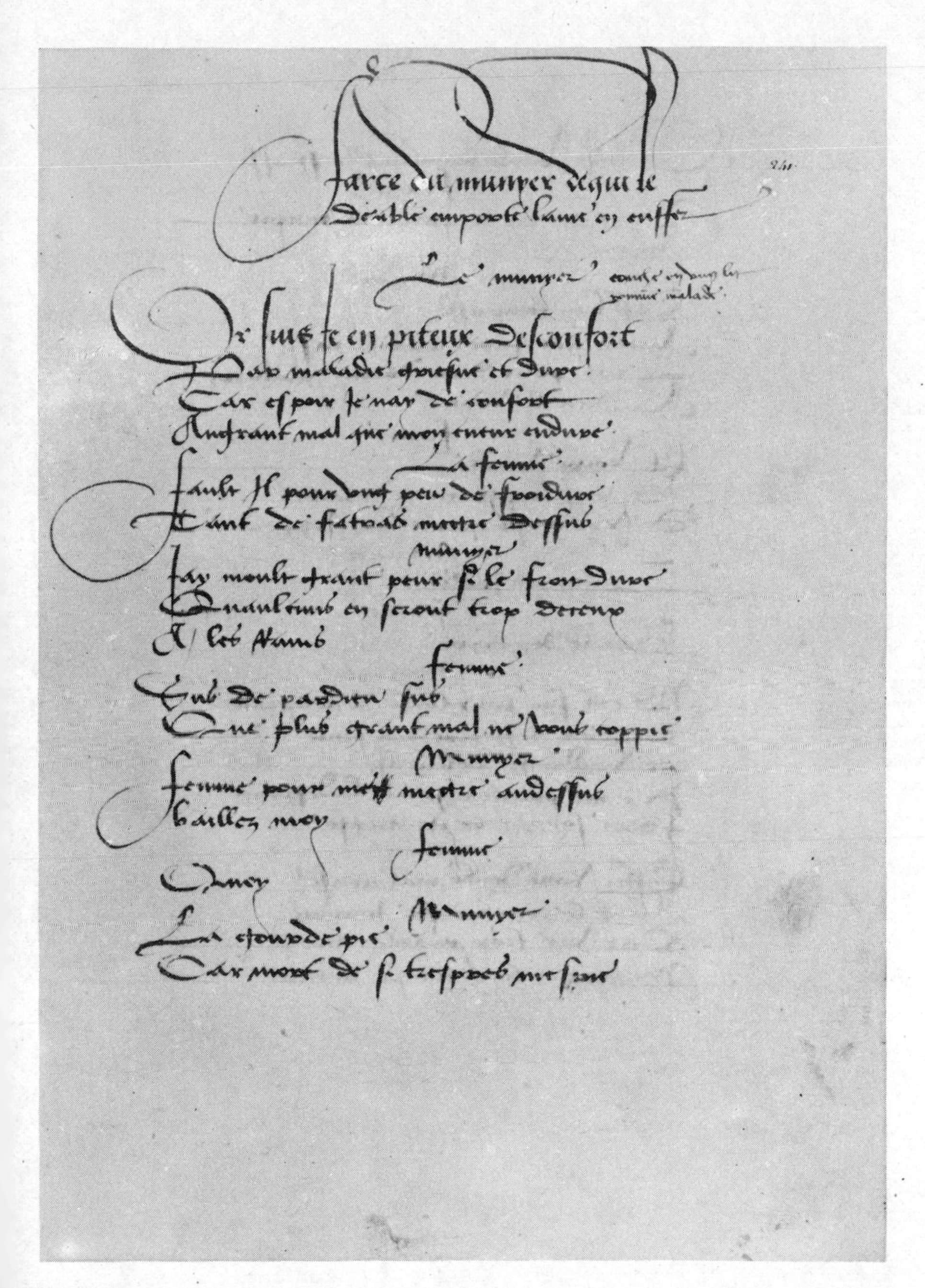

ibliothèque Nationale - Première page du manuscrit du *Meunier*.

f° 241 r°

FARCE DU MUNYER

de qui le deable emporte l'ame en enffer

-

LE MUNYER, *couché en ung lit comme malade*. 1

Or suis-je en piteux desconfort
Par maladie griefve et dure ;
Car espoir je n'ay de confort
Au grant mal que mon cueur endure.

LA FEMME.

5 Fault-il, pour ung peu de froidure,
Tant de fatras mectre dessus !

MUNYER.

J'ay moult grant peur, si le froit dure,
Qu'aulcuns en seront trop deceux.
A! les rains!

FEMME.

Sus, de par Dieu, sus!

10 Que plus grant mal ne vous coppie!

MUNYER.

Femme, pour me mectre au-dessus,
Baillez-moy...

FEMME.

Quoy?

MUNYER.

La gourde pie ;
Car mort de si très près m'espie,
v° Que je vaulx mains que trespassé.

FEMME.

15 Mais qu'ayez tousjours la roupie
Au nez !

MUNYER.

C'est bien compassé !
Avant que j'aye au moins passé
Le pas, pour Dieu! donnez m'à boire.
A! Dieu, le ventre !

FEMME.

Et voire, voire ;

20 J'ay ung très gracieux douaire

De vostre corps, quant bien je y pence !

MUNIER.

Le cueur me fault !

FEMME.

Bien le doy croire.

MUNYER.

Mort suis pour toute recompence,

Se je ne refforme ma pence

25 De vendange delicieuse !

Ne me plaignez poinct la despence,

Femme; soyez-moy gracieuse.

FEMME.

Estre vous doybs malicieuse,

A tout le moins ceste journée ;

30 Car vie trop maulgracieuse

M'avez en tous temps demenée.

f° 242 r°

MUNYER.

Femme ne sçay de mère née,

Qui soit plus aise que vous estes !

FEMME.

Je suis bien la malle assenée,

35 Car nuyt ne jour rien ne me faictes.

MUNYER.

Aux jours ouvriers et jours de festes,

Je foys tout ce que vous voulez,

Et tant de petis tours.

FEMME.

Parfaictes !

MUNYER.

Haaa !

FEMME.

Dictes tout !

MUNYER.

Vous vollez,

Vous venez, et...

FEMME.

Quoy ?

MUNYER.
40 Vous allez
Puis chetz Gaultier, puis chetz Martin ;
L'un gauldissez, l'autre gallez,
Aultant de soir que de matin.
Pencez que, dans mon advertin,
45 Les quinzes joyes n'en ay mye.
FEMME.
L'avez-vous dit, villain mastin ?
v° Vous en aurez !
Elle fait semblant de le batre.
MUNYER.
Dictes, m'amye,
Au nom de la Vierge Marie,
Maintenant ne me batez poinct :
Malade suis.
FEMME.
Tenez, tenez ! *Elle le bat.*
MUNYER.
50 Qui se marye
Pour avoir ung tel contrepoinct ?
Je ne sçay robe ne pourpoint
Qui tantost n'en fust descousu. *Il pleure.*
FEMME.
Cella vous vient trop bien apoinct.
MUNYER.
55 A! c'est le bon temps qu'avez heu,
Et le bien !
FEMME.
Commant ?
MUNYER.
Ho! Jhesu !
Que gaignez-vous à me ferir ?
FEMME.
Il en est taillé et cousu.
MUNYER.
Vous me voulez faire mourir ?
60 Mais se je puis ung coup guerir,
243 r° Mort bieu! je fe...
FEMME.
Vous grongnez ?
Encore faictes ?

MUNYER.
Requerir,
Mains joinctes, vous veulx.
FEMME.
Empoignez
Elle frappe.
Ceste prune !
MUNYER.
Or besongnez,
65 Puis que vous l'avez entrepris !
FEMME.
Par la croix bieu, si vous fongnez !
MUNYER.
A! povre munyer, tu es pris
Et trop à tes despens repris !
Que bon gré sainct Pierre de Romme...
FEMME.
70 Vous m'avez le mestier appris
A mes despens; mais...
MUNYER.
En somme,
De grant despit, vecy ung homme
Mort, pour toute solution.
FEMME.
Je n'en donne pas une pomme.
v°
MUNYER.
75 En l'onneur de la Passion,
Je demande confession
Pour mourir catholiquement.
FEMME.
Mais plus tost la potacion,
Tandis qu'avez bon santement.
MUNYER.
80 Vous vous mocquez, par mon serment !
Quant mes douleurs seront estainctes,
Se par vous vois à dampnement,
A Dieu je feray mes complainctes.
LE CURE.
2
Il y a des sepmaynes mainctes
85 Que je ne vis nostre munyère.
Pour ce, je m'en vois aux actaintes
La trouver.

3

MUNYER.

Coustumyère
A ceste extremyté dernyère
Estes trop.

FEMME.

Qu'esse que tu dis ?

MUNYER.

90 Je conteray vostre manyère,
Mais que je soye en paradis.
Avoir tous les membres roidis,
Estre gisant sur une couche,
Et batre ung homme! Je mauldis
244 r° 95 L'eure que jamais... *Il pleure.*

FEMME.

Bonne bouche,
Fault-il qu'encore je vous touche ?
Qu'esse cy? Faictes-vous la beste ?

MUNYER.

Laissez m'en paix! Trop fine mouche
Estes pour moy.

FEMME.

Ho! qui barbecte ?
100 Qui gronde? qui? qu'esse cy? qu'esse ?
Commant! serai-ge poinct maistresse ?
Que meshuy plus ung mot je n'oye !

4 a)

LE CURÉ

Madame, Dieu vous doinct lyesse,
Et planté d'escus vous envoye !

FEMME.

105 Bien venu soyez-vous! J'avoye
Vouloir de vous aller querir ;
Et maintenant partir debvoye.

CURÉ.

Pour quoy ?

FEMME.

Pour ce que mourir
Veult mon mary, dont j'en ay joye.

CURÉ.

110 Il fauldra bien qu'on se resjoye,
S'ainsi est.

v°

FEMME.

Chose toute seure.

A son cas fault que l'on pourvoye

Sagement, sans longue demeure.

b)

MUNYER.

Hellas! et fault-il que je meure,

115 Hon,hon,hon! ainsi meschamment !

Il pleure.

FEMME.

Jamais il ne vivra une heure.

Regardez !

CURÉ.

A! par mon serment,

Est-il vray? A Dieu vous commant,

Munyer! Baa, il est despesché.

FEMME.

120 Curé, nous vivrons gayement,

S'il peult estre en terre perché.

CURÉ.

Trop long temps vous a empesché.

FEMME.

Je n'y eusse peu contredire.

MUNYER.

Que mauldit de Dieu, sans peché

125 Toutesfois le puissé-je dire,

Soit la pu...!

FEMME.

Qu'esse cy à dire ?

Convient-il qu'à vous je revoise ?

CURÉ.

f° 245 r° Gauldir fauldra !

FEMME.

Chanter !

CURÉ.

Et rire !

FEMME.

Vous me verrez bonne galloise.

CURÉ.

Et moy, gallois.

FEMME.

Sans bruyt.

CURÉ.

130 Sans noyse.

FEMME.

Des tours ferons ung million.

CURÉ.

De nuyt et de jour.

MUNYER.

Quelz bourgeoise !

Tu en es bien, povre munyer !

FEMME.

Hon !

MUNYER.

Robin a trouvé Marion ;

135 Marion tousjours Robin treuve.

Hellas! pourquoy se marye-on ?

FEMME.

Je feray faire robe neufve,

[v°] Si la mort ung petit s'espreuve

A le me mectre d'une part.

CURÉ.

140 Garde n'a que de là se meuve,

Ne que plus en face depart,

M'amye !

Il l'embrasse.

MUNYER.

Le deable y ait part

A l'amytié, tant elle est grande !

A! en faict-on ainsi !

FEMME.

Paix! coquart.

CURÉ.

145 Ung doulx baiser je vous demande.

Il l'embrasse.

MUNYER.

Orde, vielle putain, truande,

En faictes-vous ainsi! Non mye,

Vecy pour moy trop grant esclandre !

Par le sainct Sang!...

Il fait semblant de se lever, et la fe[mme] *vient à luy, et fait semblant de le batre.*

FEMME. c)

Quoy ?

MUNYER.

Rien, m'amye.

FEMME.

Hoon !

MUNYER.

150 C'est le cueur qui me fremye
Dedens le corps et me fait braire,
Il a plus d'une heure et demye.

f° 246 r° CURÉ. d)

Mais commant vous le faictes taire !

FEMME.

S'il dit rien qui me soit contraire,
155 Causer le fois à mon devis.

CURÉ.

Vous avez pouvoir voluntaire
Dessus luy, selon mon advis.

MUNYER.

Congé me fault prandre des vifz
Et m'en aller aux trespassez,
160 De bon cueur et non pas envis,
Puis que mes beaux jours sont passez.

CURÉ.

Avez-vous rien ?

FEMME. e)

Assez, assez !
De cella ne fault faire doubte.

MUNYER.

Qu'esse que tant vous rabassez ?

FEMME.

165 Je cuyde, moy, que tu radoubte.

MUNYER.

Vous semble-il que je n'oy goucte ?
Si fois, dea! Qui est ce gallant ?
Il vous guerira de la goucte,
Bien le sçay.

FEMME.

C'est vostre parent,
v° 170 A qui vostre mal apparent
A esté par moy figuré.

MUNYER.
Ce lignaige est trop differant.
FEMME.
Par Dieu! non est.
MUNIER.
C'est bien juré !
Commant, deable! nostre curé
175 Est-il de nostre parentaige ?
FEMME.
Quel curé ?
MUNIER.
C'est bien procuré !
FEMME.
Par mon ame !
MUNIER.
Vous dictes raige.
FEMME.
Hée !
MUNIER.
Ho !
FEMME.
Tant de langaige,
C'est-il à payne d'un escu !
MUNYER.
180 Sainct Jehan! s'il est de mon lignaige,
C'est du cartier devers le cu !
247 r° Je sçay bien que je suis coquu.
Mais quoy! Dieu me doint pascience !
FEMME.
A! paillart, esse bien vescu
185 De dire ainsi ma conscience ?
Vous verrez vostre grant science,
Car je le vois faire venir.
Elle vient au curé.
CURÉ.
Qu'i a-il? quoy ?
FEMME.
Faictes scilence !
Pour mieulx à noz fins parvenir,
190 Bonne myne vous fault tenir,
Quant serez devant mon villain ;
Et veillez tousjours maintenir
Qu'estes son grant cousin germain.
Entendez-vous ?

f)

CURÉ.
Oy.
FEMME.
La main
195 Luy mectrez dessus la poitryne,
En luy affermant que demain
Le doibt venir voir sa cousine ;
Et advenra quelque voisine
Pour luy donner alegement.
200 Mais il vous fault legyerement
De ceste robe revestir
v° Et ce chappeau.
CURÉ.
Par mon serment,
Pour faire nostre effect sortir,
Si vous ne voyez bien mentir,
205 Je suis contant que l'on me pende,
Sans plus de ce cas m'advertir.
MUNYER.
A! très orde, vielle truande,
Vous me baillez du cambouys !
Mais quoy! vous en pairez l'amende,
210 Se jamais de santé joys.
Qu'esse cy? dea! je m'esbays :
Qui deable la tient? Somme toute,
J'en despescheré le pays,
Par le sang bieu, quoy qu'il me couste !
CURÉ.
Que faictes-vous là?
FEMME.
215 J'escoute
La complainte de mon badin.
CURÉ.
Il fault qu'en bon train on le boute.
Dieu vous doinct bon jour, mon cousin ! g)
MUNYER.
Il suffit bien d'estre voisin
220 Sans estre de si grant lignaige.

FEMME.

f° 248 r° Regardez ce grox lymosin,
Qui a tousjours son hault couraige !
Parlez à vostre parentaige,
S'il vous plaist, en luy faisant feste.

CURÉ.

225 Mon cousin, quelle est vostre raige ?

MUNYER.

Hay! vous me rompez la teste.

FEMME.

Par mon serment, c'est une beste !
Ne pencez poinct à ce qu'il dit,
Je vous en prie.

MUNYER.

Celle requeste
230 Aura devers luy bon credit.

CURÉ.

Vous ai-ge meffait ne mesdit,
Mon cousin? Dont nous vient cecy ?

FEMME.

Sus, sus! que de Dieu soit mauldit
Le villain! Et parlez icy.

MUNYER.

Laissez m'en paix !

FEMME.

235 Est-il ainsi !
Voire, ne parlerez-vous point ?

MUNIER.

J'ay de dueil le corps tout transsi.

v°

CURÉ.

Par ma foy! je n'en doubte poinct.
Où esse que le mal vous poinct ?
240 Parlez à moy, je vous emprie.

MUNYER.

Las!mectez-moy la teste appoinct,
Car la mort de trop près m'espie.

FEMME.

Parlez à Regnault Croque Pie,
Vostre cousin, qui vous vient voir.

MUNIER.

Croque Pie ?

FEMME.

245 Oy, pour voir.
Pour faire vers vous son debvoir,
Il est venu legierement.

MUNYER.

Se n'est-il pas !

FEMME.

Si est, vrayment !

MUNIER.

Ha! mon cousin, par mon serment,
250 Humblement mercy vous demande
De bon cueur.

CURÉ.

Et puis commant,
Mon cousin, dictes-moy, s'amende
Vostre douleur ?

MUNIER.

f° 249 r° Elle est si grande
Que je ne sçay commant je dure.

CURÉ.

255 Pour sçavoir qui se recommande
A vous, mon cousin, je vous jure
Ma foy, dea! poinct ne me parjure,
Que c'est Bietris vostre cousine,
Ma femme Jehenne Turelure,
260 Et Melot sa bonne voisine,
Qui ont pris du chemin saisine,
Pour vous venir reconforter.

MUNIER.

Loué soit la grace divine !
Cousin, je ne me puis porter.

CURÉ.

265 Il vous fault ung peu deporter
Et pencer de faire grant chière.

MUNIER.

Je ne me puis plus comporter,
Tant est ma malladie chière.
Femme, sans faire la renchière,
270 Mectez acoup la table icy,
Et luy apportez une chière ;
Si se serra.

CURÉ.
A! grant mercy,
Mon cousin, je suis bien ainsi ;
Et si ne veulx menger ne boire.

v°

MUNYER.
275 J'ay si très grant douleur par cy !
CURÉ.
A! cousin, il est bien à croire.
Mais s'il plaist au doulx Roy de gloire,
Tantost recouvrerez santé.
FEMME.
Je vois querir du vin.
MUNIER.
Voire, voire !
280 Et apportez quelque pasté.
FEMME.
Oncques de tel ne fut tosté.
Seez-vous.
MUNYER.
Cousin, prenez place.
FEMME.
Vecy pain et vin à planté.
Vous serrez-vous ?
CURÉ.
Sauf vostre grace.
MUNYER.
285 Fault-il que tant de myne on face ?
Par le sang bieu, c'est bien juré,
Vous vous serrez !
CURÉ.
Sans plus d'espace,
Que vous ne soyez parjuré.
MUNYER.
250 r° A! si s'estoit nostre curé,
290 Pas tant je ne l'en prieroye !
CURÉ.
Et pourquoy ?
MUNIER.
Il m'a procuré
Aulcun cas, que je vous diroye
Volunticrs, mais je n'oseroye
De peur.

CURÉ.
Dictes hardiment.
MUNIER.
295 Non feray, car batu seroye.
CURÉ.
Rien n'en diray, par mon serment !
MUNIER.
Or bien donc, vous sçavez commant
Ces prestres sont adventureux !
Et nostre curé mesmement
300 Est fort de ma femme amoureux.
De quoy j'ay le cueur douloureux
Et remply de proplexité ;
Car coquu je suis, maleureux !
Bien le sçay.
CURÉ.
Benedicite !
MUNIER.
305 Le poinct de mon adversité
[v°] Gist illec, sans nul contredit.
Gardez qu'il ne soit recité !
CURÉ.
Jamais.
FEMME.
Qu'esse qu'il dit ?
Je suis certayne qu'il mesdit
310 De moy ou d'aulcun myen amy :
Ne fait pas ?
MUNIER.
Non, par sainct Remy !
CURÉ.
Il me disoit qu'il n'a dormy
Depuis quatre ou cinq jours en çà,
Et qu'il n'a six grox qu'un fremy
Le cueur ne les boyaulx.
FEMME.
315 Or çà,
Beuvez de là, menge[z] de sà,
Mon cousin, sans plus de langaige.

LUCIFFER 5

Haro! deables d'enffer, j'enraige !
Je meurs de dueil, je pers le sens.
320 J'ay laissé puissance et couraige,
Pour la grant douleur que je sens.

SATHAN.

Nous sommes bien mil et cinq cens
Devant toy. Que nous veulx-tu dire,
°251 r° Fiers, fors felons, deables puissans
325 Pour tout le monde à mal produyre ?

LUCIFFER.

Coquin[s], paillars, il vous fault duyre
D'aller tout fouldroyer sur terre,
Et de mal faire vous deduyre.
Que la sanglante mort vous serre !
330 S'il convient que je me desserre
De ceste gouffrineuse lice,
Je vous mectray, sans plus enquerre,
En ung tenebreux maleffice.

ASTAROTH.

Chascun de nous a son office
335 En enffer. Que veulx-tu qu'on face ?

PROSERPINE.

De faire nouvel ediffice,
Tu n'as pas maintenant espace.

ASTAROTH.

Je me contente.

SATHAN.

Et je me passe
De demander une aultre charge.

ASTAROTH.

340 Je joue icy de passe-passe,
Pour mieulx faire mon tripotaige.

BERITH.

Luciffer a peu de langaige.
En enffer je ne sçay que faire ;
v° Car je n'ay office ne gaige
345 Pour ma volunté bien parfaire.

LUCIFFER.

Qu'on te puisse au gibet deffaire,
Filz de putain, ort et immunde !

Doncques, pour ton estat reffaire,
Il te fault aller par le monde,
350 A celle fin que tu confonde
Bauldement ou à l'aventure,
Dedens nostre habisme parfonde,
L'ame d'aulcune creature.

BERITH.

Puis qu'il fault que ce mal procure,
355 Dy-moy doncques legierement
Par où l'ame faict ouverture,
Quant elle sort premierement.

LUCIFFER.

Elle sort par le fondement :
Ne faiz le guet qu'au trou du cu.

BERITH.

360 Ha! j'en auray subtillement
Ung millier pour moins d'un escu.
Je m'y en voys.

Il s'en va.

6

MUNIER.

D'avoir vescu
Si long temps en vexacion,
De la mort est mon corps vaincu !
365 Pour toute resolucion
f° 252 r° Doncques, sans grant dilacion,
Allez-moy le prestre querir,
Qui me donrra confession,
S'il luy plaist, avant que mourir.

CURÉ.

370 Or me dictes : fault-il courir,
Ou se je yray tout bellement ?

MUNIER.

S'il ne me vient tost secourir,
Je suis en ung piteux tourment.

Il se va desvestir et revestir en curé.

7

BERITH.

Vellà mon faict entierement.
375 Munyer, je vous voys soulager.
L'ame en auray soubdaynement,
Avant que d'icy me bouger.
Or me fault-il, pour abreger,

Soubz son lit une place y prandre :
380 Quant l'ame vouldra desloger,
En mon sac je la pourray prandre.
Il se musse soubz le lit du munier, atout son sac. 8

CURÉ.

Commant, dea! je ne puis entendre
Vostre cas, munyer; qu'esse cy ?

MUNIER.

A la mort me convient estandre.
385 Avant que je parte d'icy,
Pourtant je crie à Dieu mercy,
Devant que le dur pas passer.
Sur ce poinct, mectez-vous icy,
v° Et me veillez tost confesser.

CURÉ.

Dictes.

MUNIER.

390 Vous devez commancer,
Me disant mon cas en substance.

CURÉ.

Et commant? Je ne puis pencer
L'effect de vostre conscience.

MUNIER.

A! curé, je pers pascience.

CURÉ.

395 Commancez tousjours, ne vous chaille ;
Et ayez en Dieu confience.

MUNIER.

Or çà doncques, vaille que vaille,
Quoy qu'à la mort fort je travaille,
Mon cas vous sera relaté.
400 Jamais je ne fus en bataille ;
Mais pour boire en une boutaille,
J'ay tousjours le mestier hanté.
Aussi, fust d'iver, fust d'esté,
J'ay bons champions frequenté,
405 Et gourmetz de fine vinée ;
Tant que, rabatu et conté,
Quelque chose qu'il m'ait costé,
J'ay bien ma face enluminée.
Apprès, tout le long de l'annee,

f° 253 r° 410 J'ay ma volunté ordonnée,
Comme sçavez, à mon moulin,
Où, plus que nul de mère née,
J'ay souvant la trousse donnée
A Gaultier, Guillaume ou Colin.
415 Et en sacs de chanvre ou de lin,
De bled valent plus d'un carlin,
Pour la doubte des adventures,
Atout ung petit picotin,
Je pris de soir et de matin
420 Tousjours d'un sac doubles moustures.
De cela fis mes nourritures,
Et rabatis mes grans coustures,
Quoy qu'il soit, faisant bonne myne,
Somme, de toutes creatures.
425 Pour surporter mes forfaictures,
Tout m'estoit bon, bran et faryne.

CURÉ.

Celuy qui ès haulx [cieulx] domine
Et qui les mondains enlumyne,
Vous en doint pardon par sa grace !

MUNIER.

430 Mon ventre trop se determine.
Hellas! je ne sçay que je face ;
Ostez-vous !

CURÉ.

A! sauf vostre grace !

MUNIER.

Ostez-vous, car je me conchye.

v° CURÉ.

Par sainct Jehan! sire, preu vous face !
Fy !

MUNIER.

435 C'est merde reffreschie.
Apportez tost une brechie
Ou une tasse, sans plus braire,
Pour faire ce qu'est necessaire.
Las! à la mort je suis eslit.

FEMME.

440 Pencez, si vous voulez, de traire,
Pour mieulx prandre vostre delit,
Vostre cul au dehors du lit :
Par là s'en peult vostre ame aller.

MUNIER.

Hellas! regardez si voller
445 La verrez poinct par l'er du temps !

Il meet le cul dehors du lit, et le deable tend son sac, cepend[ant] qu'il chie ded[ens] ; puis s'en va cryant et hurlant.

9

BERITH.

J'ay beau gauldir, j'ay beau galler !
Roy Luciffer, à moy entens.
J'en ay fait de si maulxcontens,
Que proye nouvelle j'apporte.

LUCIFFER.

450 Actens, ung bien petit actens !
Je te voys faire ouvrir la porte.
Deables d'enffer, sus, qu'on luy porte
Une chauldière en ce lieu-cy !
Et saichez comme se comporte
455 Le butin qu'il admayne icy.

Ilz luy apportent une chauldière; puis il vuyde son sac, qui est plain de bran moullé.

254 r°

SATHAN.

Qu'esse là ?

PROSERPINE.

Que deable esse cy ?
Se semble merde toute pure !

LUCIFFER.

C'est mon! Je la sens bien d'icy.
Fy, fy! ostez-moy celle ordure !

BERITH.

460 D'un munier remply de froidure,
Voy-en cy l'ame toute entière.

LUCIFFER.

D'un munyer ?

SATHAN.

Fy! quelle matière !

LUCIFFER.

Par où la prins-tu ?

BERITH.

Par derrière,

Voyant le cu au descouvert.

LUCIFFER.

465 Or, qu'il n'y ait coing ne carrière
D'enffer, que tout ne soit ouvert !
Ung tour nous a baillé trop vert !
Brou! je suis tout enpuanty.
Tu as mal ton cas recouvert !

SATHAN.

470 Oncques telz chose ne senty !

v°

LUCIFFER.

Sus! acoup qu'il soit assorty
Et batu très villaynement.

SATHAN.

Je luy feray maulvais party.

Ilz le batent.

BERITH.

A la mort !

LUCIFFER.

Frappez hardiment !

BERITH.

475 A deux genoulx très humblement,
Luciffer, je te cry mercy,
Te promectant certaynement,
Puis que congnoys mon cas ainsi,
Que jamais n'apporteray cy
480 Ame de munyer ne munyère.

LUCIFFER.

Or te souviengne de cecy,
Puis que tu as grace planyère ;
Et garde d'y tourner arrière,
D'aultant que tu ayme ta vie.
485 Aussi, devant ne de costière,
Sur payne de haynne assouvye,
Deffens que nully, par envie,
Desormais l'ame ne procure
De munyer estre icy ravie ;
490 Car ce n'est que bran et ordure.

Notes

Titre - Ms. : Farce du munyer de qui le || deable emporte lame en enffer.||

- Le nom des personnages n'est précédé de l'article que lors de la première réplique de chacun d'eux ; j'ai respecté cette façon de procéder.

vers 1 - Le *comme* de l'indication scénique concerne non le personnage mais le farceur qui joue le rôle : le meunier, lui, est réellement malade. Dans le *Mystère*, c'était l'expression *faire semblant* qui était particulièrement employée pour signaler le jeu de l'acteur : "Il fault que le père face semblant de se desesperer" ; il "prend une espée nue et fait semblant de vouloir tuer" son fils (Kerdaniel, p.48) ; on en trouvera ici même plusieurs exemples (v.47, 149).

v.9 - *Sus*... : "Allons! debout!" ou "Allons! ne vous laissez pas abattre !"

v.11 - *Au-dessus* (de la douleur).

v.12 - "La sainte bouteille" (nous disons encore : faire oeuvre pie). Il y a un jeu de mots, *pie* désignant aussi l'action de boire.

v.15 - Réplique peu claire. On peut comprendre : "Puissiez-vous toujours..." ou "Pourquoi faut-il que vous ayez..." ou "Lorsque vous aurez toujours..." (en sous-entendant : il n'y aura rien à craindre pour votre santé). - Je suppose un jeu de mots sur *roupie au nez* ; au sens propre, la *roupie* est "une goutte d'humeur qui pend au nez", et particulièrement quand il fait froid (v.5 et 7) ; mais, de même que nous disons encore d'un ivrogne qu'il a toujours un trou sous le nez, la femme ferait aussi allusion au fait que son mari a toujours soif.

v.16 - *Compassé* (voir *Glossaire*) : "C'est bien dit !" ou "Voilà trop d'ordre, trop de sagesse!" (Jacob). Fournier qui donne à *compassé* le sens de "compati", traduit : "Voilà qui est avoir bien de la compassion pour moi !"

v.19 - Tout à l'heure il se plaignait des reins (v. 9), maintenant c'est du ventre : le meunier a la colique; ce qui prépare la scène avec le diable et explique la réplique suivante de la femme : "J'ai un bien agréable revenu, une belle jouissance *(douaire)* de votre corps!" Le douaire désignant spécialement le revenu d'une veuve, la femme a pris au mot son mari et le considère déjà comme "trespassé". -Compte tenu des rimes croisées adoptées jusque-là et à moins qu'il ne s'agisse d'une négligence d'auteur, il manque un vers entre les rimes *boire* et *voire*.

v.22 - "Le coeur me manque!"

v.24 - "Si je ne me refais l'estomac".

v.32 - Sur cette expression, voir *Glossaire* : "nay".

v.34 - "La mal lotie".

v.38 - Pour le sens à donner à ces *petis tours*, voir v. 131. - Ms. et Mabille : *Parfaictes* ("achevez, complétez", avec le même sens qu'au vers suivant : *dictes tout !)*. Jacob a lu à tort : *Pas faictes* ("non, vous ne le faites pas").

v.39 - *Vous vollez* :vous allez çà et là, de l'un à l'autre (cf. l'adjectif "volage").

v.41 - "Chez l'un, et puis chez l'autre". Sur Gaultier et Martin, voir ci-dessus la farce du *Ramoneur*, v.54 et note 8 ; le Recueil de Fribourg, Bb 14, N° III : Dialogue de *Gautier et Martin* ; et Picot, Bb 18, t.II, p.366, v.180 : "Je n'en crains Martin ne Gaultier". On verra encore Larivey, dans son recueil publié en 1611, faire dire à la femme des *Tromperies* (V, 10) : "Voilà, le meschant alloit tous les jours soupper chez Gautier, chez Martin, avec cestuy-ci,avec cestuy-là...".

v.42 - "Vous vous divertissez avec l'un, vous faites bonne chère avec l'autre" (Jacob). Ces deux verbes s'employaient souvent ensemble (voir ci-dessous v.446, et v.128-129: *gauldir... gallois*). - Dans le ms., ce vers suit dans la marge le v.41, dont il est séparé par un trait oblique entre deux points ; cette disposition a fait croire à Jacob que ce vers était à mettre avant le v.41 : le sens et la métrique (rimes croisées) imposent l'ordre suivi ici (et déjà adopté par Mabille).

v.45 - Je n'ai pas cru utile de corriger la faute d'orthographe d'A. de La Vigne. - Allusion est faite à une oeuvre très populaire du XVe siècle, les *Quinze joyes Nostre Dame* ; par référence, les *quinze joyes* exprimaient le comble du bonheur. Le v.48 semble indiquer que c'est à ce livre que renvoie ici le meunier, et non à la satire des *Quinze joyes de mariage* qui, en opposition, relataient tous les malheurs d'un homme marié.

v.48 - Ms. : *Ou nom* (cor. Jac.).

v.50 - Après *Malade suis*, Jacob ajoute *de fascherie*; Mabille saute *Malade suis*. En fait, il n'y a rien à corriger : comme on en a déjà vu plusieurs exemples dans des cas semblables, les exclamations poussées par la femme en battant son mari *(Tenez, tenez!)* sont hors métrique ; la disposition des rimes en est d'ailleurs la preuve formelle.

v.51 - *Contrepoinct*, voir t.I, *le Savetier Calbain*, note du v.8. Fournier traduit : "Pour s'entendre chanter telle gamme, pour se sentir battre telle mesure sur le dos".

v.52 - Rappelons que les hommes mettaient une robe pardessus leur pourpoint.

v.55 - *Heu* ; dans le procès-verbal (ci-dessus p.137), on a déjà rencontré cette forme du participe passé de "avoir", le *h* venant d'une réfection étymologique sur le latin *habitum*.

v.58 - La métaphore, qui reprend ce qui a été dit aux v. 52-53, devait appartenir au langage des drapiers, couturiers et chaussetiers.

v.61 - Ms. : *ie fe/*.. Pour obtenir un pied de plus, Jacob corrige : *je vous fe...* ; mais on peut compter pour une syllabe ce que dit de façon inaudible le meunier : il suspend sa menace, parce qu'il a vu sa femme de nouveau prête à le battre. Pour la même raison, Jacob ajoute *ouy* devant *mais* au v. 71.

v.66 - Ms. : *si* ("ainsi"). A la suite de Fr.Michel, Jacob a lu *se*, ce qui l'amène à traduire : "si vous grognez...".

v.78-79 - "Demandez plutôt à boire, tandis que vous avez bon odorat" (*santement* pour *sentement*).

v.80 - Ms. et Mabille : *vous vous mocquez* ; Fr.Michel et Jacob : *vous nous morguez*.

v.81 - C'est-à-dire : quand il sera mort.

v.84 - Le curé se tient "devant la maison".Jacob a ajouté cette indication en l'incluant dans le texte; il continuera d'ajouter de telles indications scéniques, mais en gardant l'orthographe ancienne pour les indications de l'auteur et en adoptant l'orthographe moderne pour les siennes. Fournier,qui recopie Jacob, adopte partout l'orthographe ancienne(voir ci-dessous, note du v. 362).

v.88 - "Vous êtes fort habituée à ces extrémités".

v.91 - "Dès que je serai...".

v.94-95 - Ms. : Et batre ung homme./ ie mauldis Il
Leure que iamais./ bonne bouche [pleure
Femme
Fault il

Fr.Michel avait adopté cette disposition du ms.; dans une note qui précède l'éd. de la *Moralité de l'Aveugle et du Boiteux*(fasc.14), il proposa de baisser d'une ligne *il pleure* et *bonne bouche* (ces deux mots revenant à la Femme).Jacob adopta cette correction. Sans être tout à fait convaincu,je l'adopte à mon tour. - La femme coupe court à la malédiction de son mari, et *bonne bouche* signifierait : "Belles paroles!" - Si l'on gardait la répartition du ms., il faudrait comprendre : "Le sort (le ms. distingue ici *eure* ["fortune, sort"; voir v. 303 : *maleureux*] de *heure* [mesure du temps ; v.116, 152])qu'un jour, bon prince..." (l'expression : avoir *bonne bouche* pouvant signifier, selon Godefroy, "avoir bonne opinion") , ou "femme qui as été habile à duper".

v.98 - On peut lire *paix* ou *pay* ; mais aux vers 144 et 235 la forme est sans conteste *paix*.

v.99 - Dans la farce du *Frère Guillebert* (ATF., t.I, p. 309), la femme dit à sa commère :

Mais quoy qu'on jase ou barbette,
Je jouray de bref à l'anvers.

Même emploi dans la farce du *Couturier* (ATF., t.II, p.162).

v.104 - Ms. et Mabille : *planté descus* ("abondance d'écus") ; Jacob, répété par Fournier, transcrit : *planté dessus*.

v.112 - *Son cas* : "le salut de son âme".

v.114-115 : en aparté (voir l'ordre de sa femme au v. 102).

v.118 - "Je vous recommande à Dieu, meunier": ces paroles sont dites à part soi (et j'imagine le curé faisant en même temps le signe de la croix).

v.121 - Image plaisante mais peu heureuse, pour "être logé en terre". Peut-être l'expression vient-elle de ce qu'on disait : *perché* à un gibet, c'est-à-dire : pendu,mort.

v.123 - Si l'on se rappelle ses plaintes précédentes(v. 30-31), il faut comprendre qu'elle n'a jusqu'à ce jour jamais pu s'opposer à la surveillance de son mari, qui l'empêchait de vivre comme elle le voulait. Mais ce n'est pas ce qu'en avait dit le meunier (v.36-43).

v.126 - Ms. : *Soit la pu/*. Il prononcera le mot en entier plus tard (v.146) ; mais, à la fin de cet aparté, la femme s'est tournée vers lui et l'a entendu grommeler. Jacob ajoute après *Femme* : *allant vers lui* ; je pense qu'il suffit qu'elle se tourne vers son mari et le menace: elle ne quitte pas son curé.

v.127 - Ms. : le premier mot est peu lisible ; mais,par recoupement avec le v.330, il faut lire : *Convient-il*. - *Je revoise* : "j'aille de nouveau" ; *voise* est un des subjonctifs de "voir", qui s'est conservé jusqu'au XVIIe siècle (P. Fouché, *Le Verbe français*, p.419).

v.132 - Ms. : *De nuyt et de iours* (cor. Jac.; voir v.35 et, dans l'étude de Kerdaniel, p.8, le vers d'A.de La Vigne: "En vous donnant aubades jour et nuyt"). - *Quelz*, forme du masculin et du féminin, serait une réfection étymologique sur le latin "qualis" ; la forme ancienne du féminin est *quel* (voir de même au v.470 : *telz chose*).

v.133 - Scandez : *T'en es bien*. "Tu es bien de la confrérie des maris trompés!" - C'est toujours un aparté ; le *hon* ! (plus bas : *hoon*) signale que la femme continue d'avoir l'oeil... et l'oreille sur lui.

v.134 - Allusion aux pastourelles qui, depuis le *Jeu de Robin et Marion*, d'Adam de La Halle (fin du XIIIe siècle), chantaient les amours de Robin et de sa bergère.

v.138-139 - *S'esprouver* n'a pas grand sens. Jacob explique : "Si la mort essaye un peu à mettre de côté *(d'une part)* mon mari, à me séparer de lui" ; et Fournier : "Si la mort se dépêche un peu de...".

v.140-141 - "Il n'y a pas de danger qu'il se lève de là ni qu'il s'en aille jamais...".

v.142- Ms. : *Il lembrase* (même chose au v.146) : ces indications scéniques sont toujours écrites d'une écriture très fine et contiennent de nombreuses abréviations.

v.143 - "A cette amitié" (du curé et de ma femme).

v.149 - Rappelons que l'indication scénique : *fait semblant* ne concerne que le jeu du farceur (voir ci-dessus la note du v.1).

v.150 - Dans le ms., ce vers se poursuit sur la même ligne jusqu'à *corps*, et le reste du v.151 est en dessous dans la marge.

v.155 - Le premier mot peut être *causer* ou *couser*. Jacob, après Fr. Michel, adopte *couser* ("coudre") et traduit: "je le fais taire à ma volonté". Fournier garde *couser* mais l'explique par *causer* ("répondre").

v.162 - Le curé s'adresse à la femme qui s'est écartée de lui pour se diriger vers son mari ; la femme ne lui répond pas et engage le dialogue avec son mari : *Assez, assez!* ("taisez-vous enfin!") ; puis elle reprend ce qu'elle a entendu qu'il croyait dire en aparté : "Il n'y a pas de doute que c'est fini : vous êtes en train de mourir". Mais elle veut sauver la face, puisque le "povre munyer" ne peut être dupe de la situation ; de là le subterfuge du v.169 : *c'est vostre parent*.

v.164 - On attendrait *rabastez (rabaster* : "faire du vacarme, disputer"). Fournier pense que *rabasser* est la première forme de "rabâcher", et Godefroy cite ce vers à *rabacher* : "redire souvent et inutilement la même chose".

v.167 - "Ainsi fais-je", c'est-à-dire : j'entends parfaitement.

v.169 - *Vostre* et non *nostre*, comme l'a cru Jacob.

v.172 - "Cette parenté est tout à fait hors de vérité".

v.176 - C'est "bien trouvé" (Four.).

v.178 - Jacob répète *Hée!* et *Ho!* ; mais, comme on sait, on peut compter pour une syllabe la prolongation non notée d'une exclamation.

v.179 - "Cela ne vaut même pas un écu!"

v.180 - Dans *le Poulier* à quatre personnages (éd. Philipot, v.305-310), la voisine dit au mari qui a découvert l'amoureux dans le poulailler :

Et! mon voisin!
Helas! et, c'est vostre cousin,
Bien prochain de vostre lygnage.

A quoi le mari répond :

Et, vertu bieu, quel cousinage ?
C'est doncques lygnage de cul.
Cousin, me faictes-vous coqu!

- Il se pourrait qu'il y ait ici un jeu de mots entre *cartier* ("côté") *devers le cu* et "écu de quartier" (quatrième partie de l'écu).

v.185 - *Dire ma conscience* signifie : "révéler le fond de mes pensées". Le mot *ainsi* est essentiel et change le sens de la phrase : "dire tel que vous le faites", c'est-à-dire hors de toute vérité.

v.192 - Ms. : *veillez* et non *vueillez* ; de même au v.389.

v.201-202 - Le curé se déguise en villageois (le cousin germain) ; il ne reprendra ses vêtements de curé (tenue civile spéciale) qu'au v.373, pour "confesser" le meunier.

v.204 - "Si vous ne [me] voyez...".

v.208 - Le *cambouis* était le produit de la graisse qui servait à graisser les essieux des roues, et des poussières métalliques ; l'expression signifie : "vous me jetez de la boue", "vous m'outragez" (Jacob, qui avait lu à tort *calembouys* mais qui avait adopté par correction : *cambouis*).

v.210 - "Si un jour je jouis de la santé".

v.214 - Ms. : *gouste* (cor. Jacob-Mabille).

v.218 - Le prétendu cousin germain s'adresse maintenant au meunier.

v.221 - Telle est l'orthographe du ms. - Un curé et surtout un moine ne peuvent être, dans l'imagerie populaire du Moyen Age, que gros et gras ; voir ci-dessus la farce du *Ramoneur* , v.28. Les gens du Limousin passaient donc bien avant Molière pour être des lourdauds et des mal appris.

v.222 - "Qui fait toujours le fier" (Four.), l'insolent.

v.232 - Ms. : *Dont nous* (et non *Dond vous*, comme a lu Jacob et répété après lui Fournier).

v.241 - Ms. : *Mectez moy* (et non *Mectez-vous*, comme a lu Jacob, qui explique : "Mettez votre tête près de moi", ce qui est un contresens). Il faut comprendre : "Mettez-moi la tête comme il faut".

v.242 - Rappelons que *trop* signifie "très", et, pour le v.245, que *pour voir* signifie "vraiment".

v.243-245 - La plaisanterie n'échappe pas au meunier. *Croquer la pie* était une expression courante pour "boire un coup de vin" ; voir ATF., t.II, pp.20, 114, 119, 292, 297 ; Coh. , N° XXXIII, v.6 et N° VI, v.11-12, où Macé chante : "Crocquela-pie se marie / A la fille d'ung poisonnier". C'est aussi le nom - en un seul mot - d'un des sots des *Vigiles de Triboulet* (Trep., t.I, N° X, sotie datée par E. Droz de 1480 environ).

v.251 - L'auteur, sur sa lancée - voir la rime qui précède -, avait d'abord écrit *commande* ; le *e* a été rayé aussitôt qu'ébauché, mais, par mégarde, le *d* est indûment resté (dans ce texte, "comment" est écrit "commant").

v.257 - *Poinct ne me parjure* est une parenthèse au subjonctif. L'auteur a rayé *ie* (je) qu'il avait d'abord écrit devant *ne me*.

v.258 - *Bietris* correspond à notre Béatrice. Dans la farce des *Trois amoureux de la Croix* (Coh., N° VIII), on a *Beatrix* rimant avec le mot latin "ventris"; et dans *Mince de Quaire* (Coh., N° XXII), *Bietrix* rime avec "et puis".

v.261- Prendre *du chemin saisine* : "prendre possession du chemin", c'est-à-dire "se mettre en route".Le mot *saisine* est un terme juridique ; n'oublions pas qu'André de La Vigne avait appartenu à la Basoche.

v.264 - "Je ne puis marcher", c'est-à-dire "me lever" ; au v.267, il dira : "Je ne puis plus me soutenir"*(comporter)*. Quant à *se deporter* du v.265, il signifie : "se détourner de..." et ici "se distraire, s'amuser".

v.272 - "Ainsi il pourra s'asseoir".

v.280 - Les pâtés semblent avoir tenu grande place dans les "bombances" (voir ci-dessus, t.I, *le Pâté et la Tarte*, v.25-27 ; t.II, *le Badin qui se loue*, v.214-215 ; et Coh.,N° XIX, la farce du *Pâté*).

v.281 - La femme est allée aussitôt chercher un pâté, et elle le rapporte en vantant son travail: "Il n'en fut jamais cuit de tel".

v.284 - "Avec votre permission". Et la femme se retire un peu à l'écart ; elle ne reprendra part à la conversation qu'au vers 308.

v.287 - "Sans attendre plus longtemps, afin que...".

v.304 - Le faux cousin se met à table ; et en bon chrétien - comment un curé ne prétendrait-il pas en être un,même en péchant! -, il dit son bénédicité, ou du moins le premier mot de la prière qu'on récitait avant les repas: "Bénissez-nous, Seigneur, ainsi que ces dons..." (voir t.I,*le Savetier Calbain*, v.142). Cette prière lui permet d'ailleurs de faire bonne contenance et de ne pas répondre au meunier.

v.306 - Ms. : *Gist illec* (et non : *C'est illec*, comme l'a cru Jacob) : "se trouve là" (et il doit montrer son front).

v.308 - La femme revient vers eux.

v.311 - "Ne le fait-il pas?", c'est-à-dire: ne médit-il pas ?

v.316 - Ms. : *menge de sa* (cor. Jac.-Mabille); on relève une faute à peu près semblable au v.326.

v.318 - Jacob ajoute l'indication scénique : "Ici la scène est en Enfer". - L'exclamation *Haro!* semble avoir été particulièrement employée par les diables ou par ceux qui pactisaient avec eux (voir ATF., t.III, pp.280, 284,286,287, 446, 472, 473, 474, 475). Ici le *Haro!* montre que Lucifer est d'abord seul ; les diables ne sortent de la gueule d'enfer qu'à son appel, et sans doute, comme dans le *Mystère*, "faisans cris et hurlemens terribles" (Kerdaniel, p.55). -La colère de Lucifer, dans la farce, n'est rien auprès de celle qui lui venait à la suite de la conversion de Martin : une litanie d'imprécations et d'injures, à laquelle les diables répondaient par des invectives non moins enflammées (Kerdaniel, pp.42-44) ; de même lorsque Lucifer apprenait que Martin s'était fait moine (p.56).

v.324 - "A nous qui sommes farouches, mais non félons " (les diables font acte d'obédience à leur maître Lucifer). - Tous les éditeurs ont jusqu'ici transcrit : *Fiers, forts,felons*.

v.325 - Ms. : *Pour* (et non *Par*, comme l'ont cru Jacob et Mabille). Comprendre : "capables de faire du mal à tout le monde".

v.330 - "S'il faut que je quitte".

v.331 - Le ms. a le mot *gouffrineuse*, et non *gouffrureuse* (Mabille) ou *gouffronieuse* (Jacob, qui tout en traduisant : "où je suis engouffré", sens repris par Godefroy,proposait de lire : *souffrenieuse* : "plein de soufre". Cet apax est un doublet de *gouffreux* avec un suffixe emprunté aux adjectifs en *-ineux*, comme lumineux". - Quant au mot *lice*,il a été expliqué par "prison" (Jacob) et "champ de bataille" (Fournier) ; je pense qu'il signifie tout simplement "enclos". Le sens du vers est : "Cet enclos creux (comme un gouffre)" ; et le raisonnement de Lucifer me semble le suivant : "Il faut aller répandre le mal sur terre ; si vous restez inactifs et si c'est moi qui dois quitter ces lieux, vous aurez un sort des plus sombres".

v.335 - Allusion est faite au *Mystère* où,après l'échec de Satan auprès de Martin, chaque démon avait tenu à vanter sa spécialité et les moyens qu'il employait pour amener à Lucifer le plus grand nombre d'âmes (Kerdaniel, p.65).

v.338 - "Je me contente (de ce que j'ai)".

v.340 - Voir *Glossaire* : "passe-passe". Au début du *Mystère* (Kerdaniel, p.41), Martin avait employé cette même locution:" Gloire mondayne joue de passe-passe".

v.342 - Je comprends : "Lucifer parle mal". Lucifer a menacé les diables parce qu'ils ne faisaient rien; chacun aussitôt rend compte de son activité. Seul le diablotin Bérith proteste : S'il ne fait rien, c'est que Lucifer ne lui donne rien à faire de ce qui lui convient.

v.345 - "Pour accomplir ce que je veux". Dans le *Mystère*, Bérith disait avoir la charge des empereurs, des rois et des ducs, qu'il poussait à la guerre (Kerdaniel, p.66).

v.347 - Prononcez : "immonde" (graphie savante).

v.362 - La scène reprend où nous l'avions laissée au v. 317 : le meunier continue à se prêter au jeu du faux cousin tout en le mettant dans une situation délicate et embarrassante ; mais il en faut plus pour décontenancer le curé !

v.373 - Le jeu de scène se trouve dans le ms. mis dans la marge après le v.373 ; Jacob l'a placé après le v.371.

v.374-381 - En aparté. - Un exemple de la correction des graphies ; ms. : *vella* (on a vu que l'auteur écrivait aussi : *cella, hellas*...), Jac.-Mabille : *velà* et Fournier : *voilà*.

v.379 - L'auteur avait d'abord écrit : *Dessoubz*,puis il a rayé *Des* ; il a hésité pour *lit*, ce qui donne : *li* (rayé)*lit* . Dès lors, faute d'espace libre sur le reste de la ligne, il a soudé tous les autres mots en serrant les lettres. Si l'on sépare les mots, le texte se lit : *une place y prandre* (et non, comme l'ont cru Michel et Jacob : *ma place comprandre*); la répétition du même mot en guise de rime ne fait pas difficulté ; on en rencontre maints exemples dans les farces ; et ici même: v.125-126, 236-238..., et plus loin v.385-388.

v.384 - "Il faut que je m'apprête à mourir", et non : "Il me convient d'aspirer à la mort". - *Pourtant*, au v.386, signifie : "à cause de cela" ; c'est *ne pourtant* qui signifiait : "malgré cela".

v.392-393 - "Je ne puis savoir ce que vous reproche votre conscience".

v.403 - "Fût-il l'hiver ou l'été".

v.405 - "Amateurs de vins fins".

v.406 - "Si bien que, tout compté et calculé...". L'expression généralement employée était : "tout compté et rabat(t)u" ou "tout bien...".

v.414 - Voir ci-dessus, note du v.41.

v.415 - "Et dans des sacs..." ; Jacob a lu : *Et ne sçay*.

v.416 - "Valant". - Il est difficile de savoir s'il s'agit du carlin, monnaie d'origine italienne (Fournier) ou du carolin (ou carolus), qui avait cours sous Charles VIII (1483-1498).

v.417 - "Pour parer aux éventuels coups de la fortune".

v.420 - "Tirer ou prendre d'un sac deux moutures", c'était "tirer double profit d'une chose".

v.422 - Encore une expression proverbiale. Godefroy, qui cite ce passage, donne comme sens à "rabattre ses coutures" : "frapper quelqu'un sur le dos, sur les épaules", ce qui n'explique guère notre texte. Fournier avait traduit : "Et je me fis meilleur marché *(rabatis)* de ce qui me coûtait un grand prix (grand *coût*, grant *couture*)".

v.426 - *Bran* désignait le gros son qui restait lorsque la farine avait été tamisée, mais aussi les excréments (voir l'indication scénique v.455 et le dernier vers de la farce).

v.427 - Ms. : *Celuy qui es haulx domine*, peut-être d'après la prière latine : "Gloria in excelsis Deo". Mabille transcrit : *Celui qui est hault domine* (ce qui n'a pas de sens) ; comme le vers n'a que sept syllabes, exemple rare dans cette farce, Fr.Michel suppose qu'il manque *cieulx*, et Jacob: *lieux*. Je rétablis *cieulx* d'après le vers du *Mystère* (Kerdaniel, p.75) : "Pour faire ès cieulx ma residence" (et voir aussi Recueil de Fribourg, Bb 14, farce de *Janot, Janette*, p. 22, v.150 : "De ta venue là hault ès cieulx"). Cette invocation est tout à fait dans le ton d'une prédication ; si le rapprochement n'est pas trop inconvenant, comparons avec les mots par lesquels Bossuet commencera son *Oraison funèbre d'Henriette de France* : "Celui qui règne dans les cieux et de qui relèvent tous les empires...".

v.430 - Déjà au v.19 il s'était plaint de son ventre. Je comprends : "mon ventre est tout à fait prêt à se relâcher".

v.432 - Voir v.284 et note.

v.433 - *Se conchier*, c'était "se souiller de ses excréments" (Rabelais dit du jeune Gargantua qu'"il se conchioit à toutes heures", ch.VII).

v.445 - Ms. : *par ler dutemps* ; Mabille a lu : *parler d'atemps*. Il faut comprendre, avec Jacob : "par l'air du temps".

v.446 - L'indication scénique comporte deux abréviations : *cepend.* et *ded.* - "J'ai de quoi me réjouir".

v.448 - "J'ai fait jusqu'ici choses qui vous ont si peu contenté" (Fournier).

v.450 - "Attens...".

v.452 - Vers sauté par Jacob (et, à la suite, par Fournier).

v.465 - *Carriere*, "endroit de forme carrée", s'oppose à *coing* ; mais on peut donner à ce mot le sens plus général de "chemin" (Huguet cite de Remy Belleau : "les carrières du ciel").

v.467 - "Le bailler trop vert", c'était dire une chose difficile à croire.

v.468 - Dans le *Mystère*, *Brou, brou!* était dit par le diable Burgibus lorsqu'il regagnait l'enfer après avoir échoué dans sa tentative de vaincre Martin.

v.471 - Ms. et Mabille : *assorty* ; et il faut comprendre : "préparé pour être battu, mis en état de l'être".Jacob transcrit : *asserti* et donne, sans preuve, le sens de "garrotté, lié de cordes" (sens repris par Godefroy, qui ne cite que ce passage).

v.483 - "Et garde-toi d'y retourner".

v.485 - "Ni devant ni de côté".

v.486 - L'auteur avait d'abord écrit: *Sur payne de perdre la vie* ; mais bien que Bérith ait crié qu'on le tuait(v. 474), il était déraisonnable de menacer de mort un diable.Il a donc rayé et ajouté la correction en fin de ligne. - NB. : *assouvir* était un verbe à la mode, qui s'employait avec toutes sortes de noms de choses pour signifier, au propre ou au figuré, "achever" ; dans l'*Obstination des femmes* (ATF.,t.I, p.21), Rifflart veut "assouvir" une cage ; dans la *Moralité de l'aveugle et du boiteux* (Four., p.157), l'aveugle dit que sa pauvreté est "assouvie", s'il ne trouve pas quelqu'un pour l'aider ; etc.

v.487 - "Je défends que personne (...) ne fasse que l'âme d'un meunier soit enlevée et amenée ici".

-

XI
LE BATELEUR

LE BATELEUR

I - TEXTES

a) ancien :

- *Recueil manuscrit de farces, moralités et sermons joyeux* de la Bibliothèque Nationale (mss. franç., N° 24 341),dit *Recueil La Vallière* (Bb 9 et 11 ; mais le fac-similé est en plusieurs endroits inutilisable par suite d'une mauvaise impression). Copies dues sans doute au même scribe et datant de la seconde partie du XVIe siècle (1575 au plus tard); écriture imitant "la minuscule gothique du genre livresque" (W.Helmich); sur papier ; aucune ligne tracée ; encre noire, qui a pâli en maints endroits ; 413 feuillets (285 X 190 mm); volume relié en maroquin rouge, avec tranches dorées. - La farce du *Bateleur,* N° LXX, occupe les feuillets 385 r° (le haut de ce recto contenant la fin du *Maître d'école, la mère et les trois écoliers*) à 389 r° inclus, soit 9 pages, de 51 à 57 lignes à la page pleine. - Comme pour les autres pièces du manuscrit, le copiste abrège après les premières répliques le nom du personnage ; il use du tilde sur les syllabes nasales et de quelques signes abréviatifs : pour *que* et pour les mots de plus d'une syllabe commençant par *par-* (voir note du v. 135).

Diversité des graphies et des formes morphologiques (que j'ai respectée, bien que certaines graphies puissent n'être dues qu'au copiste) : *achatons* (199) et *acheter* (236) ; *amoureulx* (51) et *amoureux* (252) ; je l'*aray* (132) et il l'*aura* (134) ; j'*ay* (17) et j'*ey* (18, 69) ; *Binete* (41, 76, etc.) et, dans le nom du personnage en tête d'une réplique, *Bynete* (60, 68, etc.) ; *desollée* (78) et *desolée* (129) ; *dire*(52) et *dyre* (66, rimant avec *soupire*) ; *don* (60) et *donq* (133) ; *el* (63, etc., 137) et *elle* (137) ; *icy* (193) et *sy* (= ici, 194); *il* (= elles, 136), *ilz* (= elles, 144) et *y* (= elles, 143); *il* (= ils, 230), *ilz* (8, 176) et *y* (= ils, 109, 177); *lasus* (soudé, 168) et *là sus* (176, 179); *maistre* (94) et *metresse* (54); *nous* (passim) et *nos* deulx (127) ; *passe* (14, 39)et *pasetemps*

(27, 210) ; *se* (= ce, 89, 174) et *ce* (60, 214) ; *tantot* (74) et *tantost* (204) ; *varlet* (21, 30, etc.) et *valet* (91, 126, etc.) ; *veoir* (43) et *voir* (78) ; *voecy* (dissyl., 6, 166,170, 227), *veoicy* (dissyl., 14), *voiecy* (dissyl., 194),*voicy*(10), *voyci* (76), *vecy* (214) et *voy les sy* (194).

Désinences verbales :

a) 1ère pers. sing. du présent des verbes en *-er* : je *desjunes* (33), j'*aymes* (70, 152) ; mais je m'*ayme* (193).

b) 1ère pers. du pluriel en *-on* (86, 233) et *-ons* (95, etc.) ; on comparera : *où prendron-nous* (259) et *où irons-nous* (266) ; on notera en outre : *on chanteron* (86 ; et 233, 282) et *nous aurons* (204 ; et 249, etc.).

c) 2ème pers. sing. de l'impératif des verbes qui ne sont pas en *-er : revien* (39, à la rime), *faict* (42) ; mais *fais* (72).

d) la 2ème personne du pluriel est toujours en *-és*.

Remarques sur la transcription du copiste (valables pour les autres textes du Recueil) :

a) tendance à réduire les consonnes geminées : *arière* (1), *derière* (8), *apris* (18), *efect* (19), *poura* (24),*asouvyr* (25), *pasetemps* (27), *puisent* (= puissent, 29), *ausy* (32), *verière* (34), *asés* (38), *tetinète* (40), *Binete* (41), etc. ; mais *effort* (49), *vollée* (77) etc.

b) tendance à transcrire *i* par *y : manyère* (4),*sy* (35), *myeulx* (50), *suys* (51), *convyent* (56), *dyre* (66),*j'aymes*(70), *moys* (93), *boyre* (101), etc.

c) tendance à multiplier les graphies avec *-l-: deboult* (15), *amoureulx* (51), *yeulx* (63), *beaulx* (125), *deulx* (127), *aulx* (227), etc.

b) modernes :

- Leroux de Lincy et Francisque Michel, *Recueil...* (Bb 10), t.IV, 1837 ; N° LXIX, 24 pages. - Un louable effort de transcription (le manuscrit n'est pas toujours facile à déchiffrer) ; mais aussi des graphies modifiées : *petits* pour *petis* (3), etc.; et des erreurs de lecture : *han* pour *hau*(21), *troté marché* pour *troté et marché* (57) etc.

- Fournier (Bb 16), 1872 ; pp.322-328 (sur 2 col.): suit le texte de Leroux de Lincy (ce qui sera dit, dans les notes, du recueil précédent vaut donc, sauf indication contraire, pour Fournier) ; corrige encore maintes graphies (notamment les normanismes) ; enfin, sans le signaler, remanie le texte et saute plusieurs passages.

- Philipot, *Six farces*... (Bb 21), 1939, pp.43-76: notice, édition critique et commentaire. J'ai relevé une douzaine d'erreurs de lecture ou de transcription, parmi lesquelles : *blancs* pour *blans* (150), *faut* pour *fault* (154), *montrés nous* pour *montrés* (160), *peines* pour *paines* (169); en outre la pagination du ms. est plusieurs fois erronée. Il n'en reste pas moins que cette édition m'a été, pour ses commentaires, de la plus grande utilité.

II - UNE FARCE NORMANDE REMANIÉE

Le Bateleur appartient à un Recueil dont la plupart des pièces semblent venir du répertoire des Conards de Rouen. En tout cas, le vocabulaire : *fretel* (10), *esterdre* (131); l'emploi constant de la forme *el* pour *elle* (comme dans la farce de *Maître Mimin*) et l'emploi du pronom *on* pour *nous* (86, 233, 282) ; la tournure : *les ceulx, le celuy* (167, 219); les formes syncopées : *a'vous* (122), *sçavous* (126) ; le nom même des badins et des lieux évoqués (Rouen et ses environs), tout indique que *le Bateleur* a été écrit par un Normand pour un public normand.

Ces badins normands, énumérés suivant un ordre chronologique : ceux "du temps jadis", ceux du temps présent et les nouveaux badins, devraient permettre de dater cette farce avec précision. Il n'en est rien. La plupart de ces noms, comme nous l'apprend le texte (v.188), ne sont en effet que des surnoms, des sobriquets ; on les reprenait de génération en génération[1]. En outre on sait que, lorsqu'il y a énumération de noms propres, les noms deviennent,au cours des ans et des reprises, interchangeables ; on substitue en fonction des circonstances tel nom connu à un nom devenu inconnu ; de là des confusions chronologiques, puisqu'un nom peut être gardé et tel nom disparaître au profit d'un autre. Aussi quand Philipot, à la suite d'un examen approfondi, donne pour *le Bateleur* une date assez tardive, "sous le règne de Henri II, aux alentours de 1555" (Bb 21, p.48), il convient d'apporter cette restriction que cette date n'est établie que sur les données du texte que nous possédons, qu'elle n'est valable que pour la forme définitive de ce texte.

Or, c'est évident, *le Bateleur* a subi plusieurs modifications. Ne parlons pas des graphies et des formes adoptées par tel ou tel copiste (ce qui explique l'emploi interchangeable de certaines formes morphologiques), mais de passages remaniés ou ajoutés. L'idée de ce remaniement m'est venue d'une étude de la métrique. Alors que la disposition des rimes est généralement régulière dans cette farce (rimes plates, avec çà et là des triolets), on remarque que certains triolets se trouvent entrecoupés de vers parasites, que des vers à rime insolite s'intègrent dans une suite jusque-là régulière.Coïncidence curieuse, la plupart de ces ajouts correspondent à des passages qui font répétition ou redondance, ou qui détonent dans le contexte. Très vraisemblablement ils sont dus à une reprise de la farce pour une nouvelle représentation(2) : un "farceur"aura introduit dans le texte son interprétation et celle de ses "compagnons". Et c'est cette version qu'aura eue entre les mains le copiste à qui l'on doit le Recueil La Vallière.

---

(1) De même l'allusion à Gaultier-Garguille dans la farce de *Thévot qui vient de Naples* (datée des environs de 1530 ; Coh. N° V, p.40 et BM. N° XLVII), ne peut se rapporter qu'à un lointain "ancêtre" du célèbre farceur du XVIIe siècle.

(2) Car, contrairement à ce que pense B.Bowen (Bb 40, p.69),je ne crois pas qu'ils soient dus au seul copiste du Recueil La Vallière. Celui-ci n'est responsable que de certaines graphies

Désireux de retrouver l'original sans toucher au texte qui nous est parvenu, je me suis contenté de signaler par des italiques entre crochets les vers qui me semblaient postérieurs. Des notes justifieront mon choix ; mais je ne prétends pas que ce choix soit définitif ; sauf pour quelques cas (il est bien téméraire en effet de vouloir délimiter avec précision le remaniement), je suggère plus que je n'affirme.

III - UNE FARCE APOLOGÉTIQUE SUR LES BATELEURS

On a dit et redit que le principal intérêt de cette farce était de faire revivre un bateleur du XVIe siècle.

Les personnages de cette farce appartiennent en effet aux bateleurs forains(3) ; ils nous apprennent leurs procédés

---

(3) Une étude serait à faire sur les bateleurs du XVIeme siècle. Le *Dictionnaire* de Huguet (t.I, p.513) cite à *basteler*, *bastelerie*, *batelier* de nombreux textes intéressants, notamment celui de Jacques Grévin, qui dans son *Discours sur le théâtre* (1561) dit que "les anciens avoyent encores une autre sorte de comédie qu'ils appeloyent Mimus ou Bastelerie, pour autant qu'elle estoit faicte de paroles ordes et villaines, et de matières assez deshonnestes, laquelle aussi estoit representee par des basteleurs" ; ou celui de Philippe de Marnix qui, dans son *Tableau des differends de la religion*(1599), relate que les protestants regrettaient que "par diverses mines et masquerades" on fasse de la vie du Christ,dans les cérémonies catholiques, "une farce de batelier ou une comédie de Pantalon". Je renverrais volontiers aussi à *Gargantua*(1534) ch.XXIV, où l'on voit le géant employant son temps "quand l'air estoit pluvieux" à aller "veoir les basteleurs,trejectaires et theriacleurs" : il aimait considérer "leurs gestes,leurs ruses, leurs sobressaulx et beau parler, singulierement de ceux de Chaunys en Picardie, car ilz sont de nature grands jaseurs et beaulx bailleurs de baillivernes en matière de cinges verds" (à propos de ce texte, il faut lire Edouard Thierry, *Trompettes, jongleurs et singes de Chauny* [à l'ouest de Laon]; Saint-Quentin, 1874 : les bateleurs formaient une véritable confrérie ; et chaque année, avait lieu à Chauny une "monstre" au public, spectacle avec danses et sauts; voir aussi les *Nuits de Straparole*, t.II, p.334).

pour attirer le public, leurs tours d'adresse, et ils nous disent leurs espoirs et leurs déboires. Un bateleur et son compagnon (un "varlet") arrivent dans une foire ou dans un marché ; ils cherchent un emplacement propice à leur commerce ; par leurs parades et leurs acrobaties, ils comptent faire venir à eux un public nombreux (v.74). Le public une fois rassemblé, on le fait taire, on étale la "marchandise" à vendre ; on vante cette marchandise. Tout est bon pour obtenir que l'acheteur sorte de sa bourse quelque monnaie. Le rôle d'une femme est essentiel non seulement pour attirer les acheteurs éventuels, mais pour écouler la pacotille. Et Binete, la femme du bateleur, est en quelque sorte la soeur de la *Fille batelière*(4) qui, dans le monologue qui ouvre le Recueil La Vallière, nous apprend comment, "chamberière d'un basteleur", elle devint sa femme pour vendre avec lui "ongnemens, pouldres, racines". Hélas! Binete ne réussira guère plus que la fille batelière ; et, comme elle, elle devra parcourir de nombreuses villes pour assurer le pain quotidien. Car s'il y a beaucoup de badauds, les acheteurs sont rares. Nos bateleurs obtiennent plus de renommée que d'argent (v. 47-48).

Ce tableau vivant n'est que le premier plan de la structure de la farce ; il n'en est que la "fable".

A partir de là, le "faiseur" écrit une farce. Et c'est le second plan(5) : sur un échafaud et à l'occasion d'un spectacle, les Conards de Rouen - supposons que ce soient eux - jouent une farce qui prend pour thème les bateleurs. C'est-à-dire que nous n'avons pas là, comme on l'a cru trop ingénument , une "simple parade" *de* bateleur (Petit de Julleville)(6), mais une farce *sur* les bateleurs.

---

(4) *Monologue nouveau et fort récréatif de la fille bastelière*. On disait aussi "basteleuse" (voir Godefroy, *Dict.*, suppl., t.VIII, p.300).

(5) Même chose dans *le Vendeur de livres* (Ler., t.II, N°XL), que Philipot date de 1550, avec cette différence que le vendeur est seul face aux deux femmes qui lui servent de public.

(6) Qui d'ailleurs aurait pu songer à la transcrire à l'usage d'autres bateleurs ou pour la postérité ?

La preuve en est qu'au lieu de vendre la pacotille habituelle et les remèdes miracles comme la *Fille batelière*, nos gens n'offrent au public que des portraits et, restriction importante, uniquement des portraits de "badins". Cette vente, on le voit bien, n'est qu'un prétexte pour évoquer tous ceux de la profession : les badins qui les ont précédés et qui sont morts, ceux qui vivent encore mais que l'on considère déjà comme des anciens, enfin la jeune génération.

La preuve encore est que le ton est apologétique. Sans cesse on répète que les bateleurs-badins, "gens de coeur plains de tout plaisir" (v.280), sont les élus de Dieu, que l'argent ne les intéresse pas, qu'il leur importe peu de se nourrir de "vent", qu'ils ne travaillent que pour leur plaisir et pour la gloire(7).

La preuve enfin est le procédé dramaturgique de simplification et de stylisation. Un rien suffit à situer le tableau ; nos trois personnages n'ont rien à voir avec le bateleur Mauloué et ses compagnons Mallasigné et Malassis qui, dans le *Mystère de saint Christophe* (1527), d'Antoine Chevalet, se faisaient accompagner de tout un attirail :

Bastons, bacins, soufflets, timballe,
Les gobelets, la noix de galle,
Le singe, la chèvre, le chien
Et l'ours...(8)

Notre trio suffit à résumer en lui tous les badins, et les deux femmes toute la foule qui se presse.Ces deux femmes sont même "typées" à dessein : elles incarnent une certaine foule des marchés (normands!) : curiosité, discussion et hésitation ; elles font déballer toute la marchandise pour ne rien acheter et semblent plus attirées par les attraits physiques des portraits que par l'art du "badinage". L'individualité disparaît sous le type caricaturé : elles sont "la première femme" et "la deuxième femme" ; le procédé est constant dans les farces.

---

(7) L'affirmation d'un tel désintéressement n'aurait pas sa place dans le boniment des marchands forains.
(8) Cité par Fournier, Bb 16, p.322.

Que de choses à dire encore ! Mais je ne veux pas trop disserter avant que le lecteur ait le texte sous les yeux ; car c'est à lui de revivre en imagination cette transposition d'une parade en farce apologétique. Par les notes qui accompagnent le texte, il verra qu'il importe peu que certains critiques aient refusé à cette farce tout "mérite littéraire" (Fournier ; ce sont d'ailleurs les ajouts qui ont pu motiver les reproches). Il ne retiendra que ce cas,unique pour l'époque, de badins qui revendiquent si noblement et comme en se riant de leur misère, le droit de vivre hors du "commun" (v.291) pour l'amour de leur art.

IV - VERSIFICATION

a) Nature : octosyllabes (sauf pour la chanson *Alons à Binete* et pour le dernier vers).

b) Disposition : aa bb cc dd ...

Particularités :

a) le début (v.1-9) : abba acca a ;

b) entrée de Binete (v.78-85) : triolet ;

c) les chansons (v.97-101) ; voir la note sur un ajout possible ;

d) v.135-143 : nouveau triolet (avec un ajout) ;

e) v.176-183 : triolet ;

f) la fin (v.285-298) ; voir la note sur un ajout possible.

c) Rimes à noter pour la prononciation : *vous* - *tousjours* (36-37, affaiblissement du *r* final) ; *rians* - *avenant* (63-64) ; *moy* - *may* (92-93) ; *memoyre* (prononcé : mémore) - *encore* (163-164) ; *ceans* - *antiens* (165-166) ; *Gervais* - *voye* (215-216).

d) Scansion (voir t.I, pp.36-41) :

D'avanture, | entendés-vous (36)
Ma tretoute, ma my(e) Binete (41)
Voe-cy des badins anti-ens (166)
Et plusieurs aultr(es) petis badins (228)
De luy serés glorifi-és (286).

-

° 385 r°

Farce joyeuse à cinq personnages
c'est asçavoir
LE BATELEUR, son VARLET, BINETE et DEULX FEMMES.

-

1

LE BATELEUR *commence en chantant, en tenant son varlet.*

Arière, arière, arière, arière !
Venés la voir mourir, venés.
Petis enfans, mouchés vos nés
Pour faire plus belle manyère.
5 Arière, arière, arière, arière !
Voecy le monstre des badins,
Qui n'a ne ventre ne boudins,
Qu'ilz ne soyent subjectz au derière.
Arière, arière, arière, arière !
10 Voicy celuy, sans long fretel,
Qui de badiner ne fut tel :
L'experience en est planière.
Arière, arière, arière, arière !
Veoicy celuy qui passe tout :
15 Sus, faictes le sault ! hault, deboult !
Le demy tour, le souple sault !
Le faict, le defaict! Sus, j'ay chault,
J'ey froid! Est-il pas bien apris ?
En efect nous aurons le pris
20 De badinage, somme toute.
Mon varlet !

LE VARLET.

Hau! mon maistre.

LE BATELEUR.

Escoute :
Y fault bien se monstrer abille
Tant qu'on ayt le bruict de la ville ;
Car cela nous poura servir
25 Pour nostre plaisir asouvyr.
Entens-tu bien ?

LE VARLET.
Je vous entens.
Nous ne ferons que pasetemps
f° 385 v° Pour resjouyr gens à plaisir.
LE BATELIER.
Les fiebvres vous puisent saisir,
Mon varlet !
LE VARLET.
30 Mais c'est pour le maistre.
LE BA[TELEUR].
Mais un estron pour te repaistre :
Ausy bien junes-tu souvent.
LE VARLET.
Je desjunes souvent de vent :
Mon ventre est plus cler que verière ;
35 Mais sy je lache le derière
D'avanture, entendés-vous ?
Vostre part y sera tousjours.
LE BAT[ELEUR].
Tu me veulx asés souvent bien.
Hau! mon varlet, passe, revien !
40 Or va querir ma tetinete,
Ma tretoute, ma mye Binete ;
Et de bref lui faict asçavoir
Qu'on la desire fort à veoir ;
Car icy nous fault employer
45 De nostre sçavoir desployer.
En efect nous aurons le bruict.
LE VA[RLET].
Le bruict aurons sans avoir fruict,
Car les dons apetisent fort.
LE BA[TELEUR].
Or va.
LE VARLET.
Je feray mon effort
50 Myeulx que varlet qui soyt en ville.
(En chantant.)
"Je suys amoureulx d'une fille,
Et sy ne l'ose dire,
La toure lourela."
Ma metresse, hau !

BINETE *entre*. 2

Qui esse là ?

LE VAR[LET].

Venés.

BINETE.

En quel lieu ?

LE VAR[LET].

55 Tant prescher !

Maintenant convyent desmarcher.
Tant avons troté et marché
Que nous avons trouvé marché
Pour nostre marchandise vendre.

BYNETE.

60 C'est don marchandise à despendre.
Poinct ne profitons aultrement.
Toutes fois alons.

LE VAR[LET].

Vitement.

(Il chante.)

"El a les yeulx vers et rians,
Et le corps faict à l'avenant.
° 386 r° 65 Quant je la voy, mon coeur soupire,
Et sy ne l'ose dyre,
La toure lourela."

BYNETE.

C'est trop chanté ; charge cela.

LE VARLET.

Charger? J'ey encor à diner.
70 J'aymes beaucoup myeulx le trainer.
Ausy bien n'esse que bagage.

BYNETE.

Au moins fais-toy valoir.

LE VAR[LET].

Je gage

Que je feray des tours sans cesse !

LE BATELYER. 3

Que tantot j'auray belle presse !
Varlet !

LE VAR[LET].

Hau !

LE BAT [ELEUR] .

75 C'est bruict que de luy.

LE VAR [LET] .

Voyci Binete d'Andely.
Venés, venés à la vollée.

LE BAT [ELEUR] .

Venés la voir, la desollée ;
Aprochés tous !

BYNETE.

A! mon baron,

80 Que je soys de vous acollée !

LE BAT [ELEUR] .

Venés la voir, la desollée.

LE VAR [LET] .

El est de present afollée :
On le voit à son chaperon.

LE BAT [ELEUR] .

Venés la voir, la desollée ;
Aprochés tous !

BINETE.

85 Et, mon baron !

LE BAT [ELEUR] .

Or me dictes qu'on chanteron
Se pendant qu'on s'asemblera.
Mon varlet, qui commencera ?

LE VAR [LET] .

Se sera moy.

BINETE.

Mais moy.

LE BAT [ELEUR] .

Mais moy.

[*LE VAR [LET] .*

90 *Mauldict soyt-il qui se sera !*

LE BAT [ELEUR] .

Mon valet, qui commencera ?

LE VAR [LET] .

Se sera moy.

BINETE.

Mais moy.

LE BAT [ELEUR] .

Mais moy.]

f° 386 v°

LE VALET.
Sy je vis jusque au moys de may,
Je seray maistre.
BINETE.
C'est là raison.
LE BATELIER.
95 Chantons et otons ce blason.
[*LE VARLET.*
C'est bien dict. Metresse, chantons.
BYNETE en chantant.
Or escoutés.
LE BATELYER en chantant.
Or escoutés.]
LE VAR[LET].
Or escoutés, sy vous voulés,
Une plaisante chansonnete.
BYNETE.
100 Vos gorges sont trop refoulés.
LE VAR[LET].
Sans boyre la mienne n'est nete.
Les deulx femmes entrent.
En chantant.
"Alons à Binete ,
Duron la durete ;
Alons à Binete
105 Au Chasteau Gaillart."
LE BATELEUR.
Or sus, faictes un sault, paillart,
Pour l'amour des dames. Hault, sus !
LA P[REMIERE] FEMME *entre.*
Ces gens-là nous ont aperceutz.
Y font quelque chose pour nous.
LE BAT[ELEUR].
110 Aprochés-vous, aprochés-vous,
Et vous orés choses nouvelles.
LE VAR[LET].
Venés voir la belle des belles ;
Arière, arière, faictes voye.
LA IIe FEMME.
Y fault bien que cecy je voye,
115 Car à mon plaisir suys subjecte.

4

LE BAT [ELEUR] .
Aprochés. Qui veult que je gecte ?
Hault les mains !
BYNETE.
L'on vous veult monstrer
Que n'en sceutes un rencontrer
Qui tant fist de joyeuseté.
LE BAT [ELEUR] .
120 G'y ay esté, g'y ay esté,
Au grand pays de badinage.
LA PR [EMIERE] FEMME.
A'vous quelque beau personnage
Pour nous? Car c'est se qui nous mayne.
LE VAR [LET] .
Tous nouveaulx faictz de la sepmayne,
125 Des plus beaulx que jamais vous vistes.
LE BATE [LEUR] .
Valet, sçavous bien que vous dictes ?
f° 387 r° Qui sera maistre de nos deulx ?
Laise-moy parler.
LE VALET.
Je le veulx.
Et Binete la desolée,
130 Fault-il poinct qu'el ayt sa pallée ?
[*Hen !*
LE BATELIER.
Pais! que je ne vous esterde.
BYNETE.
Je l'aray.
LE BAT [ELEUR] .
Mais plus tost la merde.
LE VAR [LET] .
Mengés-la donq, qu'el ne se perde ;
Car qui la mengera] l'aura.
BINETE.
Je parleray.
LA IIe FEMME.
135 El parlera.
Femmes ont-il pas leur planete ?
LE VAR [LET] .
S'el ne parle, elle afollera.

BINETE.
Je parleray.
LE [VARLET].
El parlera.
LA P [REMIERE] FE [MME] .
Dea, s'el ne parle, el vous laira.
LE BATE [LEUR] .
140 Et la place en sera plus nete.
BINETE.
Je parleray.
LES DEULX FEMMES *ensemble*.
El parlera.
[*LE VAR [LET]* .
Et leque foure mengera.]
LA IIe FEMME.
Femmes ont y pas leur planete ?
LE BATE [LEUR] .
Ouy, quant ilz ont leur haultinete.
Tesmoing mon varlet.
LE VAR [LET] .
145 Il est vray.
[*N'est pas donc ?*]
(Ilz chantent.)
"Qu'en dira Binete,
Qui a le coeur gay?"
BYNETE.
Hault! qui en veult lève le doy.
LE BATELEUR.
A sept cens frans !
BINETE.
Mais à sept blans.
LE VARLET.
150 Nous ne sommes pas à sept blans ?
Sang bieu, il n'y a croix en France !
LE BATELIER.
J'aymes autant vendre à creance.
Qui en veult? Je les voys remectre.
LE VARLET.
387 v° Encor fault-il vendre, mon maistre.

LE BATELIER.
155 Vendre? Mais trocher est le myeulx.
De trocher je seroys joyeulx,
Sy de femme estoys myeulx pourveu.
Et vous n'avés rien veu, rien veu !
LA P[REMIERE] FEMME.
Vous ne nous monstrés que folye.
160 Monstrés quelque face jolye
Qui resemble à la creature.
BINETE.
Vous voirés maincte pourtraicture
Des gens de quoy on faict memoyre.
LE VALET.
Et vous n'avés rien veu encore
165 Depuys que vous estes ceans.
Voecy des badins antiens,
Voecy les ceulx du temps jadis,
Qui sont lasus en paradis
Sans soufrir paines ne travaulx.
170 Voecy maistre Gilles des Vaulx,
Rousignol, Brière, Peuget,
Et Cardinot qui faict le guet,
Robin Mercier, Cousin Chalot,
Pierre Regnault, se bon falot,
175 Qui chans de vires mectoyent sus.
LA IIe FEMME.
Est-il vray ?
LE VAR[LET].
Ilz sont mys là sus ;
Y n'ont faict mal qu'à la boyson.
LE BAT[ELEUR].
Chantres de Dieu sont tous receups.
LA P[REMIERE] FE[MME].
Est-il vray ?
LE BATELIER.
Y sont mys là sus.
LE VAR[LET].
180 Myracles en sont aperceups :
Dieu veult qu'on le serve à bon son.
LES DEULX FEMMES *ensemble*.
Est-il vray ?

BYNETE.
Ilz sont mys là sus ;
Y n'ont faict mal qu'à la boyson.
LE BATE [LEUR].
Je vous dis que Robin Moyson
185 De nouveau nous l'a revellé.
Et atendant nole velle
Pour chanter en leur parc d'honneur :
Un surnommé Le Pardonneur,
f° 388 r° Un Toupinet ou un Coquin,
190 Ou un Grenier, aymant le vin
Pour devant Dieu les secourir.
LE VARLET.
Je ne veulx poinct encor mourir,
Car je m'ayme trop myeulx icy.
LE BATELYER.
Voiecy les vivans, voy les sy.
195 Maintenant je les vous presente.
Voyés !
LA P [REMIERE] FEMME.
Poinct n'en veulx estre exempte,
Que je n'en aye tout mon plaisir.
LA IIe FEMME.
Veuilés nous les mylleurs choisir,
Afin que nous les achatons.
LE VAR [LET].
200 Je les voys choisir à tatons
Jusques au fons de la banete.
LA P [REMIERE] FEM [ME].
Et combien ?
LE BATE [LEUR].
Parlés à Binete.
De tout el vous fera marché.
BINETE.
Nous aurons tantost tout cherché
205 Sans vendre; je n'y entens rien.
LE BATE [LEUR].
A combien, dames, à combien ?
A un liard! Qui en vouldra
Maintenant, dames, on voyra.

LA IIe FEM[ME].
Poinct n'en voulons.
LE BATE[LEUR].
Rien n'y entens.
210 Vous ne voulés que pasetemps
Pour rire en chambres et jardins.
LE VAR[LET].
Voy [les]sy, les nouveaulx badins
Qui vont dancer le trihory ;
Vecy ce badin de Foury,
215 Et le badin de Sainct-Gervais :
Les voulés-vous ?
LA P[REMIERE] FEM[ME].
Que je les voye !
[*Repliés, tout me semble ville.*]
LE BAT[ELEUR].
Bien. Le badin de Soteville,
Ou le celuy de Martainville,
Les voulés-vous ?
LA IIe FEM[ME].
220 Et, c'est Pierrot.
LE VAR[LET].
In Gen, c'est mon, c'est mon frerot ;
f° 388 v° [*Ausy Le Boursier, Vincenot,*
Sainct-Fesin, se mengeur de rost.]
Retenés-lay, il est gentil.
LE BATELYER.
225 Que tous aultres soyent au vetil,
Car toutes fachés vous en estes.
BINETE.
Voecy le badin aulx lunetes
Et plusieurs aultres petis badins
Qui vous avalent ses bons vins :
230 Seront-il de la retenue ?
LA P[REMIERE] FE[MME].
Son badinage dymynue,
Pour tout vray; mais ses compaignons,
On ne prison pas deulx ongnons,
Car y ne font que fringoter ;
235 Y ne nous feroyent qu'asoter.

LE VALET.
[*Vous ne voulés rien acheter.*]
Vous estes asés curieuses
De voir inventions joyeuses.
Mais quant vient à faire payment,
240 Rien ne voulés tirer, vraiment.
Et se poinct icy retenés :
Chantres et badins sont tennés.
Ainsy, prou vous face, mes dames.
LA IIe FE[MME].
De dons ne povons avoir blames :
245 Nous-mesmes voulons qu'on nous donne.
LE BAT[ELEUR].
Ausy honneur vous abandonne.
Vous voulés avoir vos plaisirs,
Vos acomplisemens [de] desirs.
Nous entendons bien vos façons.
LE VAR[LET].
250 Sy vient un rompeur de chansons,
Un fleureçon, un babillart
Faisant de l'amoureux raillart,
Qui vienne saisir le costé,
Y sera plus tost escouté
255 C'une plaisante chansonnete.
LA P[REMIERE] FE[MME].
Dictes-vous ?
LE VAR[LET].
Parlés à Binete.
LA P[REMIERE] FE[MME].
Sy d'avanture on nous gauldit
Ou nostre mary nous mauldit,
Où prendron-nous nostre recours,
260 Qui nous veuille donner secours,
Synon d'ouyr quelque sornete ?
LE BAT[ELEUR].
f° 389 r° Dictes-vous ? Parlés à Binete,
Qui se tient au Chasteau Gaillart.
LA IIe FEM[ME].
Sy nostre mary est viellart,
265 Qui ne face que rioter,
Où irons-nous pour gogueter ?

[*De ce voulons estre certaines.*
LE VALET.
Sy vous dient : "Vos fiebvres cartaines",
Incontinent je vous refère
270 *Que leur debvés responce fère :*
"Mais vous!", car cela est honneste.
LES II FEMMES ensemble.
Dictes-vous ?
LE VALET.
Parlés à Binete.]
LE BATELYER.
Binete vous en rendra compte.
LA P[REMIERE] FEM[ME].
De nous ne faictes pas grand compte ;
275 Mais bien on s'en raporte à vous !
LE VALET.
Ausy ne faictes vous de nous.
Une personne de valleur
N'apelle un chantre bateleur
Ne farceur; mais, à bien choisir,
280 Gens de coeur plains de tout plaisir.
De vos dons riens ne comprenons,
Mais nostre plaisir on prenons
De chans, pour estre esbanoyés
Sans jamais estre desvoyés.
[*BINETE.* 5
285 *De Dieu poinct ne vous défiés ;*
De luy serés glorifiés.
Sy on donne poy, c'est tout un.
Riés, chantés et solfiés,
Jeutz et esbas signifiés,
290 *De jour, de nuict, quant il faict brun.*
Subjectz ne soyés au commun.
Nostre plaisir nous asouvyt.
Qui plus vit de monde, plus vit.]
LE BATELYER.
Recreons-nous, chantons subit.

LE VARLET.

295 [*Hardiment faisons-nous valloir.*]
Soulcy d'argent n'est que labit.
De petit don ne peult chaloir.
Chantons et faisons debvoir.

FINIS

-

Notes

Titre - Ms. de copiste : Farce ioyeuse a V personnages cest ascauoir || le bateleur son varlet Binete et deulx femes || [ce dernier mot sans tilde].

- Pour le nom des personnages, le copiste a, outre le titre, transcrit 4 fois *Bateleur* (notamment aux deux premières de ses répliques), 12 fois : *Batelier* ou *Batelyer* (par influence possible de la première pièce du Recueil : *la Fille bastelière*) ; ailleurs, et comme il en avait l'habitude dans le Recueil, il s'est contenté d'abréviations : *Ba* (2 fois), *Bat* (18 fois) et *Bate* (6 fois). A la suite de Leroux et de Philipot, j'ai résolu ces abréviations par : *Bateleur* plutôt que par *Batelier* ; le mot *Bateleur* est en effet dans le titre et se retrouve à la rime du v.278. J'ai résolu également les abréviations *Va* ou *Var* par *Varlet*, et *P* ou *Pr* par *Première*.

- Indication scénique du v.1. Ms. : on peut lire *ou* ou *en* ; Leroux a adopté *en*, Philipot : *ou* ; le mieux serait : *et en*.

Vers 1-2 - Cette forme d'"entrée" reprend celle de Jaquet au début de la farce de *Léger d'argent* (Coh., N° XXV) , qui daterait des environs de 1494 et où le vers : "Arrière, arrière, arrière, arrière" est répété aux v.7 et 13. - Le v. 113 du *Bateleur* montre qu'on disait aussi "arrière" pour écarter la foule et laisser le chemin libre à certaines personnes. - Nous retrouvons ici (voir ci-dessus t.I,*Jenin fils de rien*, note des vers 240-241) un procédé employé tout particulièrement par les charlatans pour attirer sur eux l'attention du public. D'un geste large, et comme dans les marchés et les foires, ils montraient de petites bêtes, le plus souvent répugnantes ou dangereuses (voir la "malle beste" qu'exhibe le devin dans *Jenin*). Il n'est pas nécessaire de supposer que notre bateleur ait expérimenté sur une bête*(la)* une drogue qui va la faire mourir ; il n'est ni apothicaire ni triacleur : "tenant son varlet", il fait comme s'il avait une bête et comme si elle allait mourir. Le geste suffit pour rappeler quels étaient les procédés employés pour rendre attentif le public.

v.3 - Comme l'a montré Philipot, *Petis enfans, mouchés vos nés* était alors une formule usitée pour inviter le public à se préparer à écouter et à se tenir correctement.Dans le monologue de *la Fille batelière* (Ler., t.I, N° 1, p.9),la fille qui a pris "un chien vestu de quelque toylle de couleur", fait "un tour ou deulx" devant le public et dit :

Or, reveillés la male beste,
Petis enfans, mouchés vos nés,
Et de toutes contrés venés; *etc.*

De la même manière, dans le prologue du *Brave* (1567),de Baïf (éd. Marty-Laveaux, t.III, Paris, 1886, p.197), le valet Finet, avant d'exposer le sujet de la comédie,demandera au public de faire silence :

Or, crache qui voudra cracher,
Et mouche qui voudra moucher,
Et tousse qui aura la tous,
Afin qu'après vous taisiez tous.

v.6 - "Le plus prodigieux des badins", de ceux qui jouent les badins. Le bateleur désigne son "varlet".

v.7 - *Boudin* au singulier peut signifier : "ventre, bedaine", bien que le mot attesté dans ce sens soit le féminin *boudine* ; il désigne aussi les "boyaux", ce qui justifierait ici le pluriel. Mais je suppose que le bateleur fait seulement allusion à des accessoires postiches : le valet-badin joue tel qu'il est ; de là son mérite.

v.8 - Leroux a transcrit à tort : *Qui ne soyt subjectz au derriere (subject :* "soumis à"). - Le sens littéral de ce vers m'échappe.

v.15 - Des paroles aux actes : le bateleur commande au valet de faire quelques exercices d'acrobatie (voir le même commandement aux v. 106-107) : saut en hauteur pieds joints, saut en se retournant, saut périlleux *(le souple sault)* ; le *faict* et *le defaict* étaient "probablement un saut en avant suivi d'un saut en arrière" (Philipot, qui cite ce passage d'une lettre de Rabelais, datée de 1536 : "Maintenant le deposer, ce seroit acte de bateleurs qui font le faict et le deffaict").

v.17-18 - Le bateleur ponctue les mouvements et les attitudes qu'il impose au valet, comme s'il s'agissait de lui-même (*j'ay* : "tu as").

v.21 - Ms. : *Mon varlet* est au bout de la ligne du v.20 (cor. Four.). Tous les éditeurs mettent une virgule après *somme toute*.

v.23 - "Pour que notre renommée s'étende dans la ville".

v.27 et suiv. - Le valet comprend, mais à sa façon. Le bateleur avait dit qu'il leur fallait, par le travail, obtenir renommée en ville : l'exercice de leur métier comblerait leur *plaisir* (sur *asouvyr*, voir la farce du *Meunier*, N°X, note du v.486). Le valet a compris qu'on allait amuser le public tout en se donnant du bon temps à volonté *(à plaisir)*. D'où l'imprécation du bateleur (v.28). Le valet s'en tire en jouant sur les mots : 1) il renvoie l'imprécation à son maître ; 2) il prétend n'avoir dit cela que de son maître :lui, il travaillera pendant que l'autre fera le *pasetemps* (v.30). Le bateleur n'est pas dupe du subterfuge (v.31).

v.31 - On envoyait souvent, en pensée, un *étron* (de chien) à la figure de son interlocuteur. Ici le bateleur l'envoie pour "nourrir" son valet qui jeûne, faute de gagner son pain.

v.35 - "Si j'évacue...".

v.36 - Fournier supplée *l'* et Philipot *m'* devant *entendés-vous ?* Il n'y a rien à suppléer (voir ci-dessus, versification).

v.37 - Le valet continue de parler à double sens : 1) sur le modèle des expressions "Dieu y ayt part!", "le diable y ayt part!", on peut comprendre : "il faudra que vous vous en soyez mêlé", c'est-à-dire, que vous m'ayez donné à manger ; 2) vous aurez votre part de ce que j'aurai lâché.

v.38 - "Vouloir du bien" peut s'entendre de deux façons : 1) ironiquement, les paroles renvoient au deuxième sens du vers précédent ; 2) c'est une invitation à travailler (d'où le v.39, qui lui commande un nouvel exercice, et le v.40, qui l'envoie chercher la femme du bateleur).

v.40 - *Ma tetinete* (-ette) est un terme affectif("fille aux beaux tétons" = aux beaux seins), comme *mon tecton*, premiers mots de Bertrand à sa femme dans la farce du *Dorelot* (Coh., N° XXIV), *mon tetin* (Ler., t.I, N° XXVII, *le Poulier* à six personnages, où un gentilhomme dit à la meunière : "A ! mon tetin, m'amour, ma roze!") et *ma go(r)gette* (ci-dessus, *le Ramoneur*, v.203).

v.42 - Four. : *faicz a scavoir* et v.43 : *avoir*.

v.45 - "Il nous faut nous occuper de déployer notre savoir". Four. : *Et nostre scavoir*...

v.46 - Philipot rattache pour le sens *en efect* à *desployer*, et met deux points (:) après *efect*. Je comprends : "C'est ainsi que nous aurons de la renommée.

v.51 - Le valet ne "sort" pas ; il s'éloigne seulement du bateleur, et c'est de l'échafaud qu'il appelle Binette. En effet, comme le suppose Philipot, *Six farces*, p. 178 à propos d'une indication scénique de *la Veuve*, Binette avait dû "entrer" en scène avec son mari et le valet, et rester à l'écart avec le "bagage" (v.71), immobile, tandis que son mari cherchait un emplacement pour vendre leur "marchandise" (v.59). - La chanson est inconnue, et le v.52 reste sans rime correspondante ; en revanche, aux v.65-66, ce vers répété rime avec *soupire* ; peut-être faudrait-il transposer ici le v.65 : "Quant je le voy, mon coeur soupire" et le mettre après le v.51. - Dans le ms., *La toure lourela* (voir t.I, *le Savetier Calbain*, p.136, chanson N° X et v.101-102) suit sur la même ligne *Et sy ne l'ose dire* (même chose aux v.66-67).

v.54 - *Qui esse là ?* : "Qu'y a-t-il ?" ; Binette est censée ne pas avoir vu ce qui s'était passé jusque-là; et la distance entre elle et son mari est supposée grande (v.57) ; d'où son autre question : "En quel lieu?"

v.56 - "Voilà le moment de vous mettre en marche"(Phil.). - Le verbe *desmarcher* a disparu seulement au cours du XVIIe siècle ; mais il nous est resté : démarche ; et au XXe siècle, on a créé : démarcheur. Rappelons l'épitaphe qu'imaginait pour lui le Franc-Archer de Bagnolet (ATF., t.II, p. 333) :

Cy gist Perrenet, le franc archier,
Qui cy mourut sans desmarcher,
Car de fuyr n'eut oncques espace...

v.60 - "C'est donc marchandise que nous devrons dépenser...". Elle veut dire par là qu'ils n'ont jamais beaucoup d'acheteurs et qu'ils en sont réduits à utiliser pour eux-mêmes ce qu'ils avaient à vendre. - Ler. et Four. ont rétabli : *donc* (voir *Glossaire*).

v.63 - Il poursuit sa chanson.

v.69 - Il est à jeûn et les forces lui manquent : il traînera le "bagage" sur le sol, au lieu de le charger sur ses épaules.

v.71 - *Bagage* : "marchandise de peu de valeur" ; Philipot cite ces vers de la farce du *Marchand de pommes* (Ler.,t. III, N° LXX) :

La bonne denrée est icy ;
Tout dessus, ce n'est que bagage.

v.72-73 - Binette sait que leur gagne-pain repose sur l'adresse et les *tours* du valet. Le valet en conclut qu'il va avoir encore à travailler sans répit *(sans cesse)*.

v.74 - En fonction de l'espace scénique, à la contraction du "lieu" correspond la contraction du "temps": Binette et le valet sont aussitôt sur place.

v.75 - Ms. : *Varlet* suit sur la ligne le v.74. -*Bruict*: "Il a bonne réputation" : dès qu'on l'appelle, il est là.

v.76 - *Binete d'Andely :* Binette originaire d'Andely. Il s'agit des Andelys, ville du Vexin normand, au sud-est de Rouen. L'auteur a tiré ce nom de la chanson populaire dont on a déjà chanté quelques vers dans *le Badin qui se loue* (v. 28-31) et qu'on va retrouver plus loin.

v.78 - *La desollée :* "la malheureuse". Le mot peut faire référence à la chanson de Binette (citée à la note du v. 102), où Binette, qui avait éconduit son amoureux, était enlevée par lui non pour devenir sa femme mais sa servante. Il peut y avoir allusion à la situation présente de la femme du bateleur. De toute façon, on a là un procédé pour exciter la pitié, c'est-à-dire pour attirer l'attention du public sur la nouvelle arrivée... et sur ce qu'elle se propose de vendre.

v.80 - Le ms. attribue ce vers au valet(Leroux et Fournier l'ont suivi). A la suite de Philipot, je le restitue à Binette.

v.82 - Jeu de mots sur *afollée* : 1) elle est meurtrie, endeuillée ; et elle porte le chaperon des veuves (on a vu dans *le Savetier Calbain*, t.I, note du v.158, que *désolée* de son mari signifiait : "être veuve") ; 2) elle a perdu l'esprit ; et elle porte un chaperon peu différent de celui des "fols".

v.85 - La répétition du v.79 dans le triolet imposerait ici : *A! mon baron.*

v.86 - "A présent, dites-moi ce que nous chanterons"(au vers suivant, *on* désigne la foule).

v.90-92 - Ces trois vers ont été manifestement ajoutés. Le v.90 n'a guère de sens, puisque le valet a été le premier à vouloir commencer. Le v.91 répète le v.88 alors qu'il n'y a pas de triolet ; et la forme *valet*, que le copiste reprendra çà et là par la suite pour le nom du personnage et même dans le texte (v.126), paraît insolite, venant après la forme habituelle *varlet*. Enfin le v.92 répète sans raison, en fin de page, le v.89. - De toute façon, si l'on gardait le texte du ms., le v.89 resterait sans rime correspondante, alors que *moy* (v.89) rime normalement avec *may* (v.93).

v.94 - Je préfère scander : *maistr(e)* à la césure, que de supprimer *la* (comme l'a fait Fournier).L'expression étant *c'est raison* (voir t.I, *le Cuvier*, v.320), il faut accentuer *là* (comme dans *le Badin qui se loue*, ci-dessus N° VII,v.80).

v.95 - "Cessons cette discussion".

v.96-97 - Ces vers me semblent aussi un ajout. Si à l'intérieur du vers la désinence du pluriel *-ons* avait été rétablie, à la rime *-on* avait persisté (v.86). Le pronom *ce* était jusqu'ici orthographié *se*. Le vers 96 n'est pour le sens et la métrique d'aucune utilité. Quant au v.97, le "en chantant" n'a aucune raison d'être ; et le vers est en surplus avant les rimes croisées : *voulés - chansonnete - refoulés - nete.*

v.100 - "Votre gosier est tout à fait renfoncé", et les sons qui en sortent sont éraillés.

v.101 - Si je ne bois pas, ma voix n'est pas nette".

v.102 - Ms. : *en chantant* suit *entrent* sur la même ligne. Or, contrairement à ce qui a été admis par les éditeurs, je pense que ce ne sont pas les femmes qui chantent, mais le valet. Les deux acheteuses éventuelles qui font leur"entrée", ignorent que la femme du bateleur s'appelle Binette, comme l'héroïne de la chanson ; et elles n'ont aucune raison de chanter. Au contraire, le trio qui avait annoncé qu'il chanterait, a besoin d'attirer l'attention sur lui ; et dès que les femmes s'approchent, le bateleur ordonne au valet de faire quelques tours d'adresse pour elles (v.106-107). Il faut donc rattacher l'indication *en chantant* à la réplique du valet du v.101, et comprendre : tandis que les femmes entrent, le valet poursuit en chantant.

- La chanson est connue sous le nom de son premier vers: *Mon père m'envoie*... Elle a été publiée par G. Poncet à Lyon en 1555 dans un *Recueil de toutes les sortes de chansons nouvelles*. J.B. Weckerlin, qui l'a retranscrite en entier dans *L'ancienne chanson populaire en France* (Paris, 1887, pp. 347-350), dit l'avoir vue dans des recueils antérieurs, datant de 1535 et 1538. Elle est très vraisemblablement d'origine normande (Philipot, *Six farces*, Bb 21, pp.69-70). Elle comprend quatorze couplets de six vers. Je reproduis tels quels les quatre premiers couplets, et ne donne pour les autres que les deux derniers vers qui caractérisent chaque couplet :

1

Mon père m'envoie
Garder les moutons.
Après moy envoie,
Dureau la duroye,
Après moy envoie
Un beau valeton.

2

Après moy envoie
Un beau valeton,
Qui d'amour me prie,
Dureau la duroye,
Qui d'amour me prie.
Et je luy responds.

3
Qui d'amour me prie.
Et je luy responds :
Allez à Binette,
Dureau la durette,
Allez à Binette,
Plus belle que moy.

4
Allez à Binette,
Plus belle que moy,
S'elle vous refuse,
Dureau la durette,
S'elle vous refuse,
Revenez à moy.

5
Elle m'a refusée,
Je reviens à vous.

6
J'ay en ma boursette
Cent escus du Roy.

7
Et bien autre chose
Que je vous diray.

8
De mon pucellage
Présent vous feray.

9
Et de bon courage
Je vous aimeray.

10
Andely-sus-Seine,
Trois basteau y a.

11
C'est pour mener Binette
Au chasteau gaillart.

12
Que fera Binette
Au chasteau gaillart ?

13
Fera la lessive
Pour blanchir les draps.

14
Servira son maistre,
Quand il luy plaira.

- On voit que le valet ne chante ici, avec quelques modifications, qu'une partie des couplets 3 et 11. - Dans le ms., les v.102-103 sont sur une même ligne ; de même les v. 104-105 (et 146-147). - Un *chasteau gaillart* se disait des demeures élevées à l'avant ou à l'arrière des navires, mais aussi de tout château fort. On peut, à la suite de Philipot, renvoyer à la forteresse de Château-Gaillard, bâtie à la fin du XIIe siècle par Richard Coeur-de-Lion pour défendre l'accès de la Seine aux Andelys : le valet n'a-t-il pas présenté sa maîtresse comme étant *Binete d'Andely* (v.76) ? et la chanson n'évoque-t-elle pas *Andely-sus-Seine* ?

v.108 - *Entre* signifie ici qu'elle "commence" à parler. Généralement *commence* n'est donné qu'en tête d'une pièce pour la première réplique ; mais on a vu dans *le Ramoneur* une exception : la voisine qui "entre" au v.290 *commence*.

v.110 - Le bateleur offre des portraits. Fournier note que "les bateleurs en faisaient voir, qu'ils choisissaient parmi les célébrités du moment". Ces portraits se vendaient très cher. Le bateleur et sa femme n'offrent ici aux curieux que les portraits de "badins" anciens ou contemporains (je pense que "la belle des belles" ne désigne pas le portrait d'une "belle" anonyme ni Binette, mais signifie: "la plus belle des choses", à moins qu'il ne s'agisse d'une interpellation adressée à l'une des femmes - il faudrait alors mettre une virgule après *voir*).

v.116 - Il fait mine de lancer en l'air un portrait pour un acquéreur éventuel.

v.117 - Ms. : *Mon scauoir* précède *Hault les mains* (mots supprimés par Four.-Phil.). *Hault les mains* a le même sens qu'au vers 148 : *Hault! qui en veult lève le doy*.

v.118-119 - "Que vous n'avez pu en rencontrer un(badin), qui ait autant fait rire".

v.121 - Philipot met une majuscule initiale à *badinage*.

v.122 - Ms. : *A vous*, forme syncopée de "avez-vous" (les deux mots sont séparés, et le *v* de *vous* a le caractère du *v* initial). - v.126 : *scauous*, forme syncopée de "sçavez-vous" (en un seul mot).

v.127 - Ler. et Four. : *nous deulx*.

v.128 - "Je le veux bien".

v.129-130 - Ms. : la réplique depuis *Et Binete* à *hen* inclus (ce dernier mot se trouvant sur la ligne du v.130) continue la réplique du valet. Philipot attribue ces mots à Binette.

v.130 - *Pallée :* "parlée, tour de parole"(*paller* est une forme dialectale de "parler"). Dans la farce de *Jolyet* (ATF., t.I, p.59), la femme dit de même à Jolyet :

Me voulez-vous point escouter ?
Au moins que j'aye ma parlée.

v.131 - *Esterdre*, c'était "nettoyer, balayer". Philipot traduit : "que je ne vous époussette, que je ne vous étrille".

v.131-134 - Vers sautés par Fournier. Je suppose un ajout : propos inutiles ; trois rimes répétées; il faudrait en revanche un vers à rime en *-ra* avant le triolet qui commence au v.135. Le vers 134 aurait donc été modifié sauf à la rime *l'aura* (qu'on opposera à *aray* du v.132 ; *donq* du v.133 serait aussi à opposer à *don* du v.60).

v.135 - Ms. : *pleray* ; dans les mots de plus d'une syllabe, le *p* coupé d'une barre vers le bas était le signe abréviatif pour *par-* . Cette abréviation est constante dans cette farce (v.137, 138, 139, 141, etc.; et v.188 pour *Le Pardonneur*). On retrouve cette abréviation dans le Recueil du BM., N° XXVI, où le nom du *Pardonneur* est plusieurs fois abrégé en *pdõneur*.

v.136 - Ms. : *ont il* ; peut-être faudrait-il écrire *y* d'après le v.143. - *Leur planete* : "leurs caprices", suivant l'influence de la lune.

v.138 - (2ème hémistiche) - Ms. : Le bat[eleur].Philipot pense qu'"il est plus rationnel d'attribuer" cette réplique au valet.

v.139 - "Elle vous abandonnera". Le futur *lair(r)a* se maintiendra jusque dans la première partie du XVIIe siècle.En 1637, Corneille avait écrit dans *le Cid* (V,4) :

Et le Ciel, ennuyé de vous estre si doux,
Vous lairra par sa mort Don Sanche pour espoux.

Il corrigea en 1648 :

Et nous verrons le Ciel, meu d'un juste courroux,
Vous laisser...

v.142 - Philipot a retrouvé ce vers dans la *Fricassée crotestillonnée*, "collection de formulettes" et facétie de Jacques Caillart (1557), qui appartenait à la confrérie des Conards de Rouen et qui se trouvera être en 1558 un des nouveaux compagnons de la troupe de Le Pardonneur (mentionné ci-dessous, v.188). La locution est "Le premier qui parlera /leque foure mangera" ; ce qui pourrait s'expliquer par : "Le premier qui parlera, mangera une tranche de merde" (*leque*, forme normande de *lesche*, désignant une tranche mince ; et *foure*, ordinairement "paille, chaume", étant la forme normande de *foire* : "excréments"). Nous avons certainement là un dicton populaire, aujourd'hui intraduisible intégralement. Fournier avait sauté le vers. Je pense que c'est encore un ajout d'un farceur, qui a placé là une locution qui lui trottait par la tête depuis le v.128. Preuve en est que ce vers n'a pas de place dans le triolet des v.135-143.

v.144 - *Haultinete*(-ette) ne se rencontre nulle part ailleurs. Fournier rapproche ce mot de *hutin* : "tapage, querelle", et, en le comparant avec le surnom de Louis X,dit le Hutin, c'est-à-dire le querelleur, lui donne le sens de "humeur hargneuse". On peut rapprocher aussi ce mot de "haultaineté" : "fierté, arrogance".

v.146 - Philipot attribue *N'est pas donc*, qui est hors rime, au bateleur ; Fournier l'avait attribué à la première femme. En fait, il y a là un ajout qui appuie l'affirmation précédente :"N'est-il pas ainsi?". - *Ilz* (qui, à la différence de son emploi au v. 144 désigne le trio des bateleurs) chantent ensuite en pastichant la chanson de Binette pour l'approprier à la situation.

v.148 - Binette coupe court et reprend la vente des portraits.

v.149 - Le bateleur propose sept cents francs,somme importante et par là pure plaisanterie. On opposera en effet cette somme à *mais à sept blans* (le blanc étant une petite monnaie, valant cinq deniers), qui signifie : "et plutôt sept blancs". On verra au v.207 que le bateleur descendra jusqu'à proposer un portrait de badin contemporain pour "un liard", c'est-à-dire pour trois deniers, autrement dit pour rien.

v.151 - "Il n'y a (donc plus) d'argent en France". La *croix* désignait une monnaie sur une des faces de laquelle était frappée une croix. Il est souvent fait référence à cette monnaie : *Pathelin*, v.226 ("ne croix ne pille", c'est-à-dire pas un sou) ; *Colin qui loue et dépite Dieu* (ATF., t.I, p.226 : "je n'ay croix en France") ; *le Chaudronnier, le Tavernier (Ibid.,* t.II, p.120) ; *les Enfants de Maintenant (Ibid.,* t.III, p.25) ; etc.

v.153 - Le bateleur fait mine de *remectre* la *marchandise* dans la *banete* ("malle", v.201).

v.155 - Il y a peut-être sur *trocher* ("troquer, échanger") une plaisanterie. Philipot explique le v.157 par : "Si je trouvais mon avantage à un changement de femme". "Il semble, dit-il, que le bateleur voyant que les commères continuent de s'abstenir, propose facétieusement un payement en nature, un échange *(troc)* selon lequel Binette serait remplacée par une des deux femmes". Dans une farce du même Recueil La Vallière, N° LIX, le *Trocheur de maris* proposait à trois femmes de *trocher* leurs maris contre des hommes plus neufs ou plus dociles. Ici, le bateleur veut surtout retenir l'attention des deux femmes et les empêcher de partir ; d'où le v.158.

v.161 - *Creature* : "l'original".

v.163 - On écrivait *memoyre* tout en continuant de prononcer "memore" (forme ancienne) ; d'où la rime *encore*.

v.166 et suiv. - *Ière catégorie de portraits: les badins "du temps jadis"* ; ils sont allés au paradis sans passer par le purgatoire (v.169). Dans la sottie des *Trois Galants et le Badin* (Four., pp.453-454), le badin, à la suite d'un rêve s'imaginant Dieu, mettait, lui aussi, directement en paradis "chantres, menestreurs et farceurs", qui aimaient "tant fort le bon vein".

- Il semble que tous les farceurs et badins nommés ici soient normands. *Gilles des Vaux* (ou Desvaulx) est connu pour ses poèmes religieux ; il avait été lauréat du concours des Palinods en 1516 et le fut encore en 1524 (Phil., p.44). *Rousignol* (ou Rossignol) est un des sots de la sottie des *Sots qui corrigent le Magnificat* (Trep., t.I, N° IX)et des *Vigiles de Triboulet*, sottie datée de 1480 environ (Trep., t.I, N°X); mais s'agit-il bien du même personnage ? comme le fait remarquer Philipot, p.45 note 2, quel chantre n'a pas été tenté de "se décerner le sobriquet flatteur de rossignol"? Sur Brière, Peuget (Leroux transcrit : Penget), Robin Mercier et Cousin Chalot, on ne sait rien. En disant que Cardinot"fait le guet", l'auteur veut peut-être dire qu'il mourut vieux; et par là on serait tenté de l'identifier avec le Cardinot mentionné dans la sottie des *Menus Propos* (Rouen, 1461) ; mais le nom de Cardinot venant ici après celui de Gilles des Vaux, cette identification, s'il n'y a pas eu remaniement du passage, paraît chronologiquement peu vraisemblable.Pour Pierre Regnault, Philipot, citant Léopold Delisle, signale qu'un imprimeur de l'Université de Caen a porté ce nom et ce prénom, et qu'il mourut "peu après 1519" ; on a retrouvé un autre Pierre Regnault, libraire à Rouen en 1546 (Phil., p.45 note 2) ; mais le plus sûr est de renvoyer à la compagnie des *Fallots* ("farceurs") de Rouen (fin du XVe siècle ; voir RHT., 1952, t.III, p.230). - On notera que ces poètes - "badins" sont particulièrement cités ici pour avoir "rétabli" *(mectre sus)* les chansons qu'au XVe siècle Olivier Basselin, poète de Vire, et ses compagnons avaient mis en honneur, et que "les ravages commis par les Anglais en Basse-Normandie et la mort d'Olivier Basselin avaient fait taire" (Phil., p.72).

v.180-181 - De là-haut, ils font pour nous des miracles; car Dieu exauce ceux qui le servent en chantant bien.

v.184 - Robin Moyson (Moisson) est peut-être le poète rouennais qu'un texte de 1555 mentionne - sans prénom - parmi les contemporains (Phil., p.44) ; mais les Moisson étaient nombreux à cette époque en Normandie et notamment à Rouen(Picot, Bb 18, t.I, p.18).

v.185 - *De nouveau* (ou *de novel, novel)* : "récemment". Moyson a révélé (mais on ne sait comment) qu'ils avaient fait des miracles, comme les saints.

v.186 - Ms. : *Et atendant* ; Four. : *En atendant* ; Phil. corrige : *Et atendent*. Le sujet de ce participe est les badins dont les noms vont suivre : ils sont encore vivants,mais ils rejoindront bientôt en paradis les "badins anciens". -*Nole velle* (latin : nolle velle : "ne pas vouloir, vouloir") : "qu'ils veuillent ou non (mourir bientôt)".

v.187 - *Parc d'honneur* : "le paradis" ; *parc* désignait tout lieu clos.

v.188 et suiv. - *IIe catégorie de portraits : les badins du temps présent, mais déjà âgés* (voir Phil., pp.45-48). Les noms de ces badins ne sont que des surnoms, des sobriquets. Ainsi dans les farces, *le Pardonneur* désigne un marchand de reliques, qui fait gagner des "pardons" (voir dans ATF.,t.II, N°XXVI, *le Pardonneur, le Triacleur et la Tavernière,* farce qui commence par le boniment du pardonneur, un franc buveur lui aussi).Il s'agirait ici, d'après Philipot (pp.45-47), du faiseur de farces et farceur "Pierre Le Carpentier, dit Pardonneur", à qui il fut interdit, par un arrêt d'octobre 1556, "à lui et à cinq compagnons, de représenter la farce du *Retour de Mariage*" et, en 1558, "de jouer farces et moralités"; il vivait encore en 1563, ce qui, comme le note Philipot,donnerait "un démenti au pronostic macabre du Bateleur".Pour Coquin, Philipot conjecture "timidement" Jean Coquin, qu'un document d'archives montre comme instruisant en 1540-1541 les choristes de la cathédrale de Rouen. Toupinet et Grenier nous sont inconnus.

v.190-191 - "Le vin qui, avant que Dieu ne le fasse,leur apporte secours".

v.194 et suiv. - *IIIe catégorie de portraits : les nouveaux badins* (v.212), ceux qui sont encore bien "vivants",par opposition aux précédents, qui attendent d'être rappelés à Dieu. La liste de ces badins ne viendra qu'à partir du v.214.

v.196 - Ms. : *Voyés* termine le v.195.

v.197 - Elle veut tout voir. Déjà aux v.160-161,elle attendait avec impatience le portrait de gens vivants.

v.199 - "Afin que nous les achetions" (le verbe *achater* s'est maintenu durant le XVIe siècle ; mais voir v.236).

v.201 - Ler.-Four. : *fond*.

v.202 - Leroux a sauté *Et combien ?* et le nom du Bateleur pour la réplique suivante. Pour combler cette lacune, Fournier donne à la Première Femme une réplique *Dites-vous,* empruntée au v.256, mais il poursuit avec le Bateleur.

v.212 - Ms. : *Voecy vecy les...* ; Phil. corrige: *Voy les cy, les...* J'adopte cette correction en reprenant pour *sy* la graphie du v.194.

v.213 - Le *trihory* était une danse bretonne qui se dansait sur un air à trois temps. Noël Du Fail la mentionne dans les *Contes et discours d'Eutrepel* (1548), éd. J.Assézat, Paris 1875, t.II, p.122.

v.214 - Les badins nouveaux sont désignés par leur nom d'origine ; ceux qui le sont ensuite par un sobriquet,me paraissent avoir été ajoutés postérieurement. Foury est, dit Philipot, "inconnu" ; mais Saint-Gervais et Martainville sont des "quartiers de Rouen" (une commune à l'est de Rouen porte aussi le nom de Martainville) ; Sotteville est aujourd'hui dans la banlieue sud-est de Rouen. - Martainville, s'il s'agit de lui, était un célèbre farceur du nom de Nicolas Michel ; le Rennais Noël Du Fail, dans les *Contes et discours d'Eutrepel* (1548 ; éd. 1875, t.II, pp.208-209),évoque plusieurs farces jouées par "ce gentil, docte et facecieux badin, sans beguin, masque ne farine, Martinville de Rouen". Il figure avec Le Boursier (cité v.222) et Jacques Caillart, l'auteur de la *Fricassée crotestillonnée* (mentionnée à la note du v.142) comme nouveaux compagnons de Le Pardonneur dans la requête que celui-ci adressa en janvier 1558 pour obtenir l'autorisation de jouer farces et moralités.

v.217 - Ms. : *tout cela me...* (cor. Four.-Phil.).-"Rangez-les ; tout me semble sans valeur, méprisable *(ville)*". - La succession des rimes : aaa bbbb des v.217-224 est insolite. Là encore je suppose des ajouts. Le v.217 n'a d'ailleurs guère de sens ; ce n'est que plus tard que les femmes refuseront d'acheter ; et le bateleur n'a aucune raison de répondre *Bien* à ce refus.

v.220 - Ce *Pierrot* est curieux. On a dit que notre "Pierrot" était le "Pedrolino" de la comédie italienne, importé au XVIe siècle par les premières troupes italiennes venues en France. Mais il semble bien qu'il y ait eu contamination du Pedrolino avec un type populaire français déjà existant, le Pierrot, un "naïf" campagnard. En tout cas,cette référence à un badin mérite d'être retenue.

v.221 - *In Gen*, déformation populaire pour "Sainct Jehan". Dans la farce de *Frère Guillebert* (ATF., t.I,N°XVIII), on ne trouve que la forme *Sainct Gens* ; et dans *le Gentilhomme, Lison et Naudet (Ibid.*, N° XV, p.268), Naudet s'écrie :

Ingens! oy, ma damoyselle,
Vous estes par tout clere et belle.

- Sur *c'est mon*, voir *Glossaire* : "mon". Fournier transcrit : "Oui, c'est lui-même, mon frerot".

v.222 - Ms. : *Ausy Le Boursier et Vincenot*.Fournier supprime *Le*, Phil. : *et* ; peut-être prononçait-on : Vinc'not. - Les vers 222-223 me semblent ajoutés (voir les notes des v. 214 et 217). Le Boursier était le sobriquet de Nicolas Coquevent ; il figure en 1555 dans une énumération de"gentilz farceurs" et fut avec Martainville, en janvier 1558,compagnon de Le Pardonneur (Phil.). - On ne sait rien sur Vincenot(diminutif de Vincent), ni sur Saint-Fesin (Saint-Fessin), qui passe ici pour un grand mangeur de rôtis : c'est un surnom plaisant comme celui de Soeur Fessue dans la farce de *l'Abbesse et les soeurs* (Ler., t.II, N° XXVII).

v.224 - Fournier saute du v.224 au v.228, qui devient : "Voecy plusieurs petis badins". - *Lay* est une forme très souvent employée au XVIe siècle après un impératif,à la place du pronom *le* (voir Huguet, *Dict.*, et Picot, *Recueil*, Bb 18, t. III, N°XXI, v.331, où le 4ème Sot dit aux autres Sots en parlant du badin : Laisés lay parler ; c'est à luy"). Avant l'ajout, ce *lay* renvoyait normalement au *Pierrot* du v.220.

v.225 - Philipot, p.74, a longuement analysé le mot *vetil* et lui donne le sens de "coffre" : le bateleur voyant que les femmes sont "fatiguées" de ces offres, et lui-même étant las d'insister, remet les portraits dans le *vetil*.

v.227 - Qu'est-ce à dire ? Lunette désignant toutes sortes d'objets de forme ronde, nous n'avons que l'embarras du choix.

v.229 - *Ses* : "ces", de même que *se* est employé çà et là pour *ce* (174, 223, 241).

v.230 - "Les retiendrez-vous ? les achèterez-vous ?"

v.231 et suiv. - Passage peu clair, où chacun comprend ce qu'il peut. Voici donc ma version : Binette se lasse à son tour et ne fait plus beaucoup d'efforts (voir *Glossaire*: "diminuer") pour nous vendre ses portraits. Quant à ses compagnons, nous ne les estimons pas grand-chose ; ils ne font que chanter *(fringoter)* et nous rendraient sottes en nous trompant (*asoter* ; Four. corrige : *afoler*) sur leur marchandise.

v.236 - Bien que dans ce passage la rime d'une réplique donne la rime de la réplique suivante, *acheter* venant après *achatons* (v.199) et après deux rimes en *-ter*, me semble désigner un ajout.

v.241-242 - Vers sautés par Fournier, sans doute embarrassé parce que Leroux avait transcrit *tenues* pour *tennés*; *tennés* (ou *tanés*) : "fatigués, lassés" (voir les exemples de Huguet dans son *Dict.*).

v.243 - "Grand bien vous fasse", façon polie de prendre congé de quelqu'un. Fournier "corrige" : *Ainsy Dieu vous face!*

v.244 - On peut lire dans le ms. au deuxième mot: *dons*, *dous*, *dans*. Phil. corrige : *vous* et explique : "Vous ne pouvez pas nous reprocher d'être avares ; car nous-mêmes nous avons besoin d'argent". Comme Leroux, je préfère lire *dons* : "On ne peut nous reprocher de ne rien donner (acheter)", ce qui va dans le sens du vers suivant et du vers 281.

v.248 - Ms. : *Vos acomplisemens vos desirs*. Philipot, à la suite de Fournier, corrige : *Acomplisemens de desirs*. On peut garder le premier *vos* et scander : *acomplis(e)mens* (sens: "ce qui met le comble à quelque chose").

v.250 - *Sy* : "s'il". *Rompeur de chansons* : "celui qui vient interrompre par ses chansons, c'est-à-dire un importun, un trouble-fête" (voir H. Lewicka, *Etudes...*, Bb 41, p. 73). - v.251 : *fleureçon* est un apax ; ce mot est formé sur *fleureter* et signifie : "diseur de balivernes".

v.252 - *Raillart*, comme nom, signifiait surtout : "moqueur, bavard" ; mais comme adjectif le sens le plus fréquent est : "gai, plaisant". Rabelais dit que Grandgousier "estoit bon raillard en son temps" (*Gargantua*, ch.III).

v.253 - "Et qu'il vienne vous prendre par la taille".

v.255 - Ms. : *Cune* : "qu'une" (tous les éditeurs ont gardé cette graphie abréviative).

v.256 - "Que dites-vous?" - Ce vers sera repris aux v. 262 et 272.

v.259-261 - Syntaxe compliquée : "A qui recourrons-nous, qui veuille nous secourir, sans que nous ayons à entendre quelque raillerie?"

v.265 - "Et qu'il ne fasse que nous quereller" (Leroux transcrit : *qui ne faict* et Fournier : *qui ne faict rien*). Dans *le Trocheur de maris* (Ler., t.III, N° LIX), une des femmes qui se plaignent de leurs maris, dit :

> Moy, je ne demande que soullas,
> En l'acollant de mes deulx bras.
> Mais il ne faict que rioter.

Le curieux, si l'on peut dire, est que *rioter* signifiait"quereller", "se disputer", mais aussi "faire l'amour".

v.267-272 - Vers sautés par Fournier, sans qu'on sache pourquoi. Pour le sens, en tout cas, ce passage me semble surajouté.

v.268 - "Si vos maris vous disent..."

v.271 - "Bien plutôt pour vous" (les *fiebvres cartaines*) ; et ajoute le valet, "il convient que vous leur répondiez ainsi".

v.275 - Philipot voit dans ce vers "une parenthèse ironique" : "Mais qui s'en rapporterait à vous ? Qui attache de l'importance à votre opinion ?". - Le v.276 paraît reprendre le v.274 : "Aussi (de même) vous ne faites pas grand compte de nous". Fournier transcrit à tort : *Aussy vous faictes, vous, de nous.*

v.277 - Ms. : *Unne.*

v.278 et suiv. - Passage difficile, où je vois une sorte de *pro domo* en faveur des badins et une méprisante adresse à l'égard des gens qui ne comprennent rien au "badinage". Le sens est : "Une personne de valeur n'appelle pas chantre un bateleur ou un farceur, mais, en choisissant bien ses termes, elle les appelle gens de coeur..."

v.281 - "Nous ne prenons aucun de vos dons", c'est-à-dire : nous n'avons que faire de votre argent.

v.282-284 - "Nous ne prenons plaisir que de nos chants, pour nous divertir, sans jamais nous écarter de notre chemin" (de notre idéal).

v.285 - Les femmes ont compris et se sont éloignées. Chacun, faute d'argent gagné, va maintenant abonder dans le sens du valet. Binette, d'abord, qui demande à ses compagnons d'avoir confiance en Dieu (*poinct ne vous défiés*) : n'avait-il pas été dit que le *parc d'honneur* les attendait ?

v.287 - "Qu'importe si l'on nous donne peu!". Toute cette fin contient des redites : v.282 et 292, 287 et 297, 288 et 294, ou des redondances : v.290, ou des obscurités : v. 293. En outre, la disposition des rimes est devenue irrégulière. C'est pourquoi je considère la tirade de Binette comme un ajout, ainsi que le v.295.

v.289 - Le copiste avait d'abord écrit : *Jeutz y. Signifiés* : "donnez le signal des jeux" (Phil.).

v.290 - Ms. : *nuct*.

v;291 - "Ne soyez pas soumis au vulgaire".

v.292 - Ms. : *Vostre plaisir* (cor. Phil.). Voir Recueil de Fribourg, Bb 14, *Gautier et Martin*, p.58, v.313-314 : "En bref langaige / Nostre plaisance nous nourrist"; Gautier dit encore (p.59, v.317-320) :

> Nous sommes contens; qu'on nous pende
> Se amassons argent ny or ;
> Souffisance est nostre tresor :
> C'est assés, nous sommes contens.

On se reportera aussi ci-dessus aux v.24-25.

v.297 - "Il ne peut nous soucier que l'on nous donne peu d'argent".

v.298 - Ce vers sert d'"adieu" au public.

FINIS. - Ce mot est suivi dans le ms. d'une indication chiffrée en caractères romains, comptabilisant le nombre de lignes occupées par le texte parlé (nom des personnages exclu) : 278 lignes. En tête du Recueil, la Table indiquait pour la farce du *Bateleur* 359 lignes, ce qui doit correspondre au total des lignes : titre, personnages et texte.

-

XII

LES GENS NOUVEAUX

—

LES GENS NOUVEAUX

-

I - TEXTES

a) ancien :

- *Recueil du British Museum* (Bb 4 et 7) (cote : C 20 e. 13, pièce N° LVIII), in-4° et en caractères gothiques ; 6 feuillets (12 pages, de 46-47 lignes à la page pleine); mêmes caractères d'imprimerie que ceux de *Folle Bombance,Mieux que devant* (sans lieu ni date) et de *Colin fils de Thevot*(maison Chaussard, Lyon, 1542) et des *Cinq Sens (ibid.*, 1545). Sans lieu ni date, mais imprimé à Lyon, "en la maison de feu Barnabé Chaussard", entre 1542 et 1548 (voir ci-dessous la note de *Finis* sur les vignettes qui accompagnent le texte).- Nombreuses abréviations (voir ci-dessus t.I, p. 44) ; quelques altérations possibles (voir les notes des v.204, 233 et 310).

Pour la diversité des graphies et des formes morphologiques, on notera seulement : *ainsi* (218) et *aussy* (222) ; *doit*-il (203) et *doibz*-tu (222) ; *encores* (153) et *encore* (240, devant consonne) ; *en pire* (1er titre, etc., 355) et *empire* (titre après FINIS) ; *guarisse* (142) et *guerir* (311); *ilz* (passim) et *il* (= ils ; 21, 109, 173) ; ne ... *mie* (185) et ne... *mye* (314) ; *personnaiges* (titre, p.1)et *personnages* (titre, p.2 ; voir note) ; *quelle* fin (173) et *quel* part (220) ; *regné* (29) et *rener* (30; voir note) ; *riens* (20,120) et *rien* (139, 203).

La 2ème personne du pluriel est tantôt en *-ez*(4,138,199, etc.), tantôt en *-és* (148, 178, 202, etc.).

b) modernes :

- *Ancien théâtre françois* (Bb 6), t.III, 1854, pp. 232-248 : suit le texte du BM., avec quelques erreurs de transcription (*mais* pour *et,* v.34 ; *pleins* pour *plains,* v.87; *notre* pour *nostre,* v.117 ; etc.).

- Fournier (Bb 16), 1872, pp.68-73 (sur 2 col.) : suit ATF,

- Picot, *Recueil général des sotties* (Bb 18), t.I,1902, pp.113-136. - A revu le texte sur BM. ; introduit dans le texte un certain nombre de corrections utiles : *noms* pour *mons* (v.14), ou discutables : *promoteurs* pour *prometteurs* (v. 57), *Ho! j'oy* pour *Ho! j'ay ouy* (v.130), *traveille* pour *trancille* (v.154) etc. ; et a commis à son tour quelques erreurs de lecture ou de transcription : *i* pour *il* (35), *manger* (66), *faut* (77), *partiz* (82), *vieilles* (86), *treuvent* (87), *un* (94), etc.

II - FARCE MORALISÉE ET SOTTIE

La pièce des *Gens nouveaux* est donnée, dans son titre, comme une "farce moralisée" ; ce qui n'a pas empêché Picot de l'inclure dans son *Recueil général des sotties*.

A quel genre appartient cette pièce ? Et s'il n'était pas inutile de donner un exemple des nombreuses"farces moralisées" du Moyen Age(1), et, après des scènes gaillardes, de passer à des sujets plus sérieux, quel intérêt y avait-il à terminer le second volume de notre recueil par cette satire politique et morale ?

On a déjà dit ce qu'il fallait penser des étiquettes qui qualifient telle ou telle oeuvre du théâtre comique médiéval et à quelles difficultés on se heurte quand on veut classer les "farces"(2).

Un fait certain, le sujet traité dans *les Gens nouveaux* relève des thèmes comiques. Gustave Attinger (3) a même fait remarquer qu'Aristophane avait été le premier dans sa comédie des *Cavaliers* à faire la "satire des mauvais conducteurs du peuple".

---

(1) Dans les études récentes de B. Bowen et de H.Lewicka,citées à la note suivante, ces "farces moralisées"sont exclues du domaine de la farce proprement dite.
(2) Ci-dessus, t.I, pp.17-21. Pour compléter, voir E. Droz, *Recueil Trepperel* (Bb 1), t.I (1935), pp.LXVII-LXIX ; B. Bowen, *Les caractéristiques essentielles de la farce française*

Pour définir le genre farcesque, on peut, à la suite de G. Attinger, opposer la *Farce moralisée des Gens nouveaux* à la comédie des *Cavaliers* et à la *Moralité de Charité, où est démontré les maux qui viennent aujourd'hui au monde par faute de charité* (ATF., t.III). Dans *les Cavaliers,* si Démos représente le "type" de l'homme du "peuple" plus soucieux de bonne chère que de politique, le Paphlagonicien masque Créon, et dans les serviteurs les Athéniens avaient reconnu Démosthène et Nicias. Les personnages de la *Moralité de Charité* ne sont au contraire, pour la plupart, que des abstractions: le Monde, Jeunesse, Vieillesse n'appartiennent à aucune classe particulière d'individus ; et dès que le Fol a débité son monologue comique, les personnages ne défilent que pour prononcer des discours moraux ou pour dialoguer sur des questions morales(4). Quant aux personnages des *Gens Nouveaux,* tout en renvoyant à des types connus de politiciens, ils ne représentent aucun homme historique particulier; mais ils ne sont pas de pures abstractions ; et le Monde est le personnage collectif du petit peuple réduit à la misère après de vaines promesses.

Dans la *Moralité de Charité,* ce qui compte ce sont les exposés. Dans la *Farce moralisée des Gens nouveaux,* les personnages vont au-delà des discours : ils agissent ; ils se concertent pour séduire le Monde, puis l'entraînent de lieu en lieu, lui faisant miroiter à chaque déplacement un avenir meilleur.

Bien que les farces moralisées empruntent le plus souvent leurs personnages aux moralités, les échanges entre les "types" de la farce "farcesque" et les abstractions personnifiées de la farce "moralisée" sont possibles. On passe facilement du Mari berné au Monde séduit et dupé, de la Femme

---

... (Bb 40), 1964, pp.6-12 ; et l'article de H. Lewicka, "La farce et les genres dramatiques du Moyen Age", dans *Etudes sur l'ancienne farce française* (Bb 41), 1974, pp.9-17.

(3) *L'esprit de la commedia dell'arte*. Paris, 1950, pp.80-82.

(4) Ce qui peut justifier son étendue. La farce des *Gens nouveaux* (17 pages dans ATF. et 4 personnages) n'a aucune commune mesure avec la *Moralité de Charité* (88 pages dans ATF. et 12 personnages).

rusée ou de l'Amoureux impatient aux Gens nouveaux avides d'argent ou de conquêtes.

Mais comme un certain pessimisme se dégage des *Gens nouveaux*, je pense que cette farce n'a pas dû être jouée en fin de spectacle, lorsqu'il était traditionnellement admis que le public "se gaudisse", mais qu'elle l'a été plutôt en début de spectacle à la place d'une sottie.

Faut-il aller plus loin et dire que notre "farce moralisée" est une sottie(5) ? Certes, les "gens nouveaux" ne sont jamais appelés "sots", alors que dans *les Menus Propos*, où les personnages donnés sont : le Premier, le Second et le Tiers, dès leur première réplique l'auteur indique clairement qu'il s'agit du Premier Sot, du Second Sot et du Tiers Sot ; de même que dans *les Sobres Sots*, où les personnages sont dans l'intitulé du titre "V Galants et le Badin", dès que le Premier Galant parle, il est dit "Premier Sot", etc. Mais on a vu qu'il suffisait à tel personnage de farce de revêtir l'habit du sot pour qu'il y ait "sottie", ou que le sot s'enfarine le visage pour qu'il y ait "farce".

La distinction entre farce et sottie en devient parfois subtile, et peut-être arbitraire. Ajoutons que dans *les Gens nouveaux*, la satire politique nous ramène à la sottie; l'action réduite à des déplacements, aussi, même si un fil conducteur ébauche une trame. La forme même apparente cette farce à une sottie, avec ses répliques successives du Premier, du Second et du Tiers, ordonnées régulièrement comme dans maintes sotties, et ses jeux verbaux de vers dits "à queue rimée".

On a là, on le voit, un "genre" complexe, et qui méritait d'être connu.

---

(5) Ce n'est pas le seul exemple d'une pièce appelée "farce" et qui ait tenu lieu de "sottie". Ce qui explique que dans son *Répertoire* Petit de Julleville ait renoncé à distinguer les deux genres. Voir aussi ci-dessus, t.I, p.18 note 6 : en 1548, Thomas Sebillet n'avait déjà pas séparé la "farce" et la "sottie françoise".

III - UN THÈME D'ACTUALITÉ

Aucune particularité dialectale, aucun nom géographique ne permettent de déterminer l'origine de cette pièce. Picot (Bb 18, t.I, p.115) la disait "probablement parisienne" ; et je ne vois rien qui puisse le contredire. Son auteur appartenait sans doute aux clercs de la Basoche (satire des gens de justice, emploi de termes juridiques) ou aux Enfants sans souci : les uns et les autres échangeaient volontiers leur répertoire.

Quand a-t-elle été écrite ? Aux vers 181-190, le Monde fait une distinction entre les "gens d'armes" qui par "ordonnance" sont devenus "servans au royaulme de France", et ceux qui vont par villes et campagnes larronner et piller. Fournier voyait là une allusion à l'ordonnance de Charles VII, datée d'avril 1448, qui, mettant fin aux exactions des soldats sur le territoire, créait les Francs-Archers et réorganisait l'armée "en quinze compagnies". *Les Gens nouveaux* pourraient dès lors dater de 1461, c'est-à-dire de la première année du règne de Louis XI, qui succédait à son père Charles VII : Louis XI devenu roi, après avoir vécu exilé en Bourgogne, avait renvoyé les conseillers de son père pour s'entourer de "gens nouveaux" ; qu'allait devenir le Monde? Et notre farce moralisée serait une pièce d'opposition, montrant que le Peuple n'avait rien à attendre de bon des gens nouveaux qui prétendaient le régenter. Par là, elle serait tout à fait conforme à l'esprit satirique des sotties.

Par là aussi, elle s'intégrerait à toute une suite de farces ou sotties qui, tout au long du XVe siècle, dénonçaient les malheurs du temps(6). En 1440, après un arrêt dans l'épuisante lutte contre les Anglais, la guerre civile menaçait : la révolte des princes (la "Praguerie") venait de révéler les ambitions de ceux qui plaçaient leurs intérêts personnels avant ceux de la France meurtrie. Dans la farce de *Métier, Marchandise et Berger* (Ler., t.IV, N° LXXII ; et

---

(6) Voir Petit de Julleville, *La comédie et les moeurs en France au Moyen Age*, pp.117 et suiv.

Four., N° VI), contemporaine de ces événements, le peuple reproche à Temps-qui-court de n'amener avec lui que révolte et "pillerie". Temps-qui-court peut bien disparaître et revenir sous un nouvel habit : à chaque retour, la situation est pire ; et quatre fois, les malheurs se font plus pressants. Les responsables en sont les "Gens" qui mènent le monde et font tout "à leurs appétits". Ces "Gens" sont dans la pièce représentés par un seul personnage ; et il est significatif qu'il ait "un faulx visage par derière la teste" et qu'il ne marche qu'"à reculons". Cependant l'espoir renaît ; car, fourberie pour fourberie, les "Gens" font les plus belles promesses : tout va changer ; et eux-mêmes annoncent une ère nouvelle :

Quant les gens ne seront saulvages,
Qui n'auront plus leurs faulx visages,
Qui laiseront mauvais langaiges
Et auront asés sufisance,
Qui croiront le conseil des sages,
Qu'ilz yront droict en tous pasages
Et ne permetront faire oultrage,
Le Beau Temps viendra à plaisance.

Mêmes griefs, mais aussi même espoir dans la farce, dite "bergerie fort joyeuse et morale", de *Mieux que devant* (ATF., t.III, N° LVII ; et Four., N° VII) ; mais là l'accent est mis sur la soldatesque. On ne parle pas encore des méfaits des Francs-Archers créés par l'ordonnance de 1448 (le *Franc-Archer de Bagnolet* viendra plus tard), mais des gendarmes qui avaient été "cassés" (licenciés) en 1439 et n'avaient pas été repris dans l'armée régulière et permanente que s'était constituée Charles VII : ils allaient volant et pillant le Peuple, dévastant Plat-Pays (la compagne) :

Qui règne sur les champs? - Gensdarmes.
. . . .
- Vont-ilz en guerre? - On le dit.
- Que vont-ilz faire? - Leur esbatre.
- A noz despens? - Sans contredit.
. . . .
- Et en chemin? - Poules abatre.
- Velà leur train. - C'est leur destinée.
Emporté ont mon fléau à batre

Et le lard de ma cheminée.

. . . .

(+oeufs) - Ilz m'ont mengé... - Quoy? - Deux cens d'eux+.

. . . .

- Qu'emportent-ilz? - Mes souliez neufz.
- Boyvent-ilz bien? - Comme pourceaulx.
- A quel mesure? - A plains seaulx.
- Velà leur train. - Velà leur dance. *etc.*

Bon-Temps reviendra-t-il? En attendant, le Peuple accueille Mieux-que-devant, qui laisse espérer des temps meilleurs.

La pièce des *Gens nouveaux* serait-elle une réponse désabusée à ces promesses ?

La seule objection viendrait de la langue des *Gens nouveaux*, qui semble appartenir plus à la fin qu'au milieu du XVe siècle.

Faut-il, en conséquence, donner à cette farce une date plus tardive ? Après Petit de Julleville (*La comédie et les moeurs...*, pp.133-134), G.Cohen (*Le théâtre au Moyen Age*,t.II, p.75) pensait que *les Gens nouveaux* appartiendraient "plutôt" au début du règne du jeune Charles VIII (1483). "Il y eut alors, écrit Petit de Julleville, un changement de régime et de politique intérieure plus complet que celui même qui avait signalé le début du règne de Louis XI" ; et aux mêmes promesses des hommes qui gouvernaient au nom du jeune roi correspondaient les mêmes malheurs que jadis.

N'est-ce pas encore une date trop éloignée ? Mais peut-on avancer encore ? On évoquera la sottie de *l'Astrologue*(*Recueil général des sotties*, t.I, N° VII), que Picot date de 1498, c'est-à-dire du début du règne de Louis XII : les sots se lamentent sur la triste situation de ce début de règne ; tout pourrait changer, il est vrai ; mais il faudrait se débarrasser des Lombards et des Romains dont l'influence sur le nouveau roi est des plus néfastes ("première attaque", dit Picot, dirigée contre le nouveau premier ministre, Georges d'Amboise, et contre son frère, Louis d'Amboise, évêque d'Albi, "devenus tout puissants depuis la mort de Charles VIII").

Le plus prudent, je crois, serait de ne pas rattacher à priori *les Gens nouveaux* à une période déterminée. La sottie des *Rapporteurs*, qui fut imprimée elle aussi à Lyon chez "feu Barnabé Chaussard" (*Trep.*, t.I, N° IV) et qu'E. Droz date des environs de 1480, c'est-à-dire de la fin du règne de Louis XI, ne traite-t-elle pas des mêmes thèmes que *les Gens nouveaux ?* mêmes idées (voir ci-dessous les notes qui accompagnent le texte), mêmes expressions (le Premier Sot s'écrie au v.41 : "Feste bieu, que de gens nouveaulx!" et répète deux fois ce vers[44, 47]). On a l'impression qu'il y a là toute une suite de lieux devenus hélas! communs et qu'on appropriait aux circonstances.

Malgré leur étiquette de farce "nouvelle", *les Gens nouveaux* pourraient aussi n'être, dans la version que nous possédons, qu'un remaniement ou plutôt une mise à jour(notamment pour la langue) d'une version plus ancienne, qui daterait,elle, des environs de 1461.

De toute façon, il n'y a rien de nouveau sous le soleil ; et nos gens "nouveaux", de 1461 ou de 1483, n'ont pas fini de faire parler d'eux. Heureux encore, s'ils ne nous logent pas de mal en pis en prétendant faire "mieux-que-devant"!

IV - STRUCTURE DRAMATURGIQUE

1 - *Les personnages*

a) Gens nouveaux. Nous avons déjà parlé des"Gens" de *Métier et Marchandise*, dont le rôle était donné à un seul personnage. Ici, selon la manière des sotties où les Sots, les Galants, les Fols sont généralement au moins trois, les Gens sont représentés par trois personnages, qui ne sont désignés que par leur numéro d'ordre : le Premier, le Second,le Tiers, leur ordre de parole étant : 1er, 2ème, 3ème.Dans leur pluralité, ils ne sont d'abord qu'un personnage collectif (ils disent : "nous", "nostre") ; puis, à partir du v.95, apparaissent les pronoms et adjectifs de la première personne ("mon", "je"). Le Premier dit plus souvent que les autres "je" (98, 130, 140, 211) ; il entame le débat et semble avoir quelque autorité sur ses "compagnons" (35) ; mais c'est le Second qui lance la série des "faisons" (41) ; au Tiers revient l'esprit d'initiative (33-34, 116-117, 301-302). "Gens nouveaux" (v.8, 9, 16, 24, 37, etc. - L'expression revient dans leur bouche vingt et une fois), ils se plaisent constamment à s'opposer aux "vieux", aux "gens anciens", à ceux du "temps passé"(v.5, 17, 18, 29, 76, 79, 90, 118, etc.).

b) Le Monde est un personnage familier des sotties, des moralités et des farces moralisées (Petit de Julleville, *Répertoire*, N° 16, 17, 37, 40, 49 ; 111, 154, 196). Dans *les Trois Galants et le Monde qu'on fait paître* (Picot, Bb 18, t. I, pp.11-46), le Monde est assailli par trois Galants qui en le flattant veulent vivre à ses dépens. Le Monde est ainsi bien souvent l'objet de la convoitise des ambitieux, celui dont on abuse "à plaisir" :

C'est grand pitié que de ce povre Monde !

est-il répété dans la sottie de *Monde et Abus* (Pic., t.II, v. 8, 16, 24, 28)(7).

2 - Répartition scénique des personnages (d'après le nombre de vers de chaque rôle) :

	1 - 121	122 - 129	130 - 355	Total : 355	
Les Gens nouveaux					
Le Premier	51	—	36	87	
Le Second	35	—	28	63	207½
Le Tiers	35	—	22½	57½	
Le Monde	—	8	139½	147½	

(7) Voir aussi les poésies consacrées aux malheurs du Monde, dans le *Recueil des poésies françaises des XVe et XVIe siècles*, éd. Montaiglon et Rothschild, t.XII.

3 - Lieu scénique et mouvements. Le lieu est indéterminé; et les deux "logis", Mal et Pire, ne sont signalés que par leur nom.

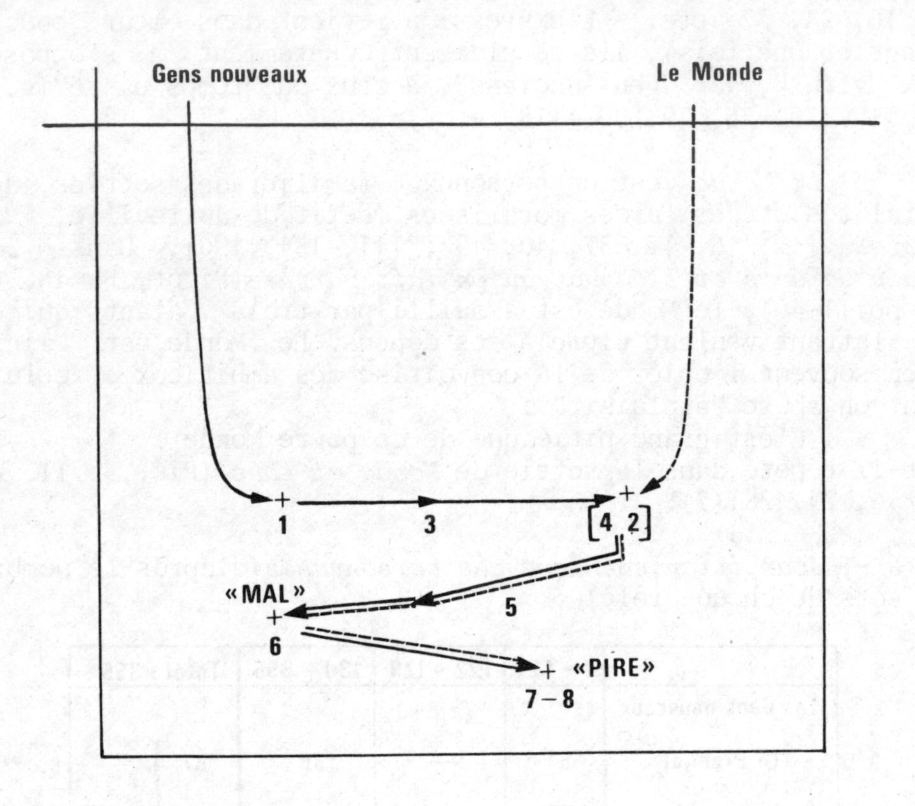

4 - Idées et forme :

I - 1-121 (mouvement 1) : Les Gens nouveaux projettent de régenter le Monde.

a) 1-24; 1er - 2ème - 3ème : chacun un couplet de 8 vers (2 strophes en rimes croisées, sur le modèle : abab bcbc... , avec à la fin de chaque couplet et en refrain : "Somme, nous sommes gens nouveaulx").

b) 25-34; 1er et 2ème : chacun une strophe de 4 vers à rimes croisées ;

3ème : deux vers à rimes plates, faisant le lien entre ce qui précède et ce qui suit.

A partir de là, rimes plates : aa bb cc dd ...

c) 35-71: le Premier invite ses "compaignons" à proposer choses "nouvelles" (promesses). Puis le Second prélude par une strophe de 3 vers (abb), commençant par "Faisons" et se terminant par "Ainsi serons-nous gens nouveaulx". Le procédé est aussitôt repris par chacun d'entre eux dans des strophes de 4 vers à rimes plates : les Gens nouveaux imaginent, pour étonner le monde, des réalisations impossibles (les oiseaux qui voleront sans ailes) ou peu vraisemblables (les médecins qui guériront de tous maux).

d) 72-121; 1er - 2ème - 3ème : chacun déplore le maigre héritage laissé à leur disposition par les "anciens" (répliques de 10 à 2 vers ; le tour de parler du Tiers est sauté entre les v.109-110) ; ils décident d'aller voir où en est le Monde.

II - 122-129 (mouvement 2) : Le Monde fait état de ses malheurs ; il redoute les périls qui le menacent. Tirade lyrique ; rimes : a (en liaison avec le vers précédent) bab bcbc.

III - 130-355 (mouvements 3 à 8) : Le Monde se fie aux promesses des Gens nouveaux ; mais il a tôt fait de déchanter : les Gens nouveaux reviennent aux abus anciens (après les promesses, la réalité) et le mettent "de mal en pire". Rimes plates.

a) 130-133 : marche des Gens nouveaux vers le Monde.

b) 134-229 : plaintes du Monde sur le passé ; les Gens nouveaux lui promettent assistance ; puis viennent les premières exigences des Gens nouveaux : le Monde regrette de leur avoir fait confiance et les maudit.

Après un dialogue entre le Monde et le Premier (134-143) et l'intervention du Second et du Tiers (144-147), les répliques suivent l'ordre : Monde - Premier, Monde - Second, Monde-Tiers, etc. (148-229 ; l'attribution des v.204-206 fait difficulté).

c) 230-244 : pour mieux gouverner le Monde, les Gens nouveaux l'assignent à résidence ; et c'est le départ.

d) 245-314 : les voici arrivés. Le Monde se plaint d'avoir été mené non dans un heureux séjour, mais à "Mal"(tirade en vers "à queue rimée", où les sonorités d'une fin de vers sont reprises au début du vers suivant ; ordre des rimes : ab bcbc cc dd efef fgg). Puis nouveaux dialogues (Prèmier - Monde, Second - Monde, Tiers - Monde, etc.), où le Monde renouvelle ses plaintes, et les Gens nouveaux leur demande d'argent. Enfin, le Tiers prétend consoler le Monde en lui donnant un autre logis (les v.309-314 ébauchent un triolet; voir la note du v.309).

e) 315-351 : nouveau départ ; nouvelle "hostellerie",qui se révèle être "Pire" ; nouvelles plaintes du Monde, où il utilise de nouveau les vers "à queue rimée" (ordre des rimes : abab bcc cdcd ee ff ghhg). Les Gens nouveaux affirment que ce ne sont là que "premiers assaulx".

f) 352-355 : le Monde n'a plus qu'à tirer la morale de son aventure et à mettre en garde le peuple contre les Gens nouveaux (à partir du v.344, rimes embrassées puis croisées : abba cdcd dede).

V - SCANSION

Ce qui précède me dispense de revenir sur la versification ; et je dirai dans les notes ce qu'il convient de penser de certains vers de sept syllabes dans une longue suite d'octosyllabes. Pour les rimes, signalons, et toujours en fonction de la prononciation : *moins - nonnains* (93-94), *termes - armes* (184-185), *folz - vous* (216-217).

Quelques exemples de scansion :

Des anci-ens ne vient la sente (5)
Tant d'abay-es, tant de moynes (92)
Vous gouverne-[t]-on de tel sorte (166)
Et si ne sont mi-e gens d'armes (185)
Qui soy-ent mys à l'ordonnance (186)
Monde, | il fault avoir sa vie (206)
Je le vouldroy-e bien sçavoir (232)
Jadis portoy(e) face faconde (258)
Puis qu(e) une foys sont esveillez (288)
Peuple, d'avoir bien ne t(e) attens (339).

-

f° A r° p.1

Farce nouvelle moralisée
des GENS NOUVEAULX
qui mengent le monde et le logent de mal en pire
à quatre personnaiges, c'est assavoir :
LE PREMIER NOUVEAU, LE SECOND NOUVEAU, LE TIERS NOUVEAU et
LE MONDE.

-

v° p.2

LE PREMIER NOUVEAU *commence*. 1

Qui de nous se veult enquerir,
Pas ne fault que trop se demente ;
Nostre renom peult on querir,
Com verrez, à l'heure presente.
5 Des anciens ne vient la sente,
Combien qu'ilz fussent fort loyaulx.
Chascun à par soy se regente.
Somme, nous sommes gens nouveaulx.

LE SECOND NOUVEAU.

A gens nouveaulx nouvel coustume ;
10 Chascun veult veoir nouvelleté.
Bien sçavons que tel l'oyson plume
Qu'au menger n'est pas invité.
Et, pour vous dire verité,
Nous avons noms mignons et beaulx
15 Pour proceder en equité.
Somme, nous sommes gens nouveaulx.

LE TIERS NOUVEAU.

Du temps passé n'avons que faire,
Ne du faict des gens anciens.
L'on l'a paint ou mys par hystoire ;
20 Mais, de vray, nous n'en sçavons riens.
S'ilz ont bien faict, il ont leurs biens ;
S'ilz ont mal faict, aussi les maulx.
Nous allons par aultres moyens.
Somme, nous sommes gens nouveaulx.

LE PREMIER.

25 Gouverner, tenir termes haulx,
Regenter à nostre appetit
Par quelques moyens bons ou faulx :
Nous avons du temps ung petit.

LE SECOND.

Les vieulx ont regné, il souffit ;
30 Chascun doit rener à son tour.
Chascun pense de son proffit,
Car après la nuyt vient le jour.

f° Aij r° p.3

LE TIERS.

Or ne faisons plus de sejour,
Et avisons qu'il est de faire.

LE PREMIER.

35 Compaignons, il est necessaire
D'aller ung petit à l'esbat.
A nouveaulx gens nouvel estat.
Puis que les gens nouveaulx nous sommes,
Acquerir de bruit si grans sommes,
40 Que par tout il en soit nouvelles.

LE SECOND.

Faisons oyseaulx voller sans elles,
Faisons gens d'armes sans chevaulx :
Ainsi serons-nous gens nouveaulx.

LE TIERS.

Faisons advocatz aumosniers,
45 Et qu'ilz ne prennent nulz deniers,
Et sur la peine d'estre faulx :
Ainsi serons-nous gens nouveaulx.

LE PREMIER.

Faisons que tous couars gens d'armes
Se tiennent les premiers aux armes,
50 Quant on va crier aux assaulx :
Ainsi serons-nous gens nouveaulx.

LE SECOND.

Faisons qu'il n'y ait nulz sergeans
Par la ville ne par les champs,
S'ilz ne sont justes et loyaulx :
55 Ainsi serons-nous gens nouveaulx.

LE TIERS.
Faisons que tous ces chicaneurs,
Ces prometteurs, ces procureurs,
Ne seignent plus memoriaulx :
Ainsi serons-nous gens nouveaulx.
LE PREMIER.
60 Faisons que curez et vicaires
Se tiennent en leurs presbytaires,
Sans avoir garces ne chevaulx :
Ainsi serons-nous gens nouveaulx.
LE SECOND.
Or faisons tant que ces gras moynes,
65 Ces gras prieurs et ces chanoines
Ne mengeussent plus gras morceaulx :
Ainsi serons-nous gens nouveaulx.
LE TIERS.
Faisons que tous les medecins
v° p.4 Parviennent tousjours en leurs fins
70 Et qu'ilz guerissent de tous maulx :
Ainsi serons-nous gens nouveaulx.
LE PREMIER NOUVEAU.
Cheminons par mons et par vaulx
En pourchassant nostre aventure.
C'est droict, c'est le cours de nature.
75 Nostre cours dure maintenant ;
Les anciens ont faict devant
Leurs jours; il fault les nostres faire.
Gens nouveaulx ne se doivent taire ;
Car nous avons des anciens
80 Par succession tous leurs biens,
Quelque part qu'ilz soyent vertiz.
LE SECOND.
Pourquoy ne sont-ilz bien partis ?
Ilz en avoyent tant, mère dieux !
LE TIERS.
Ilz sont cachez en trop de lieux,
85 Voyre qu'on ne sçait où ilz sont.
LE PREMIER.
Massons qui vielles maisons font,
En trouvent souvent à plains potz ;
Mais, quant à nous, nescio vos.

LE SECOND.
C'est ung point trop mal assorté.
90 Les gens vieulx ont tout emporté ;
Ilz ont fondé tant de chanoines,
Tant d'abayes, tant de moynes,
Que les gens nouveaulx en ont moins.
LE TIERS.
Que servent ung tas de nonnains
95 Que mon père jadis fonda,
Et cinq cens livres leur donna,
Dont j'en suis povre maintenant ?
LE PREMIER.
J'en peulx bien dire peu ou tant.
Que peult estre tout devenu
100 Que nous n'avons le residu ?
Il nous devroit appartenir.
LE SECOND.
C'est faulte de sa part tenir.
LE TIERS.
Or sus! ilz sont mors, de par Dieu,
Et si ne sçavons en quel lieu
105 Estoyent leurs tresors souverains.
f° Aiij r° p.5 LE PREMIER.
Voulentiers, à ses jours derrains,
Ung riche cèle sa richesse.
LE SECOND.
Unde locus, mais pourquoy esse ?
Pourquoy n'en ont-il souvenir ?
LE PREMIER.
110 Ilz cuident tousjours revenir,
Mais esperance les deçoit.
Et par ainsi on apparçoit
Que plusieurs ont esté deceuz.
LE SECOND.
Or prenons ung chemin : sus, sus !
115 Chascun en son propos se fonde !
LE TIERS.
Il nous fault gouverner le Monde,
Velà nostre faict tout conclus.
Aux anciens n'appartient plus ;
C'est nous qui devons gouverner.

LE PREMIER.
120 Riens ne nous vault le sejourner ;
Allons veoir que le Monde faict.

2

LE MONDE.
Et que sera-ce de mon faict ?
Pourquoy m'a laissé Zephirus ?
Je suis tout destruit et deffaict ;
125 Tous mes biens sont à Neptunus.
Jamais asseuré je ne fus,
Pource que j'avoye esperance.
Mais maintenant je n'en puis plus ;
Le Monde vit en grant balance.

3

LE PREMIER.
130 Ho! j'ay ouy le Monde. Qu'on s'avance !
Il fault tirer par devers luy.
LE SECOND.
Gardons-nous de luy faire ennuy.
Traicter le convient doulcement.

4

LE PREMIER.
Et puis, Monde, comment, comment,
135 Comment se porte la santé ?
LE MONDE.
Honneur et des biens à planté
Vous doint Dieu, mes bons gentilz hommes.
LE PREMIER.
Vous ne sçavez pas que nous sommes ?
LE MONDE.
v° p.6 Ma foy, je ne vous congnois rien.
LE PREMIER.
140 Par ma foy, je vous en croy bien.
Monde, nous sommes Gens nouveaulx.
LE MONDE.
Dieu vous guarisse de tous maulx,
Gens nouveaulx! Que venez-vous faire ?
LE SECOND.
C'est pour penser de ton affaire
145 Et de ton estat discerner.
LE TIERS.
Nous venons pour te gouverner,
Pour ung temps à nostre appetit.

LE MONDE.

Vous y congnoissés bien petit.
Dieu! tant de gens m'ont gouverné
150 Depuis l'heure que je fus né !
En moy ne vis point d'asseurance ;
J'ay esté tousjours en balance.
Encores suis-je pour ceste heure.
Le peuple trancille et labeure,
155 Et est de tous costez pillé.
Quant labeur est bien tranquillé,
Il vient ung tas de truandailles,
Qui prennent moutons et poulailles.
Marchandise ne les marchans
160 N'osent plus aller sur les champs.
Et chascun dessus moy se fonde,
En disant : "Mauldit soit le Monde!"
J'en ay pour retribution
Du peuple malediction.
165 C'est le salut que j'[en] emporte.

LE PREMIER.

Vous gouverne-on de tel sorte ?
Qui faict cela ?

LE MONDE.

Gens envieux,
Qui sont de guerre curieux
Et vivent tousjours en murmure,
170 Et jamais de paix n'eurent cure.
Ceulx-là ont mon gouvernement,
Sans sçavoir pourquoy ne comment,
Ne à quelle fin il pretendent.
Je ne sçay que c'est qu'ilz attendent
175 Et [je] ne sçay qu'ilz deviendront.
Je cuide qu'ilz me mengeront,
f° Aiiij r°p7 Se Dieu de brief n'y remedie.

LE SECOND.

Taisés-vous, Monde, n[on] feront.
Gens nouveaulx vous en garderont,
180 Quelque chose que l'on vous die.

LE MONDE.
Il vous court une pillerie,
Voyre sans cause ne raison.
Labeur n'a riens en sa maison
Qu'ilz n'emportent; velà les termes.
185 Et si ne sont mie gens d'armes
Qui soyent mys à l'ordonnance,
Servans au royaulme de France.
Ce ne sont qu'ung tas de paillars,
Meschans, coquins, larrons, pillars.
190 Je prie à Dieu qui les confonde !
LE TIERS.
Paix! nous vous garderons, le Monde,
Et vous deffendrons contre tous.
LE MONDE.
Je seroye bien tenu à vous,
Et le verroye voulentiers.
LE PREMIER.
195 Monde, il nous fault des deniers ;
Et puis après aviserons
Que c'est que de vous nous ferons.
Il n'y a point de broullerie.
LE MONDE.
Vous venez donc par pillerie ?
200 Je ne l'entens pas aultrement.
LE SECOND.
Nous venons, ne vous chault comment.
Tantost vous le congnoistrés bien.
LE MONDE.
Ne me doit-il demourer rien ?
LE PREMIER.
Vivre fault par quelque moyen.
205 Voycy pour moy.
LE TIERS.
Cecy est mien.
Monde, il fault avoir sa vie.
LE MONDE.
Je prie à Dieu qu'il vous mauldie.
Esse cy le commencement
De vostre beau gouvernement ?
210 Gens nouveaulx sont-ilz de tel sorte ?

v° p.8

LE PREMIER.

Monde, plains-tu ce que j'emporte ?
Quaquettes-tu? Que veulx-tu dire ?

LE MONDE.

Nenny, je ne m'en fais que rire.
J'ay assez plus que tant perdu.

LE SECOND.

215 Nous ne l'avons pas despendu ;
Ceulx qui le diront seront folz.

LE MONDE.

S'ont esté telz gens comme vous.
Ainsi je suis de tous assaulx,
Pillé des vieulx et des nouveaulx.
220 Je ne sçay quel part je me boute.

LE TIERS.

Ce n'est pas tout.

LE MONDE.

J'en foys bien doubte.

LE PREMIER.

Aussy t'y doibz-tu bien attendre.

LE MONDE.

Au moins, quant n'y aura que prendre,
Vous ne sçaurez que demander.
225 La[s], je pensoye qu'amender
Il me deust de vostre venue !
Il n'est rien pire soubz la nue
Que Gens nouveaulx de maintenant.

LE SECOND.

Nous vous gouvernerons contant.
230 Monde, cheminez quant et nous. 5

LE MONDE.

Voyre, mais où me merrez-vous ?
Je le vouldroye bien sçavoir.

LE PREMIER.

Taisez-vous! nous ferons devoir.
Ne vous soucyez, ne vous chaille.
235 (Nous le faisons pour bruit avoir.

LE MONDE.

Or çà donc, il fault sçavoir
Quelz gouverneurs on nous baille.)

LE SECOND.
De vous aurons et grain et paille.
[LE MONDE.]
Par ma foy, je n'en doubte pas.
LE PREMIER.
240 Cheminez encore deux pas,
Et puis nous vous abregerons.
f° B r° p.9
LE MONDE.
Où esse que nous logerons ?
J'en suis grandement en soucy.
LE SECOND.
Ne vous chaille; c'est près d'icy.
245 Sans cheminer jà plus aval,
Logez-vous icy.
LE MONDE.
Je suis mal,
Et à Mal m'avez amené.
O povre Monde infortuné !
Fortune, tu m'es bien contraire.
250 Contraire, dès que je fuz né,
Ne fuz qu'en peine et en misère.
Miserable, que doy-je faire ?
Faire ne puis pas bonne chère.
Cher me sont trop les Gens nouveau[l]x.
255 Nouvellement sourdent assaulx.
Vivre ne peult le povre Monde.
Monde souloye estre jadis ;
Jadis portoye face faconde ;
Faconde estoye en plaisans dis ;
260 Dis je disoye. Et je larmis
Larmes et pleurs de desplaisance ;
Plaisir me fault, douleur s'avance.
LE PREMIER.
Vous estes logé à plaisance,
Monde ; c'est le point principal.
LE MONDE.
265 Gens nouveaulx, soubz vostre asseurance,
Vous m'avez amené à Mal.
LE SECOND.
Venez çà. N'estes-vous pas mieulx
Que vous n'estiez anciennement ?

6

LE MONDE.

Je regrette le temps des vieulx,
270 Se vous me tenez longuement.

LE TIERS.

Vous desplaisent les Gens nouveaulx ?
De quoy menez-vous si grant bruit ?

LE MONDE.

Au premier, vous me sembliez beaulx ;
Mais en vous n'y a point de fruit.

LE PREMIER.

275 Vous plaignez-vous pour si petit ?
Sommes-nous gens si enragez ?

LE MONDE.

v° p. 10 Gens nouveaulx, petit à petit,
J'ay grant peur que ne me mengez.

LE SECOND.

Il fault que vous vous reclamez,
280 A vous le dire franc et court.

LE MONDE.

Vous estes si très affamez
Que ne povez entrer en court.

LE TIERS.

Vous parlez en parolles maigres ;
Dictes vostre desconvenue.

LE MONDE.

285 Vous mordez de morsures aigres,
Gens nouveaulx, à la bien venue.

LE PREMIER.

Les Gens nouveaulx auront leur tour,
Puis que une foys sont esveillez.

LE MONDE.

En me monstrant signe d'amour,
290 De nuyt et jour vous me pillez.

LE SECOND.

Il fault que vous appareillez
A nous bailler ung peu d'argent,
Monde.

LE MONDE.

Si souvent, si souvent !

LE TIERS.
Voyre si souvent, plus encor !
Çà, de l'argent.
LE PREMIER.
295 Çà, çà, de l'or.
Monde, nous vous garderons bien.
LE MONDE.
Or çà, quant je n'auray plus rien,
Sur moy ne trouverez que prendre.
LE SECOND.
Nous sommes encores à prendre ;
300 Monde, endurez ceste saison.
LE TIERS.
Je cuide que ceste maison
Luy ennuye. Changeons luy place,
Affin que soyons en sa grace.
Monde, voulez-vous desloger ?
305 Nous vous ferons ailleurs loger
Honnestement, mais qu'il vous plaise.
LE MONDE.
Je ne suis pas fort à mon aise ;
Bij r° p.11 Je suis en Mal : c'est grant soucy.
LE PREMIER.
Sus, sus ! vous partyrez d'icy.
Venez-vous en.
LE MONDE.
310 Dieu me conduye !
LE TIERS.
Pour guerir vostre cueur transy,
Sus, sus! vous partyrez d'icy.
LE MONDE.
Gens nouveaulx, faictes-vous ainsi ?
LE PREMIER.
Il est conclus, n'en doubtez mye.
315 Vecy plaisante hostellerie,
Monde. Logez-vous y, beau sire.
LE MONDE.
Ha! Dieu, je vois de Mal en Pire !
Que me faictes-vous, Gens nouveaulx ?
Vous m'estes faulx et desloyaulx ;
320 Vous me logez de mal en pire.

7

LE PREMIER.

Autant vous vault plourer que rire,
Monde; prenez bon reconfort.

LE MONDE.

Que ne descend tantost la mort,
Mordant par diverse poincture !
325 Privé me sens de tout confort.
Fort et grant le mal que j'endure !
Dure dureté et passion dure !
Dures pleurs me convient getter,
Sans nul espoir, fors regreter
330 Regretz piteulx, et lamenter
Lamentz mortelz qu'on ne peult dire.
D'ire me fault tout tourmenter,
Tourmenté en grant martire.
Tiré suis en logis mauldit.
335 Gens nouveaulx en font leur edit.
Ha! Monde, où est le bon temps
Que tu plaisoys à toutes gens ?
Et ores tu es desplaisant.
Peuple, d'avoir bien ne te attens :
340 Quant Gens nouveaulx sont sur les rens,
Tousjours viendra pis que devant.

LE SECOND.

Vous estes en logis plaisant.
De quoy vous allez-vous plaignant ?
Vous plaignez-vous de Gens nouveaulx ?

v° p.12

LE TIERS.

345 Se plus vous allez complaignant,
Encor aurez pis que devant.
Ce ne sont que premiers assaulx.

LE MONDE.

Or voy-je bien qu'il m'est mestier
De le porter paciemment.
350 Chascun tire de son cartier
Pour m'avoir, ne luy chault comment.
Vous povez bien veoir clerement
Que Gens nouveaulx, sans plus riens dire,
Ont bien tost et soubdainement
355 Mys le Monde de mal en pire.

8

FINIS.

Farce nouvelle moralisée des
gens nouveaulx qui men-
gent le monde, et le
logent de mal
empire.

-

Notes

Titre - BM. : Farce nouuelle ‖ moralisee des ‖ gens nou-ueaulx qui mengent le mon ‖ de / et le logent de mal en pire/ a quatre ‖ personnaiges. Cestassauoir. ‖ Le premier noueau. Le second noueau. ‖ Le tiers noueau. ‖ Et le Monde. ‖ [en bas de la page, deux vignettes carrées et côte à côte, représentant l'une l'arche de Noé, l'autre un berger gardant ses moutons (le Bon Pasteur)].

Au verso, avant le texte, ce titre est repris en six lignes, avec une disposition nouvelle ; et *gẽs* pour *gens*, *personnages*, et le mot *nouveau* n'accompagne plus *Le second* ni *Le tiers*.

vers 1 - "Si l'on veut savoir qui nous sommes".

v.5-6 - "La voie à suivre n'est pas celle de nos prédécesseurs, même si ceux-ci ont agi très légalement".

v.7 - BM. : *a parsoi* ("à lui tout seul, de son côté"). Tous les éditeurs transcrivent : *à part soi*; mais l'expression : *chascun par soi* ou *à par soi* était fort courante au Moyen Age. Un aparté se disait "dit à par soy", comme il est noté plusieurs fois -pour un seul "à part soy" -dans la farce de *Colin qui loue et dépite Dieu* (BM. N° XIV).

v.12 - BM. : *Quau* : "qui au repas...".

v.14 - BM. : *mos*. Picot corrige avec raison : *noms*; car, contrairement à ce qu'à cru Fournier, l'abréviation familière *mons* ("monsieur") ne s'emploiera qu'à la fin du XVIIème siècle et durant le XVIIIème, et ne signifie rien ici.

v.19 - *L'* : le "fait (les faits et gestes) des gens anciens". Il veut dire qu'on l'a mis en images et relaté dans les chroniques (voir les *Menus Propos*, Pic., t.I, p.71, v.83-84 : "Qui vouldroit veoir le Temps jadis, / On le trouveroit aux Croniques").

v.21 - BM. : *il ont leurs*. Le texte a ailleurs : *ilz*, sauf aux v. 109, 173, ce qui m'amène à garder ici cette forme insolite (voir *Glossaire* : "ils").

v.22 - "(Ils ont) aussi leurs maux". Le texte du BM. écrit *bien faict* mais *malfaict*.

v.25 - *Tenir termes haulx* : "parler en maîtres,faire de belles promesses".

v.30 - Je garde *rener*, malgré le *regné* du vers précédent ; le *g* en effet ne se prononçait pas dans ce mot : une curiosité orthographique de plus.

v.39-40 - "Nous sommes si désireux d'acquérir de la renommée qu'il faut que partout...". On pourrait aussi comprendre : "(Puisque) nous sommes si désireux (...), il faut que partout...".

v.41 - "Voler sans ailes". Dans la sottie des *Rapporteurs* (Trep., t.I, p.68, v.283-285), le Premier Sot dit à peu près de même :

Il fault rapporter sans nul bruit
Quelques choses de merveilles :
J'ay veu voller sans avoir elles.

v.44 - "Faisons que les avocats fassent l'aumône" (aux plaideurs) ; sous-entendre : au lieu de prendre leur argent. Dans la sottie des *Rapporteurs* (v.208-210),le Tiers Sot imagine aussi en fait de "merveilles" :

Les advocatz de maintenant
Ne veullent plus prendre d'argent ;
Ilz font tout pour l'amour de Dieu.

v.46 - "Sous peine d'être taxés de fausseté".

v.48 - Des *gens d'armes* (voir ci-dessus pp.235-237), la sottie des *Rapporteurs* (v.214-216) ne retient également que leur malhonnêteté :

Gens d'armes si ont fait serment
Desormais payer vrayement
Leurs hostes parmi ces villaiges.

De même, la farce moralisée de *Mieux que devant* (Four.,pp.55 et suiv.) les accuse de tuer "moutons, veaulx"pour leur profit personnel et de tout détruire sur leur passage.

v.52 - Le mot *sergents* se disait des serviteurs,des hommes d'armes et des officiers de justice chargés des poursuites judiciaires. Il est vraisemblable qu'il s'agit ici de ces derniers, auxquels durant le Moyen Age on n'a cessé de reprocher des exactions. Picot, outre ces vers des *Menus Propos* : "Qui bien bat ung sergent à mache [masse], / Il gaigne cent jours de pardon", cite *le Gouvernement des trois états*, de Pierre La Vacherie (poésie datée de 1510 environ et publiée par Montaiglon et Rothschild, *Recueil de poésies françaises*.., t.XII, p.90) :

> Je crois qu'il n'y a soubz la nue
> Pires garçons que sergens sont ;
> Et m'esbahis qu'on ne les tue (...) ;
> Car ilz font tant de maulx souffrir
> Aux povres, et nul bien ne font.

La sottie des *Rapporteurs* ne les oublie pas (v.134-135 et 211-213) :

> Sergens ne sont plus larronceaux ;
> Ilz sont doulx comme jouvenceaulx.
> . . . .
> Les sergens de ceste ville
> Ne prennent plus ne croix ne pille+.(+d'argent)

v.57 - *Prometteur*, venant après *chicaneur*, a certainement, par confusion, le même sens que *promoteur* (Picot adopte ce mot dans son texte) : officier de justice tenant le rôle du ministère public dans les tribunaux ecclésiastiques.

v.58 - "Ne signent plus d'actes judiciaires" (les mémoriaux se disant des instructions judiciaires, des jugements, des procès-verbaux...).

v.60 et suiv. - Deux pages suffisent à peine à la sottie des *Rapporteurs* (v.158-207) pour vilipender les ordres religieux :

> Carmes n'ont plus de chamberière ;
> Aussi n'ont pas les Cordeliers; *etc.*
>
> On ne verra plus chappellains
> Tromper femmes à leurs parroissains; *etc.*

L'inconduite et la gourmandise des prêtres et des moines étaient d'ailleurs aux XVe-XVIe siècles un des thèmes satiriques les plus familiers de la littérature dramatique et narrative.

v.66 - *Mengeussent*, subjonctif présent de *menger* (manger) ; sur cette forme, voir P. Fouché, *Le verbe français*, pp. 136-137.

v.68 - Voir les *Rapporteurs*, v.259-261 :
En oultre plus, les medecins
Desirent que tous soient sains
Et qu'il n'en soit plus de malades.

v.81 - "Quel que soit le lieu où ils se soient tournés".

v.82 - *Ilz* : "leurs biens" ; pourquoi ne sont-ils pas bien répartis ? - En revanche, le *ilz* du v.83 désigne les *anciens*.

v.87 - Allusion aux trésors que l'on trouvait enfouis dans les pots.

v.88 - *Nescio vos*, expression latine tirée de l'évangile de saint Matthieu (XXV, 12), et qui signifie littéralement : "je ne vous connais pas" ; elle s'employait familièrement par dénégation ; autrement dit, les Gens nouveaux n'ont rien trouvé de tel.

v.91 - Entendez : tant de charges de chanoines, tant de "chanoinies". Picot (t.I, p.123) voit là "des allusions aux fondations pieuses faites par Charles VII" et qui s'étaient abusivement multipliées ; *mon père* au v.95 renverrait ainsi à Charles VII (Pic., p.114). - Les *nonnains* (v.94) font allusion à la fondation de couvents de "religieuses" (nonnes).

v.97 - ATF. et Four. suppriment *en*.

v.99-101 - Le "tout" devrait nous appartenir, et non le "résidu".

v.105 - "Leurs plus grands trésors".

v.108 - *Unde locus*, expression latine qui, selon Picot (t.I, p.115), appartenait au langage juridique ; je suppose qu'elle signifiait : "c'est la question".

v.109 - Voir la note du v.21.

v.112 - Dans la farce moralisée de *Folle Bombance* (BM., N°XL), on trouve : nous *l'avons apperceu* mais aussi: *chascun bien apparçoit*.

v.115 - Je vois là un ordre à la 3ème personne et non une affirmation ; *fonder* (lat. : fundare) a ici le sens de "s'affermir".

v.116 - BM., qui ne met pas de majuscule à l'initiale des personnages, écrit bien entendu ici : *le monde*, comme plus bas : *zephirus* et *neptunus*.

v.118 - "Le Monde n'appartient plus aux anciens".

v.120 - "Il est inutile de demeurer ici plus longtemps".

v.123 - Zéphire était considéré comme un vent favorable.

v.125 - Neptune étant le dieu de la mer, l'expression équivaut à : "tous mes biens sont à l'eau".

v.130 - L'exclamation : *Ho!* est hors métrique, comme maintes exclamations de nos farces ; et *ouy* est ici monosyllabique. Picot corrige à tort : *Ho! j'oy le Monde*.

v.133 - Dans *les Trois Galants et le Monde qu'on fait paître* (Pic., Bb 18, t.I), le Premier Galant dit également qu'il faut oeuvrer "subtilement" avec le Monde ; et les deux premiers Galants l'abordent en lui disant : "Dieu gard! Monde", et le Troisième : "Comment vous va?".

v.134 - Sur *et puis*, voir ci-dessus, t.I, *le Savetier Calbain*, note du v.136.

v.138 - BM. abrège souvent *que* en *q̃* ; or, on l'a vu, *que* sert de pronom interrogatif indirect : "ce que" (voir ci-dessus, v.34, 121) ; c'est donc à tort que Montaiglon (ATF.) et Picot ont corrigé en *qui*.

v.139 - "Je ne vous connais en rien", c'est-à-dire : pas du tout.

v.145 - "Et faire le point sur ton état, en analysant la situation où tu es".

v.154 - BM. : *trancille* : "s'agite, est dans les transes" (*Glos*. ATF. et Godefroy). Picot corrige en *traveille*.

v.155-156 - Pour maintenir l'octosyllabe, il faut accentuer le *-e* final à la rime ; *tranquillé* : "rendu paisible".

v.161 - "Se jette".

v.165 - BM. : *que iemporte*. A la suite d'ATF.,je suppose que *ien emporte* a été réduit par lapsus. Pic. : *je remporte*.

v.171-172 - Ils administrent le Monde, sans que celui-ci sache...

v.175 - BM. : *Et ne sçay* (voir vers précédent).

v.176 - Dans la farce des *Trois Galants et le Monde*(Pic., t.I, p.40), le Monde craint aussi d'être mangé :

Se sont trois povres engelés,
Qui me veulent menger toult cru.

v.177 - Ce vers qui, au milieu de rimes plates,rime avec les v.180-181, pourrait être un ajout.

v.178 - BM. : *nous feront* (cor. ATF.-Pic.); "ils ne vous mangeront pas".

v.181 - Picot (t.I, p.182) rapproche ce vers de celui de la farce des *Deux Galants et une Femme qui se nomme Santé*,datée des environs de 1485 : "Y ne court plus que pillerye".Voir aussi la sottie de *l'Astrologue*, datée de Paris, 1498 (Pic., t.I, p.215 et p.229), v.248-249 et 533.

v.184 - Je comprends : "Voilà leur but" ; mais on peut comprendre aussi : voilà les temps !

v.185 - "Et pourtant ce ne sont pas...".

v.186 - Sur cette "ordonnance", voir ci-dessus, p.235.

v.188 - BM. : *qung*.

v.190 - Sur les exemples de *prier à*, voir *Glossaire*;*qui*: "qu'il".

v.193 - ATF., Four. et Pic. ont transcrit à tort: *tenus*.

v.195 - Scandez : *Monde - il* (de même au v.206). Picot supplée abusivement ici : de *vos* deniers, et au v.206 : il fault *bien*.

v.197 - "Ce que nous ferons" (on a vu la même tournure au v.174).

v.198 - "Il n'y a pas de résistance possible" (Huguet,qui cite ce passage).

v.204 - Picot note que "les sots doivent faire semblant de manger le Monde". - Bien qu'on ait un autre exemple, discutable il est vrai, de l'intervention du Tiers après le Premier (v.311-312), on pourrait, pour respecter l'ordre généralement suivi, attribuer au Second le premier hémistiche du v.205 : "Voycy pour moy". On pourrait aussi attribuer le v.204 au Monde et les v.205 (en entier) et 206 au Tiers.

v.214 - Fournier traduit : "J'en ai perdu autant comme autant", c'est-à-dire tout.

v.215 - "Ce n'est pas nous qui avons dépensé votre argent". Luxure dit dans la moralité des *Enfants de Maintenant* (ATF., t.III, pp.66-67) :

Incontinent que leur argent
Est despendu, je les fais pendre.

v.220 - "Je ne sais de quel côté me mettre(me tourner)".

v.221- "Je le crains bien".

v.223-224 - "Quand il n'y aura (plus) de quoi prendre, vous ne saurez ce que vous pourrez demander" (voir de même, v.297-298).

v.225 - BM. : *La* (cor. ATF.-Pic.)."Je pensais que votre venue devait m'apporter amélioration".

v.229 - ATF. corrige à tort : *content* ; il s'agit de l'emploi adverbial de *contant* (ou *comptant*,ou *tout comptant*): "tout de suite, complètement" (Huguet).

v.231 - BM. : *merrez* ; *merray*, forme du futur de *mener* que l'on rencontre particulièrement dans les vieux textes anglo-normands, s'était, au XVIe siècle, répandue dans le Centre de la France, à côté de *menray* ; les deux formes se sont maintenues jusqu'au début du XVIIe (voir P. Fouché, *Le verbe français*, pp.380-382).

v.233-237 - Le v.234 qui rime avec les v.237-238, rompt la disposition régulière des rimes plates ; les v.235-237 ne répondent guère au contexte ; les v.236-237 sont exceptionnellement des vers de sept syllabes (v.236, ATF. : donc[ques] et Pic. : il [nous] fault ; v.237, ATF. : gouverneurs [cy] et Pic. : gouverneurs [jà]). - ATF. et Fournier ont sauté la réplique du Premier Nouveau, v.233-235. Je crois plutôt que ce sont les v.235-237 qui ont été ajoutés et qu'on pourrait aujourd'hui retrancher.

v.238 - Telle est la leçon du BM. ; Montaiglon (ATF.) qui n'a pas reproduit le *et* devant *grain*, a ajouté *nous* devant *aurons*.

v.239 - En raison du contexte et de l'ordre des répliques, ce vers, donné dans le texte du BM. au Second,doit revenir au Monde.

v.241 - Sens peu clair. Est-ce : "nous abrégerons votre chemin" en nous arrêtant ?

v.246 et suiv. - Cette tirade en vers "à queue rimée", avec ses curiosités (*fuz né - ne fuz*), ses jeux de mots (sur *cher*, *monde*), rendrait aujourd'hui plaisantes les plaintes du Monde. Rien de tel à l'époque ; les jeux de la poésie étaient une chose, le sujet traité en était une autre. N'oublions pas que nous verrons bientôt Marot traduire les *Psaumes de David* (1541) sur un rythme sautillant !

v.250 - Je comprends : "contrairement" à ce qu'on pouvait attendre ; plutôt que : "tu me fus contraire dès ma naissance".

v.254 - BM. : *nouveaux* (seul exemple dans le texte).Dans cette page, trois autres vers aussi longs que celui-là (v. 265, 271, 273), ont une finale en *-aulx* ; mais à l'intérieur de ces vers *vostre asseurance* est transcrit *vre asseurace*, gens : *ges*, premier : *pmier* ; il n'y a en revanche aucune abréviation au v.254.

v.257 - *Monde* : "pur, net", signifie ici "bien paré" (Four.).- A partir d'ici, je mets des points-virgules à la fin des vers pour montrer que le débit doit s'accélérer.

v.259 - BM. : *plaisant dis* (tous les éditeurs ont corrigé). Quant à *facond*, il se rencontre plusieurs fois au masculin avec un *-e* final (voir Huguet); il n'y a donc pas à corriger.

v.262 - "Plaisir me fait défaut" (verbe *faillir*).

v.279 - "Il faut que vous fassiez appel contre nous" (langage juridique).

v.282 - "Vous ne pouvez accorder des délais"(langage juridique).

v.283 - "En paroles peu abondantes" ; c'est-à-dire : expliquez-vous.

v.299 - "Nous ne faisons que de commencer".

v.302 - ATF. corrige : *Changeons de place* ; et Pic. : *Changeons luy de place*.

v.306 - *Mais que*, locution conjonctive, peut avoir ici ses deux sens : "lorsque" et futur, ou "pourvu que" et subjonctif.

v.309 - Les v.309-314 ébauchent un triolet : abaab (manquent : ab). D'autre part, l'ordre des interlocuteurs n'est pas respecté ; normalement les v.311-312 devraient revenir au Second, et les v.314-316 au Tiers.

v.317 - BM. : *ie voix* (cor. ATF.-Pic.).

v.323-334 - Nouvelle tirade du Monde en vers "à queue rimée".

v.326-327 - Passage difficile qu'on peut transcrire et interpréter de plusieurs façons. - BM., v.326: *Fort est grand* et v.327 : *Dure / dureté et...* (la barre signifiant un léger arrêt ; on en trouve une autre après *Monde* au v.336). - Le v. 327 est une exclamation sans verbe exprimé, et *dure* est un adjectif (dans la précédente tirade à vers à queue rimée,on a vu qu'un mot pouvait être repris tel quel, forme et sens, au début du vers suivant) ; on pourrait aussi comprendre,mais je trouve moins bonnes ces interprétations : "(j'en)dure dureté et dure souffrance" ou "durent dureté et dure souffrance". - Scandez : *Dure dur(e)té et passion dure*.

v.333 - ATF. et Pic. suppléent *très* devant *grant*.

v.340 - L'expression "estre sur les ren(c)s",c'est-à-dire : faire quelque chose ou tenir un emploi qu'on a convoité, semble fréquente à cette époque (voir ATF., t.I : *Un mari jaloux*, p.142 et t.II : *Le gaudisseur*, p.293).

v.344 - ATF. : *des Gens* (dans BM., le vers occupe toute une ligne avec plusieurs abréviations : *Vo' plaignez vo' de gẽs nouveaulx*).

v.355 - Reprise des vers 317, 320 et du titre.

FINIS. Après le rappel du titre, la page du BM.a quatre vignettes disposées deux par deux ; 1) cercle : la Vierge et l'enfant Jésus, avec pour légende : "Virgo Pisas protege",et 2) carré : un roi et une reine devant lesquels se tiennent deux enfants ; 3) carré : un pape et deux cardinaux(même vignette au bas du verso du f° 1 de la *Moralité d'un Empereur qui tua son neveu*, imprimée à Lyon "en la mayson de feu Bernabé Chaussard", 1548 [BM. N° LIII] et au-dessous du titre de la *Moralité ou histoire romaine d'une femme qui avait voulu trahir la cité de Rome*, *Ibid.*, 1548 [BM. N° LIV]).

-

GLOSSAIRE
des tomes I et II

-

Pour l'établissement de ce Glossaire, j'ai particulièrement utilisé :

- Godefroy (Frédéric), *Dictionnaire de l'ancienne langue française*. Paris, Vieweg, 1880-1902 ; 10 vol.(admet sans discussion les graphies et lectures de ATF.).

- Gossen (Charles-Théodore), *Petite Grammaire de l'ancien picard*. Paris, Klincksieck, 1970.

- Huguet (Edmond), *Dictionnaire de la langue française du seizième siècle*. Paris, Ed. Champion (puis: Didier), 1925-1967 ; 7 vol.

- Jannet (P.), *Ancien Théâtre françois*, t.X (1857):Glossaire (nombreux points d'interrogation pour les cas difficiles).

- La Curne de Sainte-Palaye, *Dictionnaire historique de l'ancien langage françois*. Paris, H. Champion, 1875-1882 ; 10 vol.

NB. - Les chiffres romains renvoient aux farces ; I : *le Cuvier*, etc.
Les chiffres arabes renvoient aux vers ; *n* après le numéro du vers indique une explication en note.

-

a (excl.) : "ah!" (II,5 ; IV, 169; VIII,142 ; IX,19 ; etc.).
a (prépos.) : "avec" (II,161; VIII,74 ; IX,290) ; "dans" (I, 166; etc.) ; "pour" (I,308 ; VI, 334).
a (verbe) : "il y a" (II, 100 ; III, 150 ; etc.).
aage : "âge" (V, 234).
abay : "aboiement" (IX, 96).
abille : voir *habille*.
abonni : 1) "dompté, rendu bonasse";
2) "rendu meilleur" (équivoque : I, 53-54).
accessoire (sans) : "sans complication, sans tarder" (expression juridique) (III, 255).
achater : "acheter" (XI, 199).
acheminer : "mettre en chemin" (V, 69).
acolée : "embrassement" (VIII,75) ; *acol(l)er :* "embrasser en mettant les bras autour du cou" (I,227; II,163 ; VIII,77, 124).
acoup (adv.) : "maintenant, promptement" (VI,133 ; X,270,471).
acoustrer : "habiller" (au figuré) (I,46).
acquest (de bon) : "bien acquis" (IX, 134).
actaintes (aux) : "tout de suite , à l'improviste" *(X*,86).
actendre : "attendre" ; impérat. : *actens* (X,450).
adober : "arranger" (dans un sens ironique) (VIII, 106).
adoncques : "donc" (VI,427).
adresse : "directement" (?) (VII, 306n).
advenir : "arriver"; fut. : *advenra* (IV,267 ; X,198).
adventureux : "qui va à l'aventure, aux hasards de la fortune" (V,127) ; "qui court les aventures amoureuses" (X, 298).
a(d)vertin : "accès d'humeur, emportement" (III,39) ; "tourment" (X, 44).
advis ; se m'est advis : "ce me semble" (VIII,207).
affaictée (être) : "faire la dissimulée" (III, 327).
affaire (un) : III, 178; VIII, 93).
affermer : "appuyer le dire de quelqu'un" (Phil.) (I,7); "affirmer" (X,196).
affin; pour affin de : "afin de" (VII,125).
af(f)ollé : "blessé" (IV,282; XI,82n).
af(f)ol(l)er : "devenir fou" (V,25,202; XI,133).
affronté : "qui agit de front, hardiment" (IV,77).

agacier : "crier après quelqu'un" ; indic. prés. : *agache*(III, 132n).

agio : "embarras; façon cérémonieuse de parler ou d'agir" (I, 40).

aguisé : "aiguisé, pointu" (VII, 108n).

aist, ayst ; voir *Dieu* 4) *(se m'ayst Dieulx)*.

alaine : "haleine" (IX,78).

alaisne : "alêne" (poinçon de cordonnier) (III,217).

alibi : "mauvaise excuse" (I,197).

allant (un) : "homme rusé, coureur de femmes" (VII, 304n).

allée : "route, voyage" ; *bien allée* : "bonne route, bon voyage" (V,417) ; "départ" (VIII,16).

allegier : "soulager" (III,63).

al(l)er (II,92; V,170) ; indic. prés. 1ère sing. : *voy*(IV,178; VIII,22), *voys* (I,66 ; III,255; IV,24 ; etc.), *vois* (III, 130; V,287; VII,43; etc.) ; futur : *yray* (IV,175 ; VIII, 56; etc.) ; subj.prés. 1ère sing. : *voyse* (ou *voise*):III, 304; VII, 11,122) ; subj.imp. 1ère pl. : *allisson* (V,38).

amant : "fiancé" (V,110).

ame entre dans plusieurs serments : *sur mon ame* (I,287; V,383; VI,220; IX,37), *par mon ame* (II,7,154; III,131,139 ; VI, 425; IX,76,79,82,148,176; X,177), *par l'ame de moy*(II,64, 179,180).

amender : "améliorer" (XII,225) ; *s'amender* : "se calmer" (en parlant d'une souffrance) (X,252).

amour (m') : "mon amour" (III,96; V,352).

amye (m') - écrit dans les textes et manuscrits : *mamye* - : "mon amie" (III,253,etc.; V,350; VIII,62 ; X,47) ;mais on trouve aussi : *ma mye* (XI,41; et dans BM., le texte de *Frère Guillebert* a soit *ma mye*, p.6, soit *mamye*, p.8). Et voir ici IX,291, p.108 : *ma doulce amye*.

amyette (m'), diminutif de *m'amye* (III,96,297).

anno!, exclam. de douleur (V,311n).

apeticier : "diminuer" ; *apetisent* (XI,48).

apparçoit (on) : "on reconnaît, se rend compte" (XII,112n).

appareiller (s') : "se préparer" (XII, 291).

apparent : "qui se manifeste, évident" (X,170).

appert : "habile" (VIII,160).

ap(p)oin(c)t : "comme il faut, à propos, dans un état convenable" (III,6; X,241) ; *bien apoint* (IV,195; V,282;VII,240; X,54) ; mal *apoint* (IV,61; VI,66).

ap(p)ri(n)s, adj.: "instruit, (bien) élevé" (I,310, XI,18) ; part. passé : "appris" (V,85,196; VI,118).
aquetter : "gagner" (VI,70).
ard (à la rime) : "art" (V,361).
ardre : "brûler" (I,180) ; il *art* (V,199; IX,266).
arrière : "en arrière" (V,290; etc.); "de nouveau" (X,483).
arrivé (le bien) : "le bienvenu" (VI,305).
art ; voir *ardre*.
arter : "arrêter, faire attention" (VIII,44).
asçavoir : "savoir" (XI,42) ; *c'est assavoir* : "à savoir"(titre des farces, I, II, etc.).
asés : "assez" (XI,38); *assez* : "fort, beaucoup" (IX,14).
assené : "assigné, pourvu" (X,34).
assorté : "assorti, arrangé" (XII,89); *assorty* : "préparé" (X,471n).
as(s)ot(t)er : "rendre sot" (XI,235) ; *s'assotter de* : "s'éprendre sottement de" (III,3).
as(s)ouvyr : 1) "suffire pour satisfaire" (objet : personne) (XI,292) ; 2) "achever, rendre parfait" (objet : chose) (XI,25) ; *assouvy* : "achevé, parfait" (X,486).
astenir (s') : "s'interdire de faire quelque chose"; *attenez* (II,183n) ; *abstenez-vous* (VII,328).
atant : "sur ce, maintenant" (VIII,241).
atout : "avec" (X,381,418).
attendre à : "prêter attention à" (I,221).
au(l)cun ; pron.sing.: "quelqu'un" (VI,77; VIII,89) ; pron. plur. : "quelques-uns" (V,322; VII,61: *les aucuns*; X,8); adj. : "quelque" (X,292,310,353) ; *aulcunement* : " de quelque façon" (IX,224); *au(l)cunesfois* : "quelquefois" (I,30,142; V,200,331,413); *ne... aulcunesfois* : "ne ... jamais" (III,322).
aumosnier : "qui fait l'aumône" (XII,44).
aurain : "tout à l'heure" (IV,141; 212: *orain)*.
autant (d') : "dans la même proportion, c'est-à-dire tous à égalité" (V,382); *d'aultant que* : "dans la mesure où" (X,484).
aval : "loin (en descendant)" (XII,245).
avant, adv. : "en avant" (IV,177; VIII,2).
avant, 3ème pers.sing. subj.prés. de *avancer*, dans le sens de "protéger, faire réussir" (V,380n).

avertin ; voir *advertin*.
avoir; ind.prés. : *ay* (I,8; etc.); *ey* (XI,18,69) ; *a'vous* : "avez-vous" (III,329 et voir p.98; XI,122n);ind.imparf.: *j'avoys* (VI,23; etc.), *j'avoye* (X,105; etc.); futur : *j'aray* (XI,132); subj.imparf. : *eussay-je* (II,174);cond. prés. : *j'auroye* (IV,43); part.pas.: *heu* (X,55).
ay! : "hé!" (V,380,383).

baa, excl. : "bah!" (X,119).
badin : "sot, niais" (VII; X,216); "acteur qui joue ce rôle" (XI,6,166,etc.); *badiner* : "faire le badin" (XI,11);*badinage* : "profession de badin" (XI,20); pour les autres sens, voir XI, 121,231.
bagage : "marchandise de peu de valeur" (XI,71n).
bailler : "donner" (I,175,218; IV, 81,100,128,132,160; etc.); *le bailler trop vert* : "dire une chose incroyable" (X, 467).
baiser quelqu'un mort, voir I,254n.
balance : "péril" (XII,129,152).
balier : "balayer" (VII,75,79 : *ballies*, subj.prés.).
bancquet, voir VIII, 80n.
banete : "malle en osier, bannette" (XI,201).
barbecte (pour *barbette*), 3ème sing.prés.indic. de *barbeter*: "grommeler, marmotter" (X,99n).
baron (mon) : "mon mari" (VIII,10; XI,79).
bas (le) : parties sexuelles de la femme (IX,137n, et jeu de mots avec *bas (bast)* : le bât, 284n).
batre : "battre" (IV,208; etc.); fut.: *battray* et *batray*, scandés *-eray* (I,132; III,358), *batra* (VI,291) ; part. pas. : *bastu*, par confusion entre *batre* et *bastonner* (I,108); ailleurs *batu* (IV,89; X,295,472).
bau(l)dement : "avec entrain, hardiment" (V,55,255; X,351).
baver : "parler à tort et à travers, bavarder" (IX,157,249n).
beau (avoir beau et infinitif) : "pouvoir facilement"(X,446).
becquerelle : "femme criarde, querelleuse" (III,328,367).
becquet, 3ème sing. imparf.indic. de *becquer* : "frapper du bec" (V,391).
belitrien, même sens que *belistre* : "gueux, mendiant" (IV, 278).
belle (la faire) : "tromper" (IX,253).

bellement : "doucement, tranquillement" (V,394,398; IX,147 ; X,371).
benoist : "béni" (II,135); féminin : *benoist* (VI,3) et *benoiste* (I,56).
bergerotte (on disait aussi : bergeronette): "jeune bergère" (III,88).
bien allée ; voir *allée*.
bien (faire, vouloir) : "faire, vouloir du bien à quelqu'un" (IV,38; XI,38).
bieu ; voir *Dieu* 5).
blanc ; voir *monnoye*.
blason : "discours" (I,73; VI,70,195; XI,95).
bluter : "tamiser la farine" (I,102,114,224).
bobelin : "chaussure à l'usage du peuple" (III,24;216).
boire ; futur : *buveray* (VIII,172); impératif : *beuvez* (X, 316); participe pas. : *beu* (II,194; VIII,191).
bon jour (des) : "Que Dieu vous donne le bonjour!" (V,1n) ; *bon nuyt (des)*, abusivement pour : bonjour (V,61n, 64, 67).
bona dies (mots latins; *dies* est monosyllabique) : "bonjour" (VI,111; VII,145 : *bonnadies)*.
bont (avoir le bont) : au figuré, "être rejeté" (IX,101n).
bordeau : "bordel" (VIII,122).
bos : "bois" (II,7; IV,290 : "coup de bâton"); *boys* (III,89; IV,189; IX,276).
bouchette, diminutif de "bouche" (VIII,52).
boudins, plur. : "boyaux, ventre" (?) (XI,7n).
bouges : "joues" (IX,182n).
boulenger : "travailler la farine pour faire du pain" (I,101, 114,223).
bourdon : "bâton (de pèlerin)" (II,51).
boutelette : "petite bouteille" (VIII,205).
bouter : "mettre" (III,70; IV,252; VIII,14; etc.).
boyson : "boisson" (XI,177,183).
braguette : "fente du devant d'un haut-de-chausses ; et par extension : devant du haut-de-chausses" (VIII,98).
bran : 1) "gros son"; 2) "excréments" (X,426,455,490); voir aussi *bren*.
brasser : "fabriquer, préparer en mêlant" (voir "brasser de la bière") (VI,77).

brayette : "membre viril" (VII,313).
brechie : "sorte de cruche" (X,436; ici destinée à recevoir les excréments).
bren! : "merde!" (II,17).
breneux : "plein d'excréments" (I,123).
breuvage : "boisson" (VII,112n).
briber : "mendier" (IV,16); *bribeur* : "mendiant" (IV,5).
brief (monosyllabe) : "bref" (IV,246; IX,47,136,267) ; *de br(i)ef* : "sous peu, vite" (III,237; VI,28; XI,42; XII, 177).
broquette (petite branche) : "membre viril(d'un garçon) (VI, 343).
brou!, excl. synonyme de "fi!" (X,468n).
broullerie : "altercation" (XII,198n).
bru : "fiancée" (V, titre - voir note - et personnage).
brui(c)t : "réputation, renommée" (V,387,409,415; XI,23, 46, 75; XII,39,235) ; sens moderne : XII,272.
bucquer : "frapper , heurter" (en picard, pour *buschier* ; le bucquoir était un marteau de porte) (VIII,122,123).
buée : "lessive" (I,171,263).
buer : "faire la lessive" (I,101,114,223).

çà (orthographié *ca* ; voir aussi *sa*) : "ici, là" (II,170;III, 324; IV,99; etc.); *en çà* : "jusqu'à maintenant (X,313).
cambouys : "graisse noire" (X,208n).
car : "donc" (emploi archaïque) (I,220).
carlin ; voir *monnoye*.
carrière : "chemin" (X,465n).
cartaine ; voir *fiebvre*.
cartier : "côté" (X,181; XII,350).
cas : "affaire (quelconque), chose" (III,186,386,390; X,112, 206,292,391,469,478); *faire le cas* : "faire l'amour" (VII,156).
cauquier : ? (VIII,153; voir note du v.151).
causer (?) : "répondre" (X,155n).
cautelles (IV,252n); voir *cotelle*.
ce, pronom démonstr.: "cela" (I,32; III,392; etc.); et voir *se*.
ce, pronom pers. : "se" (I,270; V,311,335; VI,139).

ce (cé) : "sais (-tu)" (IV,283).
ceans : "ici" (dedans) (II,99; IV,230; VII,163; VIII,71; XI, 165).
ceant (pour *seant*) : "qui sied" (VII,164).
cela (faire) ; voir *faire*.
celer : "cacher" (V,413; XII,107).
celle, adj.fém.: "cette" (IV,191,254; etc.; X,229,350,459).
cens : "sens, sagesse" (IV,231).
certain (au) : "avec certitude" (VI,382).
cervoyse : "cervoise", boisson analogue à la bière (VII, 12, 23).
cest, adj.masc. : "cet" (I,78; etc.); féminin : *cest* (IV,111; VII,119; VIII,111) et *ceste* (I,164; II,130; III,69;VIII, 197; XII,153; etc.).
cestuy, avec ou sans *cy* : "celui" (II,3; III,25; VI,198,206, 275); *ceste-cy* : "celle-ci" (VIII,237).
ceulx (les) : "ceux" (XI,167); *ceulx*, pour "celles" (V,323).
chaloir : "importer" (XI,297); indic., *il ne vous en chault*: "vous ne vous en souciez guère" (IX,71; et XII,201,351); subj., *ne vous chaille* : "ne vous en souciez pas" (X, 395; XII,234,244).
chambrière : "servante" (III,44; VII,9,etc.).
chanterie : "chants répétés" (III,69,301).
chaperon, coiffure de femme (III,93; XI,83).
chappon : "chapon", jeune coq qui a été châtré pour être engraissé (II,39; VII,259).
char : "chair"; voir *Dieu; par la char bieu* (II,115).
chauldeau : "boisson réconfortante" (VIII,125n).
chaulsée : "en culotte", et par extension "habillée"(VI,54).
chaulses : "culotte" (VI,347).
chaumer de : "manquer" de (VII,95).
chascun, adj. (VIII,188); *à chascune fois* : "souvent" (III, 318).
cheminée : "vagin"; voir IX, et particulièrement v.315.
chère (var. de *chière*) : "visage (II,158n; V,291).
chère (ou *chière*) (faire grand ou bonne chère) : "bien manger" (III,261; IV,70; V,389; IX,107; X,266; XII,253).
cherme : "charme (magique)" (V,95).
chetis, plur. de *chetif* : "malheureux, d'aspect misérable" (IX,98).

chetz (X,41) et *cheux* (VI,30) : "chez".
cheut ; voir *choir*.
chia brena : "merde foireuse" (II,40n).
chief gros : "fil enduit de poix, utilisé par les cordonniers pour coudre le cuir" (III,212).
chière ; voir *chère*.
chière : "siège" (X,271).
chière, adj.fém. : "importante, grave" (X,268).
chinotoire (un) : ? (II,86n).
choir : "tomber"; ind.prés.3ème sing. : *chet* (I,200) ; part. pas.fém.sing.: *cheute* (I,272), plur.: *cheuz* (IX,198) ; inf.: *chier* (III, 340n).
chose : "membre viril" (VI,121n).
chyfrer : "priver" (IV,62).
cil : "celui" (IX,228).
cillier : "remuer les cils (pour fermer les yeux)" (II,89n).
cler, adj.: "clair" (XI,34) ; adv.: "clairement, à haute voix" (V,351).
cloison : "clôture, enclos" (VII,82).
cochet : "petit coq" (III,188).
coeuvre, impératif de *couvrir* : "couvrir sa tête" (VI, 113, 115).
col(l)e : "humeur, disposition" (V,39; VI,27).
com : "comme" (XII,4).
commander : "recommander" (à Dieu); dans ce sens,la 1ère pers. de l'indicatif présent est *commande* (I,168), *command* (V, 16) ou *commant* (X,118); "donner un ordre" (I,174).
comme : "comment" (I,258; V,174; etc.) ; "que", après *ainsi*, *aussi* (IX,28,40,281).
comment : "comme" (II,19; IV,33,126; V,372; VI,465).
compas (par) : "avec modération" (VII,194).
compasser : "régler, disposer" (IX,44,48; X,16n).
complaindre : "se plaindre" (on a gardé "complainte") (XII, 345).
comporter (se) : "se soutenir" (X,267).
comprendre : "prendre" (XI,281).
compter : "examiner (en calculant)" (VIII,26).
con : 1) terme affectif appliqué à une femme (VIII,85) ; voir encore ATF., t.I, p.227; on le trouve à la forme fémi - nine dans le *Dorelot aux femmes*, Coh. N° XXIV, v.19: "A-collez-moy, ma doulce conne!"; 2) parties intimes de la femme (VIII, 178).

conchier (se) : "se souiller de ses excréments" (X,433).
condition, au sing. et au plur. : "caractère,manière d'être" (III,383).
confis en (part.pas. de *confire*) : "fait, composé de" (VI,5).
confondre : "jeter pour être englouti" (X,350).
confort : "consolation, aide" (III,123; X,3; XII,325).
congnicion : "connaissance" (VI,351).
congnoistre : "connaître" (III,2); ind.prés.: je *cognois*(III, 381: "je reconnais"), *congnois* (VI,37; XII,139), *congnoys* (VI,288; X,478); part.pas. : *cogneu* (III,389).
conquest : "gain, butin" (IV,69).
conquester : "conquérir"; *conquetit* (II,119n).
contant : "tout de suite", complètement" (XII,229n).
content : "qui se satisfait de" (III,20).
conter : "compter" (X,406n).
contredit (sans) : "sans réplique, sans opposition" (IV, 81, 97; V,243; X,306).
contrepoin(c)t, terme musical (III,8n; X,51).
controuver : "imaginer" (VI,312).
copauder : "faire cocu" (VIII,240).
copault : "mari trompé" (VIII,223n).
coppier : "frapper" (X,10).
coqu (III,365), *coquu* (X,182,303); mais aussi : *cocu* (VIII, 232).
coquart : "sot, niais" (IV,123; X,144); mais aussi: *quoquart* (I,194).
coquibus (un) : "sot, niais" (IV,113; dans la sottie du *Roi des sots* - ATF., t.II - c'est le nom d'un des sots).
coquillart : "niais" (ce mot désigne aussi un mari trompé) (I,153).
coquin : "gueux, qui mendie" (IV,personnages; X,326;XII,189).
cordé (il est) : "c'est un point arrêté" (IX,240).
cordeau : "petite corde", qui servait à l'exécution des condamnés (VIII,126).
corset : "corsage" (III,11).
coster : "coûter" (X,407).
costière (de) : "de côté" (X,485).
cotelle, diminutif de *cotte* : "petite robe" (V,49).
cotte : "tunique, robe de dessous" (III,288).

couille : "membre viril" (d'après la *Confession Margot*, dans ATF., t.I, pp.375-376) (VI,109).
coulte : "coude" (VI,187).
couraige (ou *courage*) : "coeur" (I,292; VIII,20).
courser ou *courcer (se)* : "se mettre en colère" (III,280,313, 321,338,360).
court (entrer en), expression juridique : "accorder des délais" (XII,282).
creance : "crédit, confiance" (XI,152).
croix ; voir *monnoye*.
croquer la pie ; voir *pye*.
cueillère : "cuillère" (II,130).
cuider ou *cuyder* : "penser, croire" (I,192; II,23,110; etc.); *à mon cuyder* : "à mon avis" (VI,194).
cure : "souci" (XII,170).
curieux de : "désireux" de (XII,168).
cy : "ici" (I,312; II,120; etc.).

dame, dans les exclamations et les serments, renvoie à la Vierge Marie (voir *saints*); *dame!* (I,195n; II,189); *benoiste Dame* (voir *Pathelin*, v.573: "saincte benoiste Dame") (I,56); *Nostre Dame* (II,35,168; VIII,37) ; *par Nostre Dame* (I,27; III,115; VII,287) ; *par Nostre Dame de Boulongne* (I,77; voir t.I, p.52 note 1).
damoyselle : "bourgeoise" (même mariée) (II,101; IV,253).
dampnée (vieille): "damnée", condamnée à l'enfer (injure adressée à une femme) (III,339,370).
dampnement : "damnation", condamnation à l'enfer (X,82).
de : "par suite de" (IX,198,297; XII,272).
dea (monosyllabe) : "vraiment! diable!" (I,20,26,285; etc. ; au total 24 exemples dans ce Recueil) ; entre dans les exclamations : *ouy dea* (V,392), *dea,dea* (VI,157), *voyre dea* (VII,180), *hé!dea* (IX,139).
deable : voir *dyable*.
deadesme : "diadème"(II,128n).
deceu : "déçu, trompé" (X,8; XII,113).
decliner : "baisser, tirer à sa fin" (IX,40); et voir *declinaisons* (IX,152n).
dedens : "dans" (X,151,352); ailleurs : *dedans* (VIII, 116 ; etc.).

deduit (ou *deduyt, deducyt*) : "plaisir" (I,93; III,13;VI,34).
deduyre (se) : "se divertir à" (X,328).
deffaire : "tuer" (X,346); *deffait* : "abattu, anéanti" (VIII, 20).
deffinement : "fin, terme (de la vie : mort)" (VIII,136).
dehet ; voir note de II,61.
delit : "plaisir , agrément, aise" (VIII,87; X,441).
demenée : "mal menée, tourmentée" (VII,326).
demener : "mener" (X,31).
dementer (se) : "s'occuper, se tourmenter" (VI,394; XII,2).
demeure : "retard" (X,113).
demourer : "rester" (II,169; VII,64; XII,203) ; futur : *demourray* (I,247,281; II,81 et *demoureray* (VIII,134); "retarder" (VII,264).
denier ; voir *monnoye*.
departement : "départ" (VIII,50).
deporter (se) : "se distraire" (X,265).
derechief : "de nouveau" (III,226).
derrain : "dernier" (XII,106).
desarreage : "embarras, désagrément" (IV,145).
descoeuvre, indic. de *descouvrir* (VIII,218).
desconfort : "état de celui qui se décourage, se désole"(VII, 241; X,1).
desdire : "répondre (en niant)" (VI,95); *se desdire*: "nier ce qu'on avait affirmé" (VI,372).
desmarcher : "marcher" (XI,56n).
despendre : "dépenser" (III,173; XI,60; XII,215n : *despendu*).
despens : "ce que quelqu'un dépense, ses frais" (IX,274n);*aux despens de* (X,68,71).
despescher : "débarrasser, délivrer" (X,213); au passif:"être mort" (X,119).
despouiller (se) : "se déshabiller" (VIII,95).
desserrer (se) : "s'en aller, partir" (X,330).
desservir : "payer de retour" (VI,317).
desseure : "dessus" (VIII,23); mais ailleurs : *dessus*(VI,108; etc.).
desvoyer : "écarter (de sa route)" (XI,284).
deullent ; voir *douloir*.
devant : "auparavant" (III,227; IV,176; VII,19; etc.);"avant", prépos. (XI,191); *devant que* : "avant que" (VI,89;X,387); pour *Dieu devant*, voir V,17n,230.

devers : "du côté de, vers" (IX,40; X,181,230) ; *par devers*, même sens (VI,134,306; XII,131).

deviner : "agir en devin, enseigner et trancher sur une question" (VI,408).

devis : "désir, volonté" (X,155).

deviser : "régler une opération" (II,77).

dieu. Ce mot, tel quel ou déformé, revient constamment dans les exclamations, les serments, les jurons, les souhaits :

1) *Dieu* : *Dieu!* (II,156; etc.); *a! Dieu* (X,19);*et Dieu!* (III,281); *mon Dieu!* (I,201; etc.); *pour Dieu!* (I,211 ; etc.); *par Dieu!* (I,256; etc.); *de par Dieu!* (I,169;etc.); *vray Dieu!* (III,52; etc.); *vray Dieu doulx!* (VII,234).

2) *Par le sang que Dieu me fist* (I,17).

3) *Dieu vous vueille...* (IV,55); *Dieu vous doinct* (donne)... (X,103); *Dieu gard!* (II,101; etc.); *Dieu vous gard!* (III,251; etc.); *Dieu sçait...* (III,286; etc.) ; *Dieu sache...* (III,306; etc.); *Dieu bonne mercy face !* (IX,295); *crier à Dieu mercy* (X,386); *mercy Dieu!* (III, 360; etc.); *prier (à) Dieu de Paradis* (I,265; etc.) ; (re)*commander quelqu'un à Dieu* (I,168; etc.) ; *Dieu devant!* (V,17n et 230); *Dieu vous avant!* (V,380n) ; *plust à Dieu que...* (VI,43); etc.

4) Déformations : *medieu!* : "que Dieu m'aide!" (IV,132); *m'aist Dieux!* : "que Dieu m'aide!" (V,143,234) ; *se m'ayst Dieulx*, même sens (VI,406) ; *semidieux* ou *semy Dieux* pour "se m'aist Dieus": "si Dieu m'aide!" (II,109; VI,15); *vresbis! (bis* pour *Dis)* : "vrai Dieu!" (VI,336, 431); *je regny goy (goy*, déformation du germanique Gott: Dieu) (I,125).

5) Forme *bieu : par bieu* (I,36; etc.) : 16 exemples); *la chair bieu* : "la chair de Dieu" (II,152); *par la cha(i)r bieu* (II,115; III,339); *le corps bieu!* (I,71) ; *par le corps bieu!* (I,129; etc.); *corbieu!* (I,153); *par la croix bieu* (X,66); *mort bieu!* (VII,55; etc.); *par la mort bieu!* (VII,39; etc.); *sang bieu!* (I,185; etc.: 10 exemples); *par le sang bieu!* (I,119; etc.); on trouve aussi : *par le Sainct Sang* (X,149).

6) *mère dieux* : "par la mère de Dieu", Marie (XII,83) ; et voir à *dame* et à *saints*.

7) le fils de Dieu est ici mentionné soit par son nom : *Jesus* (VI,127,345; VII,132; *Jhesu* (X,56), *Jesuchrist* (VIII,142); soit par une périphrase : *le bon Saulveur* (I,147); *Nostre Seigneur* (VIII,118), *le roy divin*(VIII, 175), *le doulx Roy de gloire* (X,277).

dieutrine (doctrine) : "école, enseignement" (V,346).
diffame : "honte, affront" (I,204; VI,163).
digné pour *disné* (IX,141).
dilacion : "retard, délai" (X,366).
dire ; indic.prés. : *je dis* (VII,79), *ditz* (VII,78),*dy* (VII, 288); *tu dy* (IV,92; etc.); *ilz dient* (XI,268) ; subj. prés. 1ère sing. : *dye* (VI,254; IX,11), *dies* (VI,259) ; 3ème sing.: *die* (VIII,161; XII,180), *dye* (VII,123).
dis, plur. de *dit* : "paroles" (XII,259).
discord : "désaccord" (III,12).
discret : "sage, avisé" (III,222).
divers : "méchant, cruel" (I,324).
dodo(s) (sous-ent.: faire) : "dormir" (III,268).
doin(c)t; voir *donner*.
dolent : "malheureux, affligé" (III,19).
dominé : "monsieur" (désigne généralement un homme savant,ou prétendu tel, un médecin) (V,175n; VIII,196; IX,190, ironique).
don : "donc" (VI,99n; XI,60); *donc* (IV,123; VI,40; etc.) ; *doncq* (IV,87,134,156; etc.); *doncques* (I,248,etc.; III, 254; IV,170; VI,42; VII,210,288; IX,240; X,348,355,etc.); *doncque* (VII,97); *donques* (II,80); *donq* (XI,133); *dont* (IV,178,242,250). Voir aussi *adoncques*.
donner ; futur : *donray* (III,91-92; VI,14; VII,217;*donrra(y)* (X,368); ailleurs forme *donneray* (III,109; VI,12; VII, 209; etc.); condit. : *donroys* (IX,272); subj.prés. 3ème pers. : *doint* (VI,304,307,310; VII,130n; VIII,209n ; X, 183,429; XII,137) ; *doinct* (X,103,218); sur *des* pour *doint*, voir V,1 note.
dont, relatif : "de quoi" (IV,227,231); "d'où" (VI,441;VIII, 162; X,232).
dont, conj. : "donc"; voir *don*.
dormir (se) : "s'endormir" (VI,104).
doubte (la) : "doute" (VI,186); VIII,221; X,417); "crainte" (XII,221).

doubter : "hésiter" (IV,102); "douter" (IV,291).
doulcet ; fém.: *doulcette* (VIII,53); *doulcettement* : " très doucement" (VIII,51).
doulcinette (ma) : "ma très douce" (IX,202).
douloir : être douloureux, faire mal"; ind.prés. 3ème plur. : *deullent* (V,8).
doy : "doigt" (XI,148).
drapeaulx : "petits draps, langes" (I,123).
droi(c)t : "direct, vrai" (III,17; IV,108); *droictement* (IV, 240).
ducat ; voir *monnoye*.
dueil : "douleur, affliction" (X,237,319).
duyre (se) : "se préparer (avec plaisir) à" (X,326).
dyable. La forme la plus courante est *dyable* (*dya*- ne comptant que pour une syllabe); mais on a aussi *diable* (dans VII, v.2,36) et *deable* (dans X, titre et *passim*). - En général on jure *par le dyable* (I,193; II,164; VII,2), *de par tous les diables* (VII,36) ou *par le grant dyable* (I, 1; III,391,395). - *Lucifer* est évoqué (I,104; II,69); et dans le texte parlé de la farce N°X, où plusieurs diables jouent un rôle, seul il est nommément désigné ; les autres sont les "deables d'enffer" (318,452). - Une expression revient souvent : *le (grant) dyable y ait part*, ou *y ait*, ou *y soit*, ou *y puist avoir part* (I,195; III, 309,354; IV,122; VI,346,392; X,142). - On trouve aussi des expressions comme : *que le dyable lui*... (I,267), ou *le dyable vous emport!* (VII,165). - Le diable est responsable de toutes les mauvaises actions (IV,229). - Jenin rappelle qu'il est "cornu" (VI,439-440). - Contrairement à ce qu'on a longtemps cru, on évite rarement de le nommer : l'*ennemy* (V,96) est une exception. - Dans maintes exclamations ou tournures interrogatives, ce mot est vidé de tout sens (IX,259; X,174,212) ; notamment dans les interrogatifs *que dyable?* (II,143; III,361,VII, 196; VIII,223; IX,11), *où dyable?* (III,216) et *quel dyable esse?* (VIII,173). - Voir aussi *dea*, monosyllabe exclamatif, qui passe pour être une abréviation de *deable!*
dye ; voir *dire*.

eaue : "eau" (V,162); *devin d'eaue doulce* (VI,395n); "urine" (VIII,115,171,210); *eaulx* : "les urines" (VI,271,409).
ec[h]es : "jeu d'échecs" (IX,328n).
edit : "loi" (XII,335).
effaict - effect - efect (en) : "en réalité, réellement" (I, 60,278; VI,352; XI,19,46).
el : "elle" (V,65,197; VI,128,191,241,247,258,292,293, 299, 347; XI,63,82,130,133,135,137,138,139,141,203); ailleurs : *elle*.
elle : "aile" (XII,41).
empeschye : "embarrassée, arrêtée" (II,15).
emprie (je vous) : "je vous en prie" (II,192; X,240).
engaigne : "dépit, chagrin" (IV,43); *engaigner*:"avoir du dépit, du chagrin" (IV,227).
engin : "intelligence, esprit" (lat.: ingenium); mais aussi: "membre viril" (d'où l'équivoque grivoise) : V,29,198.
enjobeliner : "tromper par des paroles flatteuses" (III,184).
enluminer : "éclairer, illuminer" (X,428).
ennement : "par ma foi, certainement" (V,169).
ennemy (l') : "le diable" (V,96).
ennuy : "forte contrariété" (IX,257).
ennuyt : "ce soir, aujourd'hui" (V,388).
enquenouillé :"entortillé" (Four.) (III,278n).
enquerre : "s'informer"; *sans plus enquerre* : "sans plus de paroles" (X,332); ailleurs : *s'enquerir* (XII,1).
enraiger : "être en rage" (IX,236,257; X,318); ailleurs: *enrager* (IV,63,162,164,193).
enrengé : "en bon état de" (IX,243n).
ens : "dedans" (IV,256).
enseigne (une) : "signe, preuve" (IV,42,46,96,etc.).
enseigner : "indiquer, prouver" (V,32).
ensuyvre : "suivre" (IX,33).
entendement : "intelligence" (V,111,272,358; VIII,100).
entendre : "comprendre" (VI,50; IX,244; XI,26,249).
entendu en, adj.: "qui s'y connaît" (VIII,93).
entour : "autour de" (VI,60; VII,175).
entre renforçant un pronom personnel; *entre vous hommes* : "vous autres hommes" (V,163,319).
entremetz (un) : "altercation, querelle" (V,208n).
envie : "jalousie" (V,133; etc.).

envis ou *envys* : "malgré soi, par force" (II,84; X,160).
enyvrer : "devenir ivre" (III,236).
er : "air" (X,445).
erre (grant), loc.adv.: "en hâte" (VI,276).
es : "en les, dans les" (IX,150,188; X,427).
esbahir (s') : "s'étonner" (V,233); *je m'esbays* (X,211).
esbanoyer : "divertir" (XI,283).
esbat : "divertissement, amusement" (au plur.: *esbas* ou *esbatz*, peut désigner les "ébats amoureux") (IV,294 ; VI, 201;IX,117,136,285,289; XI,289; XII,36).
esbatement : "divertissement" (VIII,243).
esbatre (s') : "avoir affaire avec quelqu'un, s'amuser" (IX, 290).
eschappée (à l') : "à la dérobée" (I,142).
esclandre : "outrage, scandale" (X,148).
escondire : "renvoyer" (VI,99).
escorpion : "scorpion" (IX,207).
escriptoire (une): "étui contenant de quoi écrire" (VI,151n, 329).
escoulter : "écouter" (II,116n).
escoux : "secoué" (IV,241).
escu ; voir *monnoye*.
escuré : "fini" (littér.: nettoyé) (I,241).
esgorgé (au figuré) : "la gorge coupée" (VI,211).
esguillette (une) : "cordon ferré pour attacher" (VIII,111n).
eslire : "choisir" (VIII,147); part. passé *eslit* : "élu" (X, 439).
esmerillon (un) : "sorte de faucon" (IV,221n).
esmeu : "excité, agité" (III,52).
espasse ou *espace* (une) : "espace, temps" (IX,308; X,287,337).
espaullu : "qui a de larges épaules" (V,284).
esperdu (faire de l') : "faire l'étonné" (IV,126).
esperit : "esprit" (VII,257).
espert (en) : "clairement, ouvertement" (VIII,161).
esprevier (un): "épervier" (I,139).
esprouver : "s'essayer" (?) (X,138n).
essanger : "décrasser le linge à grande eau, avant de le mettre à la lessive" (I,102).
esse : "est-ce" (passim; et I,174; II,96; III,8; IV,75;V,57; VI,120; VII,244; VIII,173; IX,213; X,89; XI,54;XII,108).

esservellée (avoir la teste), au figuré : "avoir la tête brisée, le cerveau troublé" (III,156).
estandre (s') : "s'apprêter à" (X,384).
esterdre : "balayer" (XI,131n).
estranger, verbe : "repousser , éloigner" (V,267).
estre, verbe : "être"; indic.prés.: *je suys* (XI,51), *tu etz* (VI,90), etc.; imparf.: *j'estoys* (III,20; VI,53; etc. ; *j'estoy* (IV,212); *j'estoye* (V,234); etc.
estre (un) : "lieu, place" (II,80).
estricquer (s') : "se parer, se faire belle (en parlant d'une femme)" (V,22).
estrivé : "débat, dispute" (VI,309).
estroit : "étroitement" (VII,178,184).
estron, *estronc*, *estront* (de chien), injure (I,187n; IX,248n; XI,31).
et : "eh!" (V,182; VI,322; etc.).
et : "quand même" (IX,221).
euvre, 3ème sing.prés. de *ouvrer* : "travailler" (IX,103).
excet : "exception" (VIII,237).
excloy : "urine" (VIII,158).
ey (j') ; voir *avoir*.

face : "figure, visage" (VI,400).
face, subjonctif de *faire*.
faché : "fatigué, dégoûté par satiété de" (voir Rabelais, II, 26) (XI,226).
faconde : 1) masculin : "d'une élocution facile et abondante" (XII,259n); 2) féminin : "avenante" (XII,258).
fafelu : "dodu, consistant" (IV,165n).
faillir : "commettre une faute", futur 2ème plur. : *fauldrez* (I,31); "se tromper" : *j'ay failly* (VI,399);"défaillir", 3ème sing.prés.: *fault* (V,201; X,22); "manquer", *fault* (XII,262); "falloir", impar. : *failloit* (il fallait) (VII,154n). - *Sans faillir* : "sans faute" (IV,249).
fain : "faim" (III,103,319; IV,11,59,163; VII,40,94,188;VIII, 13).
fain : "foin" (II,126); mais *foing* (VII,76).
faindre (ne pas se f. de) : "ne pas hésiter à" (II,34).

faire (VI,398; et passim), *fère* (à la rime) (VI,374; XI,270); indic.prés.1ère sing.: *fais* (I,16), *faictz* (III,378),*foys* (X,37; XII,221), *fois* (X,155; etc.); imparf. : *je faisoye* (IX,19); passé simple 3ème sing.: *fist* (I,17; VI, 161; IX,155), *feist* (VI,204); subj.prés.: *face* (I, 131 ; III,18; etc.). - *Faire que* : "faire ce que fait,agir en" (I,21; etc.). - *Faire cela* (I,141; VIII,215-216): "faire l'amour (charnellement)"; cette expression, d'usage fréquent (*Frère Guillebert*, ATF., t.I, p.306; *le Savetier Audin*, ibid., t.II, p.129; *Tout Ménage*, ibid., t.II, p. 407; etc.), remplaçait toute une kyrielle d'expressions métaphoriques, comme *faire le cas* (VII,156),*faire la bête à deux dos* (VII,197n), *faire la cautelle*, *fourrer le pelisson*, *river le bis*, etc. - Remplace un verbe précédent : II,78,179; III,135; IV,58; VI,15; IX,15,206 ; X, 311; XII,178). - *Si fait* (ou *faire* conjugué, précédé de *si*) : "il en est ainsi" (pour affirmer le contraire de ce qui vient d'être dit) : IV,139; X,167; etc.).

fais,sing.: "fardeau, charge" (IX,171).

fais, plur. de *fait* : "action" (IX,170,327).

falot : "plaisant", épithète donnée à plusieurs farceurs et badins (XI,174, et note du v.166).

famis : "affamé" (IV,219).

fantasie : "caprice, imagination" (I,330; V,225).

farce (III,17).

fatrouillé : "en pêle-mêle, brouillé" (III,279).

faulcé, du verbe *faulcer*, *fausser* : "percer,rompre" (IX,50n).

faulx : "perfide,cruel" (I,264; IV,274).

fère; voir *faire*.

ferir : "frapper" (X,57).

fermy : "affermi,ferme" (VIII,141).

festu : "brin de paille" (III,139).

fiè(b)vre(s), mot fréquemment employé dans les jurons : *la fièvre te tienne!* (III,86), et autres tournures : VI,24; IX,300; XI,29 ; on relèvera particulièrement le juron imprécatoire : *fiè(b)vre quartaine* ou *fiè(b)vres cartaines* (VI,32; IX,221; XI,268), en référence à une fièvre qui revient après trois jours (ce juron est encore dans Molière, *l'Etourdi*, IV,sc.8 et *le Bourgeois Gentilhomme*, II,sc.4).

fier : "farouche, cruel" (X,324).
figuré : "raconté" (X,171).
fillé : "vêtement qui a été filé" (IV,2).
fin (de cueur) : "de grand coeur" (V,354n). - *Faire le fin* : "faire l'homme d'esprit" (VII,59).
finer : "finir"; *cy fine,* à la fin du texte de I,VI,IX; mais *cy finist* (III).
flagoller (flageoler) : "lambiner" (V,107n); *flajollé* : "badiné, plaisanté" (VI,358).
flatter : "caresser" (II,157).
fleureçon : "diseur de balivernes" (XI,251n).
fleurer qqch. : "exhaler une odeur" (I,186).
fois (je); voir *faire.*
fol(l)astre : "grand fou" (IV,209; VII,226).
follet : "petit fou, idiot" (I,176).
fonder : "jeter" (XII,161).
fonder (se) : "s'affermir" (XII,115n).
fongner : "gronder, grogner" (X,66).
forcelle : "poitrine" (V,399n).
formé : "bien fait" (V,285).
fors : "excepté" (X,324; XII,329); *ne...fors* : "ne...que"(VI, 58-60).
fort, adj.: "grave, pénible" (V,34; XII,326);"difficile"(VI, 449); adv.: "très" (XII,6); *être fort de* : "avoir la force de" (I,252); *être fort à* : "être difficile,pénible à" (III,124); *au fort* : "au reste, enfin" (III,389).
fortune : "sort" (bon ou mauvais) (IX,109 : "infortune").
foul, à la rime, pour *fol* (VII,325).
fourbir : "faire l'amour" (I,227).
foure (?), pour *foire* : "excréments" (XI,142n).
fournier : "cuire au four" (I,101,114,223).
foy entre dans de nombreux serments : *ma foy* (II,23;III,218; etc.: 9 exemples), *par ma foy* (III,107,119; etc. : 27 exemples), *sur ma foy* (V,187; VI,64; etc.: 8 exemples), *en bonne foy* (VI,284; VII,16), *foy que je doy(s)*(IV,65; VIII,175).
foys (vostre), loc.adv. : "à votre tour" (V,246).
foys (je); voir *faire.*
franc; voir *monnoye.*
fremi (un) : fourmi (X,314).
fremier : "s'agiter" (X,150).

frerot : "petit frère, compagnon" (XI,221).
fretel : "discours, bavardage" (XI,10).
fringoter : "chanter" (XI,234).
frippon, terme argotique : "cuisinier (de collège)" (VII , 89n).
friscande : "gaillarde, gaie" (III,191).
froidure : "froid" (X,5,460).
frot(t)é : "battu" (I,98; IV,155,203,263).
fumelle : "femme" (VI,261).

gaignage : "gain" (IV,62). NB.: le verbe "gagner" est généralement orthographié *gaigner* (II,68; IV,32; etc.).
gal(l)and ou *gallant* (un) : un "amoureux" (mais voir ci-dessus p.52 note 3) (III, personnage; V,231,256; VII,303 ; X,167).
gallande, adj.: "gaillarde, amoureuse" (III,191).
gal(l)ée : "galère, vaisseau" (V,418n; IX,323).
galler : "battre" (III,334; IX,324).
galler :"s'amuser, faire la noce" (X,42n,446).
gallois, -se : "ami(e) des plaisirs" (X,129,130).
garder : "veiller, prendre garde à, ou prendre soin de" (I, 162; VIII,23; etc.); "observer" (I,167); *Dieu gard!* : "Que Dieu (vous) garde!" (II,101; III,251; V,61,etc.).
gauldir : "se réjouir (avec)" (X,42n,128,446); " se moquer de" (XI,257).
gaulle : 1) "gaule, perche"; 2) "membre viril" (équivoque) (IX,332).
gay : "geai" (V,365).
ge : "je", le plus souvent quand, dans le texte ou le manuscrit, le pronom inversé est soudé au verbe (V,166,403 ; VI,41,91,344,437; VIII,143; X,101); mais on a aussi : *g'y veulx* (VI,31) et *g'y ay esté* (XI,120), imprimés *gy*.
gecter : "jeter" (XI,116); et *getter* (XII,328).
gensdarmes ou *gens d'armes* : "soldats" (III,330; XII,48n,185).
gent : "aimable" (VII,224); "joli, beau" (VIII,73).
gentil : "de race" (VI,460); "noble, ayant de la grace"(VIII, 65).
gentillement : "doucement, aimablement" (I,188) ; *gentement* (VII,106).

gesir : "se trouver"; 3ème sing. ind.prés.: *gist* (X,306).
godine (ma) : "ma mignonne" (V,66); *ma godinette*, même sens (II,148); *godinette* se disait d'une jeune fille(ou femme) gaie et agréable (voir *Trep.*, t.II, *Dialogue de Beaucoup Voir et Joyeux Soudain*, v.168).
gogette (ma), pour *gorgette*, terme de caresse adressée à une femme (IX,203).
gogueter : "faire la fête" (XI,266).
gorge : "gosier" (XI,100n).
gorgette : "gorge" (IV,288); et voir ci-dessus *gogette*.
goucte, *gouste* ou *goute* précédé de *ne* : "ne... pas" (IV,54 ; VIII,220n; X,166).
gouffrineux : "qui est fait d'une cavité béante" (X,331n).
gouppée (une); voir Phil., Bb20, p.56 : un "coup" (I,143).
gouverner : "avoir un entretien avec" (VII,125); se dit des "relations coupables" d'un homme avec une femme ; sens moderne : XII,116.
grain; ne... point un grain : "pas du tout" (II,144) ; *ne... grain*, même sens (VI,404).
gramercy : "grand merci" (VIII,54,229).
gramment : "grandement, beaucoup" (VIII,59); mais *grandement* (VIII,231; XII,243).
grand ou *grant*, féminin sing.: "grande" (V,70; IX,67,226,297; X,7,186,etc.).
gré ; au gré de... : "au souhait, à la volonté de..."(I,57); *bon gré ma vie*, exclamation abrégée de : "Que Dieu ait en bon gré ma vie" (voir aussi X,69; *Pathelin* offre toute une série de ces "bon gré", v.510,671,782); *bon gré mon péché* : "que Dieu ait bon gré de mon péché", c'est-à-dire, "qu'il me pardonne" (V,18n); *prendre en gré* : "prendre plaisir à" (adieu au public) (II,195; IV,294 ; VIII,241,243).
grever (se) : "se fatiguer" (I,74).
grief, adj.; fém., *griefve* : "douloureux, grave" (X,2).
griefve, subst.: "peine, malheur" (IX,283).
gris : 1) "fourrure de petit-gris" et 2) "gros drap de couleur grise" (III,98-99); et voir *saint Gris*.
grongner : "grogner", en parlant d'une truie (II,29); au figuré : "quereller" (X,61).
grox : "gros" (X,221,314).

grumeler : "grommeler, gronder entre ses dents" (I,11).
guarir : "protéger" (XII,142).
guise : "manière, mode" (I,81-82).

habille (ou *abille*) : "prompt, rapide" (I,139) ; "adroit"(I, 275; XI,22).
habisme : "abîme" (X,352).
harié : "tourmenté" (I,51).
haro!, appel à l'aide (X,318n).
hart : "corde" (pour pendre) (IV,179).
hau!, appel (souvent : *holà* ou *haulà hau!*) (I,255; II,98,104, 109; etc.); ou réponse à un appel (III,40; IV,246;etc.).
haulser : "lever, relever" (VII,186).
haultinette : "humeur hargneuse" (XI,144n).
heberger : "venir, entrer chez quelqu'un" (III,164).
hen!, exclamation (VII,45).
heu ; voir *avoir*.
heurt : "arrêt" (?) (I,8n).
holà!, exclamation signifiant un arrêt souhaité : "paix!"(I, 140,181); appel (*holà!* ou *haulà!*) (IV,253; VIII,121; etc.); voir *hau!*
hon,hon!, excl. (I,31).
hongner : "grogner, gronder" (VII,162).
honneste : "poli, convenable" (VI,115; XI,271).
hostel : généralement "maison, logis (chez soi); mais aussi: "auberge, taverne" (II,191).
houseaulx : "bottes" (III,198; et note de III,315).
houser : "mettre des bottes"; ironique : "repousser des prétentions" (IX,163n).
housser, au sens propre : "nettoyer, ramoner avec un houssoir (balai)" (IX,30,69,161,197,214,219).
housseur : "ramoneur", avec équivoque érotique (IX,93,210).
huer : "appeler" (V,55).
huis ou *huys* : "porte" (III,31; IV,16; VII,82).
huy : "aujourd'hui" (IX,238,258).

i : "y" (I,22; V,14,72,207; VI,217; X,188) (NB.: *s'i* est soudé dans les textes du BM.; de même *qu'i: si, qui*).
icy : "-ci" (VII,151).
idoyne : "capable de, apte à" (IX,29).
il : "ils" (II,143; XI,230; XII,21,109,173); "elles"(XI,136n).
ilz : "elles" (V,11,238,240,387,412; XI,144); ailleurs "ils".
illec : "là" (X,306).
impugner : "attaquer , contrarier" (IX,286).
incensé : "insensé" (II,110).
incontinent que : "aussitôt que" (VIII,21).
indigné : "méprisé" (IX,140n).
induire : "instruire" (V,248).
ire : "colère" (IX,226; XII,332).
itel : "tel" (IX,143).
item : "de même", de plus" (VI,348).
iver : "hiver" (X,403).

jà : "déjà, maintenant" (I,217; IV,83; VIII,61; IX,45; etc.); *ne...jà* : "ne...jamais" (VII,262,280,301).
jacquette : "vêtement,sorte de justaucorps,qui serrait l'homme à la taille" (VI,60,63,etc.).
jan! (VII,48) et *jean!* (VII,80), exclamatifs : "par saint Jean!".
jennette : "genette (fourrure de)" (III,62 et note du v.59).
jocquer : "être à ne rien faire, tarder à venir" *(VIII*,3,9).
joletru : "jeune galant, freluquet" (V,214).
joquessu : "sot, benêt (III,365).
jouée : "coup sur la joue" (I,175).
joys, 1ère sing.ind.prés. de *joïr* : "je jouis" (X,210).
juppet (un) : "distance d'une portée de voix" (V,54,60).
jus : "à bas, à terre" (IX,116); et voir *sus et jus*.
jusques à, prononcé "jusqu'à" (I,96; III,219; VII,121,289);de même *jusques ylà* (VIII,56) est prononcé: "jusqu'ylà".
justement : "d'une manière équitable" (IV,225).

labeure, 3ème ind.prés. de *laborer* : "travailler, souffrir" (XII,154).
labit : "tourment, vanité" (XI,296).

laira, 3ème sing.futur de *laisser* : "abandonner" (XI,139n).
lait (BM.: *laict*) : "laid, honteux" (I,308n); mais *laid* (VII, 10).
lament : "plainte" (XII,331).
larmis (je), ind.prés. de *larmir* pour *larmier* : "verser (des larmes)" (XII,260).
larron : "voleur, fripon" (IV,256; XII,189); *larronnesse* (littér.: voleuse) : "femme de mauvaise vie" (II,170 ; III, 377).
lart : "lard" (IX,34,103).
las : "lacet" (pour la pendaison) (IV,257).
las! : "hélas!" (I,211; etc.); mais aussi *helas!* (I,221;etc.).
lasus : "là-haut" (XI,168); mais aussi *là sus* (XI,176,179).
lay : "le" après un impératif (XI,224n).
lect : "lait" (VI,169); mais *lait* (V,65).
legerement, legierement : "rapidement" (V,52,412; X,200, 247, 355).
leque (?) pour *lesche* : "tranche" (XI,142n).
letisse, étoffe grise (III,61 et note du v.59).
lettre (avoir belle lettre de qqch.) : "en avoir l'assurance" (III,342n).
li : "à lui" (II,64).
liard ; voir *monnoye*.
lice : "enclos" (X,331n).
lignaige : "famille", parenté" (X,172,180,220).
lindraye : "lambine" (V,101n).
livre ; voir *monnoye*.
longis : "homme lent, long à se déterminer" (VII,176).
lourde, adjec.: "sotte, idiote" (II,107).
lourdois : "lourdaud, imbécile" (VII,256).
luyte : "lutte , ébats amoureux" (VII,306).
luyter : "lutter dans les ébats amoureux avec..." (VII,305n).

machouère : "mâchoire" (II,190).
magister : "maître d'école" (V,173,209,etc.; VI,111:"magister Campos").
magnié : "compagnon" (IV,21n).
maille ; voire *monnoye*. *Pas maille* : "rien du tout"(IX,167).
main : "moins" (II,31); *mains* (IX,189; X,14). NB.: XII,93, *moins* rime avec *nonnains*.

main (la) tenant : "sur-le-champ" (IV,87; rime avec *tout maintenant* : "tout à l'instant").
mais : "désormais, maintenant" (I,97); *à tousjours mais*: " à tout jamais" (IV,268); *mais* : "plus" (expres. : "n'en pouvoir mais") (V,209; IX,278n); "et plutôt" (XI, 149 , 271); *ne...mais que* : "ne...plus que" (VIII,111).
mais que et subjonctif : "pourvu que" (V,288;XII,306)ou *lorsque* et futur (VI,293; VII,252; VIII,186; X,91); et passé composé : "lorsque" et futur antérieur (VII,216).
malheure (une) : "mauvaise étoile, mauvais sort" (VIII,127n).
malle, adj.féminin : "mauvaise" (I,151,199; VI,241; VIII,28); devant un adjectif féminin : "mal" (X,34).
manière (tenir) : "donner l'apparence de" (II,72).
marchander : "acheter" chez un marchand (VII,247n,249; VIII, 107).
marmouset : "figure grotesque, ou petit garçon" (III,319 ; et t.I,p.130).
marry : "fâché, affligé" (VIII,217; IX,293).
massis, pluriel de *massif* : "gros, gras" (IX,27).
masson : "maçon" (XII,86).
mastin (chien) : "chien de garde" (I,234); au figuré, " celui qui, comme un mâtin, tourmente et maltraite qui se présente à lui" (X,46).
matin (au plus) : "de très bonne heure" (I,107).
mauldire : "dire du mal de" (XI,258) ; sens moderne(XII,207).
maulgracieux : "désagréable" (X,30).
maulgré : "malgré" (VIII,109).
maulxcontens : "choses qui mécontentent" (X,448n).
maumariée (la) : "la (femme) mal mariée (III,105).
mectre ; voir *mettre*.
medieu! : "que Dieu m'aide!" (IV,132).
meffaire : "faire tort, nuire à" (X,231); mais *mal faire* (X, 328).
meilleur (le) : "le meilleur parti, le mieux" (VIII,117,144).
memorial : "acte judiciaire" (XII,58n).
mener : "pousser,conduire" (XI,123 : 3ème sing.ind.prés.,*mayne* ; XII,231n : futur, *merray)*; *mener bien* quelqu'un : "le bien traiter" (V,393 : 3ème sing.subj., *meine)*.
menette, diminutif de *main* (VIII,97).

menger : "manger" (passim; la seule forme *manger* se trouve dans IX,179, bien que cette farce ait ailleurs *menger* : 139,258); 3ème plur.subj.prés.: *mengeussent* (XII,66n).

mercy (crier ou *demander)* : "demander grâce" (V,337;VII,331; X,250,386); *faire bonne mercy* : "accorder son pardon" (IX,295); *mercy Dieu* (III,360; VII,202).

merray ; voir *mener*.

merveille : "chose étonnante"; entre dans des tournures elliptiques, comme : *Vous me hastez tant que* (c'est) *merveille* (I,86).

meschamment : "misérablement" (X,115).

meshuy : "aujourd'hui" (X,102).

mesmement : "surtout" (X,299).

mesprendre : "mal agir envers quelqu'un, se mal conduire" ; part.passé : *mesprins* ou *mepris* (VII,228,335).

mesprins : "méprise, faute"; *sans mesprins* : "sans risque de se tromper, assurément" (V,197).

message : "messager" (IV,44,140,144;247).

mestier : "besoin, nécessité" (VIII,152; IX,337; XII, 348) ; "métier amoureux" (avec équivoque) (IX,74) ; *hanter le mestier* : "faire ce qu'il faut faire" (ironique)(X,402).

mettre (I,109; etc.), *mectre* (X,6,11); 1ère sing.ind.prés. : *maitz* (I,19), *metz* (VI,166,175; IX,73): "mettre, remettre, prétendre".

meu, part.pas. de *movoir* : "poussé à" (IV,123).

meurdre : "meurtre" (IV,152,158); mais *meurtre* (III,364).

meurdrier : "meurtrier" (I,264).

meurdryr (BM.: *meuldryr*) : "tuer" (IV,275n); *meurdry, -ie* (III,365; IV,152,158n,204).

meurs : "moeurs,manières" (VI,5).

mie; voir *mye*.

miner : "finir" (IX,70n).

mirer (se) : "s'étonner" (?) (II,67n).

mois, fém. *moise* : "nigaud,mauvais" (VIII,47).

mon, employé absolument avec les verbes *être, faire, avoir (c'est mon, ce suis mon, ce ont mon*, etc.) : "c'est mon avis, assurément" (et la tournure est parfois suivie de son synonyme *vrayement*) (II,16; V,359,410; VI,161 ;VII, 304; X,458; XI,221).

mondains (les) : "les habitants de la terre" (X,428).

monde, adjec.: "net,propre,paré" (XII,257n).
monnoye : "monnaie,argent" (III,326; IV,12; VI,303).
- *blanc*, petite pièce d'argent, valant cinq deniers (IX, 264; XI,149,150).
- *carlin* (X,416n; le carolus valait dix deniers).
- *croix*, monnaie sur laquelle était frappée une croix (XI,151n).
- *denier*, douzième partie du sol, mais, dans le langage courant, prenait le sens général d'"argent" (IX,13; XII, 45,195).
- *ducat*, monnaie d'or valant dix à douze francs(III,273).
- *escu(t)*, pièce d'or ou d'argent (III,273; IX,61; X,104, 179,361).
- *franc*, monnaie d'or valant vingt sous (VII,69;XI,149).
- *liard*, pièce de cuivre valant trois deniers (XI,207).
- *livre*; la livre tournois valait vingt sous et la livre parisis vingt-cinq (V,27; XII,96).
- *maille*, petite pièce en cuivre valant un demi-denier (III,138).
- *nicquet*; selon Fournier, il n'eut cours que sous Charles VI et valait un denier et demi (IV,68).
- *patain* (III,134); Godefroy, qui ne se réfère qu'à ce passage, renvoie à "patard".
- *patard*, petite monnaie en cuivre valant un sol et qui était surtout en usage en Flandre et en Artois (voir *Chansons du XVe siècle*, publiées par G.Paris, chanson N° 138, pp.140-141) (II,76).
- *sol*, plur. *solz* (rimant avec -ous) et *soulz*, pièce de monnaie valant douze deniers (tournois) ou la vingtième partie de la livre (VII,253; IX,112,133).
- *sol parisis*, sou de Paris, valant quinze deniers parisis (III,196).
monseigneur, équivalent plus cérémonieux de "monsieur" ; on comparera les titres donnés au devin dans VI : *monseigneur* (304,322,368) et *monsieur* (277,282).
monstre (le) : "le prodige" (XI,6).
morfondre : "pénétrer de froid" (IV,59).
mors, part.pas. de *mordre* : "mordu" (VI,240n).
mors, plur. de *mort* (VI,244; XII,103).
moullé : "comme passé au moule, bien fait" (dit des excréments) (X,455).

mouller : "manger" (IV,72).
moult : "très, beaucoup" (VI,256; X,7).
mousture : 1) le blé qu'on moud;
2) le salaire du meunier (X,420n).
moysement : "méchamment" (VIII,43).
mué : "tourné" (I,225; cf. l'expression : avoir les sangs tournés).
muglia (un) : "petit-maître qui se parfume de musc" (II,44;et cf. *Trep.*, t.I, N°XI v.175 et N° XIII v.177).
murmure : "querelle,sédition sourde" (XII,169).
musequin, diminutif affectif de "museau" : "minois" (II, 156, 162).
musser (se) : "se cacher" (X,381).
mux (le) : "excréments" (I,186; voir v.189: "la merde y est").
my (sauf un cas, toujours à la rime) : "moi" (II,149,165; IV, 52,156; VIII,31,109).
mye (ma); voir *amye*.
mye; ne...mye : "ne...pas" (III,162; IV,175; VIII,41,63 ; IX, 292; X,45; XII,185,314) ; *non mye* (X,147); sans *ne* (VI, 224,436).
myen, adj. : "à moi" (X,310).
mylleur : "meilleur" (XI,198).
myrer (se) : "s'étonner" (II,67n).

nay ou *né*; expression, *il n'est d'homme nay* : "il n'est aucun homme" (I,155); de même, homme ou femme *de mère né(e)* (X, 32;412).
ne : "ni" (I,27; II,8; etc.); "et" dans une proposition négative (I,126; VII,18), ou interrogative (X,231), ou de souhait et de supposition (IX,135,223).
negoces : "affaires" (I,60).
nennin ou *nennyn* : "non" (V,355; VI,402,433,438,448;VIII,69).
nenny : "non" (IV,209; VIII,222; XII,213).
nicquet ; voir *monnoye*.
no : "notre" (IV,259,265,287,288; VIII,225).
noël!, excl. (VI,146).
nos : "nous" (XI,127).
notrée : "agréable" (II,47n).
nouveau (de) : "récemment" (XI,185).
nouvelleté : "nouveauté" (XII, 10).

noyse : "bruit, querelle" (III,303; X,130).
noz : "notre"; 1) masc.sing.: VIII,57,131,146 ; 2) fém.sing.: II,17,28; III,80; VIII,55,57,103,119,132,186; 3) masc.-fém.plur.: IV,294; X,189; etc.
nullement : "de quelque manière" (V,250).
nully; ne...nully (cas sujet et régime): "ne...personne" (II, 99; X,487); *nulluy* (VIII,70).
nulz, masc.sing.sujet : "nul, aucun" (IV,182).

occire : "tuer, causer la mort de quelqu'un" (VIII,67).
oeuvre, 3ème sing.ind.prés. de *ouvrir* (III,59).
oingnement : "onguent" (VI,263).
on suivi d'un verbe à la 1ère pers. du pluriel : "nous" (XI, 86,233,282).
onc ou *oncques* : "un jour,jamais" (III,185,369; VI,143,etc. ; IX,206); *ne...oncques* ou *oncques...ne* : "ne...jamais" (VII,268; VIII,152; X,281,470).
opposite (l') : "le contraire" (VI,367).
or : "à présent, maintenant"; devant un impératif (I,67, 73, 161,167,194,etc.); après un impératif (IX,234); *or ... donc* (I,113; III,258; etc.); *or sus* (I,169; XI,106); *or sus doncques* (I,297); *or paix!* (VI,408).
ores : "maintenant" (XII,338).
orain; voir *aurain*.
orda, même sens que *orderon* (II,41).
orderon : "femme sale, ordure" (II,18; VIII,2,8).
oray ; voir *ouyr*.
orine : "urine" (VIII,169,191,194); mais, dans cette même farce N° VIII, v.187 : une *urinée*).
ort, fém. *orde* : "sale" (I,185; VII,316; IX,251; X,146, 207, 347).
os (j'); voir *ouyr*.
osière : "osier" (II,73n).
oustieulx : "instruments de travail des artisans" (II,117).
outre plus : "de plus" (VI,95,259).
ouvrier (dissyl.); 1) adj.: jour "où l'on travaille" (I,13;X, 36); 2) nom : "celui qui travaille" (II,94,97; III,21).
ouy : "oui"; monosyllabe (V,348,392; VI,342,349,403; XI,144); dissyllabe (III,59; IV,18,21,107,129).

ouyr (II,26; V,188,VII,42) : "entendre"; ind.prés.1ère sing.: *j'os* (V,57; IX,222), *j'oy* (X,166); 3ème sing.: *oyt* (II , 24); 2ème plur.: *oyez-vous* (IV,95); futur: *vous orés*(XI, 111); passé simple : *je ouy* (IV,215); subj.prés. 1 ère sing.: *j'oye* (X,102); part.passé : *ouy* (II,18,20; V, 28, 51; VII,37,45; XII,130) et *oy* (IV,49).
oy : "oui" (IV,48; X,194,245).
oy (j') et *j'ay oy* ; voir *ouyr*.
oygnon : "oignon"; s'emploie pour désigner très peu de chose (III,135; IX,272); *ongnon* (XI,233).
oyson : "petite oie" (II,20; V,390; VII,76; VIII,129; IX,153; XII,11).

paillart : "homme méprisable, gueux" (I,152; II,165,172 ; IX, 251,254,262,267; X,184,326; XI,107; XII,188) ; féminin : *paillarde*, sens moderne (VII,315).
paincturer : "peinturer" (IX,184).
paint : "peint" (VI,453; XII,19).
paire : "espèce,sorte" (V,324n).
pallée : "droit de parole" (XI,130n).
pance : "panse, ventre" (I,267; IV,272).
paour : "peur" (III,152; V,292,296; VIII,13); mais aussi : *pour* (VI,321) et *peur* (X,7,294).
papegay : "perroquet" (V,364).
par et participe présent ou infinitif : "en" et participe présent (III,153n,228); *à par soy* : "de soi-même"(XII,7n).
parachever : "achever complètement" (III,224).
parc : "lieu clos"; 1) échafaud de spectacle (ci-dessus,p.138 note 12); 2) *parc d'honneur* : "paradis" (XI,187).
pardire : "dire complètement" (V,362).
parentaige : "parenté" (X,175,223).
parfaire : "achever" (III,396; V,260; X,345).
parfond : "profond" (V,126; X,352).
parmy, avec un nom singulier : "au (ou par le) milieu de" (I, 92; IX,173).
parnenda, exclam. (VII,182n).
paroir : "paraître"; ind.prés. 3ème sing. : *pert* (V,161); futur : *perra* (IV,268).
pars (les) : "rudiments de l'enseignement" (IX,151n).

part : "côté" (X,139; XII,220); *faire à part* : "s'associer pour partager" (IV,17,236); *y avoir part*,voir *dyable* et V,223 : *le gibet y ayt part*.

partir : "partager, se partager, répartir" (II,193; IV,225 : *nous partissons*, 276; XII,82).

passe-passe (jouer de), allusion au tour d'escamoteur des bateleurs (IX,46); au figuré : "user d'habiles tromperies" (X,340).

patain, *patard*; voir *monnoye*.

pateliner : "ruser" (III,183).

payelle (soupe) : soupe "faite dans la poêle" (II,88n).

payne (sur) : "sous peine de" (X,486); *sur la peine de* (XII, 46).

pays : "paix" (IX,279); ailleurs *pais* (XI,131) et *paix* (II, 85; IV,189; X,144,235; XII,191).

peaultre : "balle de grain, paillasse" (III,358).

pecune : "argent" (IX,108,288).

pelé : "mis à nu" (IV,9).

peloté : "frappé" (I,9).

pence : "panse, estomac" (X,24; la même farce écrit "je pense" : *je pence*, v.21); voir aussi *pance*.

perra ; voir *paroir*.

pert ; voir *paroir*.

pertuys : "trou" (III,32).

petit (un ou *ung)* : "un peu" (II,149; III,221; VII,279 ; X, 138,450; XII,28,36); *petit* : "peu" (XII,148,275).

peu ; voir *pouvoir*.

peulx, plur. de *peil* : "poils" (V,49n).

picotin : "mesure pour donner une ration" d'avoine aux chevaux (X,418).

pie, adj.fém. : "sainte" (X,12).

pillerie : "pillage" (XII,181,199).

pincher (dialectal) : "pincer" (VI,187).

pinte : "mesure de vin, chope" (V,370).

pion : "buveur" (IX,206n).

pipet : "pipeau" (?) (V,58n).

pissat : "urine" (d'homme) (VI,345; VIII,176).

pissoir (pot); on disait plus souvent "pot à pisser"(II,132).

plaictz, plur. : "discours, paroles" (I,20); sing. : *plet*(I, 242; VI,168), *plaist* (VIII,74); *plait* : "procès" (IX , 211).

plain : "plein" (I,96; V,374; etc.; X,455); *à plain*: "entièrement" (IV,57); *plainnement* (IV,50).
plaindre; ne pas plaindre à : "ne pas regarder à" (X,26) ; *plaindre* : "se plaindre de" (XII,211).
plaisance (à) : "à convenance" (XII,263).
plaisir (à) : "à volonté, au choix" (V,259; XI,28).
planière, adj.fém.: "complète, entière" (XI,12) ; *grace planyère* : "grâce qui pardonne tout" (X,482).
planté : "abondance" (X,104); *à planté* : "à profusion" (X, 283; XII,136).
plastre (battre plus que) : "battre très fort"(on battait le plâtre pour le réduire en poudre) (I,132).
plet ; voir *plaictz*.
plevir : "garantir" (V,403n).
plourer : "pleurer" (VIII,59; XII,321); mais *pleurer* (VIII, 17).
plus (du) : "au plus" (IV,30).
poincture : "piqûre, blessure" (XII,324).
poindre : "piquer, faire souffrir"; il *point* (IX,208) et *poinct* (X,239).
pongnée : "poignée" (ce que tient une main fermée) (I,271).
porceler : "mettre au monde des petits cochons" (II,28).
porter : "supporter" (XII,349).
potacion : "action de boire, boisson" (X,78).
potelu : "gros, potelé" (V,285).
pou, adv.: "peu" (V,83); *poy* (XI,287); ailleurs, *peu* (II,31; III,220; etc.).
pou!, excl. (VIII,192); *des poux!* (IX,131).
pouac!, excl. marquant le dégoût : "pouah!" (III,113).
pouldre : "poussière, cendre" (IX,198).
poupine : "poupée" (V,109).
poupon : "petit garçon" (II,38).
pour, nom ; voir *paour*.
pour affin de : "afin de" (VII,125).
pource que : "parce que" (I,245; V,134,325; VII,153; X,108 : *pour ce que* ; XII,127).
pourchasser : "poursuivre" (XII,73).
pourfit : "profit" (VI,214); *proffit* (XII,31).
pourmener : "promener" (I,91).
pourpoint, vêtement d'homme (II,40; III,85; VI,61; IX, 169n; X,52n).

pourtant : "à cause de cela" (X,386n); *pourtant que* : "pour cette raison que" (IV,194).
pourtraicture : "image, portrait" (XI,162).
pousser : "être essoufflé" (IX,31n).
pouvoir ; indic.prés.1ère pers.sing.: *puis* (VI,352; IX,287), 3ème sing.: *peult* (V,30,209; VI,44,92,284; etc.), 1ère plur.: *povons* (XI,244), 2ème plur.: *povez* (VIII,148,155; IX,312; etc.), 3ème plur.: *peuent* (V,128); futur: *poura* (XI,24); subj.prés.1ère sing.: *puisse* (III,397), 3ème sing.: *puisse* (I,67n,180,200; III,354; X,346) et *puist* (II,164; III,391; IV,57,122,272; VI,297; VIII,90, 126), 2ème plur.: *puissez* (III,200), 3ème plur.: *puisent* (XI, 29); subj.imparf.: je *peusse* (IX,115), il *peust* (V, 82; VI,262); part.passé : *peu* (prononcé : pu) (V,210;X,123).
pouvre : "pauvre" (I,202; III,104), *povre* (III,11; VI,138 ; IX,282,294; X,67,133; XII,97,248,256).
poy ; voire *pou*, adv.
praticien : "qui a la pratique du droit" (V,80).
prati(c)que : "pratique du droit, de la loi" (V,23).
prefix : "clair,net" (V,47).
premier : "le premier" (I,76,79); "d'abord" (I,288); *au premier* "d'abord" (XII,273); et voir *quant* (premièrement).
prendre (prandre, X,158, etc.); passé simple, 1ère-2ème sing.: *prins* (IX,262; X,463); subj.prés. 1ère-3ème sing.:*preigne* (IV,47,97,148) et *prengne* (IV,142); part. passé : *prins, - se* (I,311; III,308,385; V,84; VI,129,306,etc.), mais *pris* (X,67) et *prains* (en parlant d'une femme enceinte) (VI,266).
presence (en) : "présentement" (I,312).
present, adv.: "tout de suite" (I,137); "à cet instant"(VIII, 242); *de present* : "présentement" (XI,82).
presentement : "tout de suite, à l'instant" (V,53,56,59,397).
presse : "foule serrée" (XI,74).
prestresse : "concubine d'un prêtre" (VI,164) ; on disait aussi *femme de pre(b)stre* (III,5n).
preu : "profit" (X,434).
preude, adj.fém.: "honnête,sage" (VIII,25).
prier à... (I,265; VII,336; XII,190,207).
prins; voir *prendre*.
pris : "prix" (II,189; VII,244; XI,19).

prochas : "ce qu'on recherche" et "achète" (VII,155n).
prometteur pour *promoteur* : "officier de justice" (XII,57n).
propette : "proprette" (II,146).
proplexité : "perplexité" (X,302).
proposer : "soutenir, affirmer" (I,42,164).
pseaulme (la) : "le psaume" (V,149).
publier : "réciter en public" (V,86).
puis...puis : "et...et" (X,41).
puis que : 1) "puisque" (I,304; IV,236; VI,86,101;etc.); 2) "depuis que" (I,259; VI,143; etc.).
pye : "action de boire"; *croquer la pye* : "boire un coup" (II,191; et voir le nom d'un personnage, X,243-245n).

quand (ou *quant) et* : "en même temps que,avec" (V,247; XII, 230).
quant : "quand" (I,31; etc.); "puisque" (I,329); *quant premierement* : "la première fois que, dès que" (IX,20 ; X, 357).
quaquet : "caquet" (VIII,79); mais *caquet* (IX,135).
quaqueter (III,240; XII,212); mais *caquet(t)er* (II,63,66;VI, 59).
quartaine ; voir *fièbvre*.
quarte, mesure de capacité d'un peu moins de deux litres(VI, 58).
que; 1) pronom neutre : "ce que" (I,21,173; III,18,41,223;IV, 138; V,112; etc.), "(de) quoi" (IV,163; XII,223), " à quoi" (XII,94); 2) conj. et subjonctif : "afin que" (V, 113,114; VIII,212; etc.); avec *ne* : "sans que" (III,233).
quel, adj.fém.sing.: "quelle" (V,291; IX,220; XII,220);masc. plur.: "quels" (VI,250); *quelz*, fém.sing.: "quelle"(X, 132n).
querir : "chercher" (I,240; IV,124, etc.; V,91; VI,236,277 ; etc.).
querre : "chercher" (IV,235; VI,275).
qui ; 1) transcrit *qu'i* pour "qu'y" (I,22; V,72,207; VII,22; X,188); 2) "qu'il" (I,180; II,133,137; IV,40,241; V,33; VII,338; etc.); 3) "qu'ils" (V,205); 4) "celui qui"(IX, 47,60) ou "si l'on" (I,221; XII,1); 5) "quelle chose ? qu'est-ce qui?" (IV,123; V,69; VII,141; IX,98) ou " ce qui" (III,60; VI,134,254).
quoquart ; voir *coquart*.

rabasser : (?) (X,164n).
rabatu et conté : "tout bien examiné" (X,406n).
rabobeliner : "réparer" (II,13,113).
radoubter : "ne pas savoir ce qu'on dit,radoter" (X,165).
ra(i)ge : "vive souffrance" (X,225); *faire rage*: "faire merveille" (V,259; IX,19,22); *voicy rage* : "voilà merveille, voilà qui est extraordinaire" (IV,45n,141,147 ; on trouve d'ailleurs aussi : *voicy merveille*, V,309 ; et voir I,86); *dire rage* : "dire des folies" (X,177).
raillart : "plaisant" (XI,252n).
rains : "reins" (X,9).
raison : "raisonnement" (I,26; VI,413); *c'est raison*: "c'est juste" (I,320; VII,80n; XI,94n); *chose de raison*: "chose raisonnable" (I,72); *raison pourquoi?* : "pour quelle raison?" (I,157).
raisonner avec : "parler à" (VII,126).
ral(l)er : "aller de nouveau"; subj.prés.: *revoise* (X,127).
rallie (forme dialectale) : "ralliée, réconciliée" (I,329 et note du v.323).
ramon : 1) balai du ramoneur pour nettoyer les cheminées; 2) membre viril (IX,277n).
rassoté : "devenu sot"; *sot rassoté* : "triple sot" (IV,153).
ratisseur; voir IX,262n.
rebouter : "remettre" en état (V,262) ou à l'intérieur (VI, 252).
recepvoir; cond.prés.: *recepveriez* (VI,132); part.pas.plur.: *receups* (XI,178).
reciter : "rapporter à haute voix" (X,307).
recorder : "remettre à l'esprit, se souvenir" (I,158 ; III, 106).
records, adj.: "qui se souvient de" (I,201).
recort : "récit, rapport" (IX,164).
recour (II,156); God. renvoie au mot *recor* : "action de courir de nouveau sur, élan".
recouvert, par confusion avec *recouvré* : "reconquis, rallié" (I,328); "rétabli, réparé" (X,469).
redelet : "dispos, ferme" (IX,142).
reffreschi : "frais" (X,435).
regnier : "renier"; ind.prés.: je *regny* (I,125) et *regnie* (II,117).

regnom : "réputation" (V,330; IX,72); mais *renom* (XII,3).
regret(t)er : "implorer" (III,97); "exprimer des regrets" (XII,329).
relié : "serré, accablé" (VI,24n).
remenant (le) : "le reste" (IV,179).
remordre : "causer de la douleur, tourmenter" (IX,297n).
remouvoir : "remuer" (II,74).
renc : "rang"; expression : *estre au renc* ou *sur les rens de* (I,15; XII,340n).
renchière (faire la) : "faire la renchérie, faire des difficultés" (X,269).
rener : "régner" (XII,30n).
repaistre : "se nourrir" ou "nourrir" (VIII,56; XI,31).
requerir : "demander" (en suppliant) (IV,260; VIII,48;X,62).
residu (le) : "le reste" (XII,100); *au residu* : "au reste" (IX,321).
resjoye, subj.prés. de *resjoir* : "réjouir" (X,110).
retis, plur. de *retif*, qui se dit d'un âne qui s'arrête et refuse d'avancer; au fig.: "entêtés" (V,172).
retourner (le) : "le retour" (VIII,26).
retraire (se) : "se retirer, s'en aller" (II,96).
retrait : "lieu d'aisances" (VIII,171).
revoise, subj.; voir *raller*.
rien (cas régime) : "quelque chose" (III,270; IV,32; IX,166; X,154,162); *riens* (cas régime) (V,146,181,413; VII,127; IX,62; XI,281; XII,20,120,183,353); *rien* : "pas du tout, en rien" (V,273; XII,139); *en riens* (VII,335).
rioter : "quereller" (XI,265n).
rive : "bord" (I,96).
rober : "dérober, voler" (III,282,295).
ron : "rond" (IV,257, à la rime).
rost : "rôti" (XI,223).
roullet : "registre (à feuillets)" (I,62,etc.; voir t.I, p. 49 : graphies).
route (tout de) : "de suite, à la file" (IX,219).
rude, adj. : 1) "inculte"; 2) "dur" (équivoque) (V,198).
ruer : "jeter violemment"(I,191; VIII,213; IX,116); image du cheval qui "rue" (VII,39).

sa, transcrit *s'a* : "ç'a" (VI,136).
sà, adv. (orthographié dans les textes originaux : *sa*) : "çà" (I,232,251; III,45,212; etc.).
saillant (un) : "personne qui saute, danseur" (I,6).
saillir : "s'élancer, bondir" (VI,247).
sain, var.orthog. de *sein* (V,7, rimant avec *sain* : "bien portant").
sain : "graisse" (IX,180n).
saints : il y a les saints protecteurs et guérisseurs, les saints par qui on jure; mais aussi des saints imaginaires - leur nom n'est pas en italique -; on notera que certaines invocations n'ont pour raison d'être que le besoin de rime.
- *Agathe* ou *Agatte* (ste) : IV,169,255.
- *Ant(h)oine* (st) : IV,35.
- Bon (st) : VII,266.
- Bonnet (st) : VII,296.
- Charlot (st) : VII,170.
- *Copin* (st) : II,55.
- Coqui(l)bault (st) : II,16,142.
- *Cosme* (st) : II,3,124n ; IV,66.
- *Damien* (st) : IV,66.
- *Denys* de France (st) : I,266.
- *Ernou* (st) : IV,34.
- *George (vertu sainct George)* : I,54,148.
- *Gris (vertu sainct Gris)* - il s'agit de François d'Assise - : III,98n; VI,128.
- *Guylain* (st) : IV,56.
- *Jehan* (monosyllabe); excl.: *sainct Jehan* ou serment : *par sainct Jehan* (I,59; II,166; III,313,348; IV,3, 69, 115,121,135,198; VI,159,393; X,180,434); excl. : *Jehan* (I,178), *Jean* (VII,80), *in Gen* (mis pour *sainct Jehan*) (XI,221n), et *jan* (VII,48).
- *Katherine* (ste) : IV,243.
- Marande (ste) (peut-être formé sur *marande* : "goûter, repas de l'après-midi") : VII,250.
- *Marceau* (st) : VII,72.
- *Marcou* (st) : IV,35.
- *Marie* (ste) : I,33; *Vierge Marie* (VI,437; VIII,18 ; X, 48); et voir *dame* et *dieu* 6).

- *Mor(t)* (st) : II,54,78; IV,56.
- *Nicolas* ou *Nicolay* (st) : II,123n; IV,161.
- *Père* ou *Pierre (de Rome)* (st) : II,125; VI,447;X,69.
- *Pol (vertu sainct Pol)* : I,45.
- *Poursain* (st) : IX,181n.
- *Remy* (st) : IV,119; X,311.
- Rien (st) : VI,456.
- *Thomas* (st): VI,447,448.

On notera aussi le serment : *par tous les sainctz de la messe* (I,298).

saisine : "possession" (X,261n).
saison : "temps" (VI,300; XII,300).
sanglant : "cruel, sanguinaire" (IX,251).
santement (pour *sentement*) : "odorat" (X,79).
sapion (un) : "vase à boire, verre", d'après Gossen(VIII,91).
sault (de plain) : "d'un seul élan, tout de suite" (III,362).
sçavoir (VI,436) : "savoir" ou, dans les parlers du Nord, "pouvoir" (I,156); ind.prés. sing.1ère : *je sçay*(III,18; etc.), *sçays* (VI,55); 2ème : *tu scez* (IX,90); *ses-tu*(IX, 105), *cé-tu* (IV,283); 3ème : *scet* (V,203; VI,219 ; VIII, 238; IX,146); plur.2ème : *sçavous* (XI,126 et note du v. 122); futur : (je) *sçayray* (VI,225n), *tu sçauras* (V,134; etc.); impér. : *saichez* (X,454); passé simple : *je sceu* (III,305); cond.pres.: *je sçauroye* (I,93); part.pas. : *sceu* (VI,422).
se, conj.: "si" (I,19,30,34,274; et passim : II,118; III,181; IV,18; VI,35; VII,49; VIII,24; IX,39; X,60; XII,270).
se, après *nul ne scet* : "sinon" (VIII,239).
se, adv.interrog. 1) indir.: "si" (V,4; VIII,183; IX,86) ; 2) introduit le second membre d'une interrogation double ; *ou se* : "ou est-ce que?" (X,371).
se, adv. pour *si* (latin : *sic*) : "ainsi" (IV,226,291).
se, pronom démonstr. pour *ce*(la) : I,36; II,16,122; III,289 ; IV,231; VI,43,66,92,102,136; etc.
se, adj.démonstr.: "ce" (II,51; VIII,162; XI,174,223,241 ; *ses* : "ces" (XI,229).
se ou *et se* : "pourtant, et cependant" (II,9,116; IV,201 ; X, 248).
se pendant que : "tandis que" (VI,104; XI,87).
seduire à : "amener à, persuader de" (V,249).

seigner : "signer" (un acte judiciaire) (XII,58); *se seigner:* "faire le signe de la croix" (V,33).
seigneur : 1) "le premier" (d'une école) (V,115); 2) équivalent de "monsieur" (VI,197; VIII,242).
sejour : "repos, relâche" (XII,33).
sejourner (le) : "le fait de rester sur place" (XII,120).
semidieux ou *semy Dieux* ; voir *dieu* 4).
sens (le) : "le bon sens, la raison" (I,327; V,201).
sente : "chemin, voie" (XII,5).
seoir (se) : "s'asseoir"; impér.: *vous seez* ou *seez-vous*(III, 258; X,282); futur : *serray* (X,272,284,287).
serment; on jure : *par mon serment* (I,189; III,204,260 ; VI , 2,8,320; etc.; au total, 16 exemples); *sur mon serment* (VI,318); et Raulet : *je prens sur mon serment* (V,410).
sermonner : "discourir" (IX,114,144).
serre (estre en) : "être enfermé, tenu serré" (IX,204n).
servant peut désigner un "domestique" (VII,20),mais aussi celui qui "sert" une dame, son "amoureux" (III,3).
seur : "soeur" (V,62,68).
seur, -re (rimant avec des mots en *-eur(e)* : "sûr,assuré"(IV, 44,85,180; VIII,24; IX,94; X,111); *seurement* (V,57).
si; outre son emploi de conjonction (I,291,305; etc.; X,204 , mais 210 : *se*; etc.) et d'adverbe affirmatif (I,178 : *si est, non est;* II,100; X,248), *si* peut être 1) adv.:"ainsi" (I,21,293; II,280; III,247; IV,73,87; V,89; etc.);et avoir les sens variés de : "alors"(IV,79), "aussi" (VI, 270; IX,15), "pourtant" (VI,192,288,442: *pourtant si ;* VIII,202; etc.); il est parfois explétif dans la locution *et si* (II,150,159; IV,222,288), mais *et si* signifie généralement "et pourtant" (III,56; IV,159,163; VI, 292, 446; etc.); 2) adverbe introduisant le second membre d'une interrogation double : "ou est-ce que?" (II,107) ; 3) *si* : "s'il" (I,111; IV,42,62; IX,139); 4) *si* transcrit *s'i* : "s'y" (V,14; VI,217); 5) *si*, variante orthographique de *cy* : "-ci ou ici" (I,329; II,128; IV, 212 , 227; V,5,196,361; VI,190; etc.).
sien (le) : "son bien, son argent" (V,81).
sient (pour *scient* ou *escient*), adj. : "instruit,habile"(VIII, 204).
sinon; ne...sinon : "ne...que" (VI,108); *ne...sinon que*:"rien que" (III,94); *sinon que* : "si ce n'est" (I,72).

sire : 1) "nigaud,sot" (Phil. suggère pour ce sens un emprunt à l'argot des Coquillards) (I,46); 2) "maître" ou "monsieur" (II,134; VI,393; X,434); *beau sire* (VI,371 ; XII, 316).

somme : "en somme, pour tout dire" (X,424; XII,8); *somme toute*, même sens (X,212; XI,20).

son, transcrit *s'on* : "si on" (I,58; III,142; IV,118; V,249 ; VIII,68).

songer (le) : "le fait de penser, de réfléchir à" (VII,128).

songneux de (estre) : "prendre soin de" (I,89).

sol et *sol parisis;* voir *monnoye*.

sornette : "raillerie" (XI,261).

sortir : "advenir" (X,203).

sotie : "sottise, folie" (IV,174).

soubz (lat. subtus) : "sous": VII,294; etc.).

souffire : "suffire" (XII,29).

souloir : "avoir coutume de" (IX,72,316; XII,257).

sourdre : "surgir, survenir" (XII,255).

souverain : "très grand, suprême" (XII,105).

subit, adv. : "promptement" (XI,294).

subject à : "soumis à" (XI,8,115,291).

suppediter : "mettre sous ses pieds,dompter" (II,6,52n).

surporter : "favoriser" (X,425).

sus, prépos. : "sur" (IV,149,179); adv. : "dessus" ; *mectre sus* : "restaurer, rétablir" (XI,175); *sus et jus*: "çà et là" (II,193 et note du v.195); voir aussi *lasus*.

sus!, interj. accompagnant généralement un ordre ; le plus souvent *or sus*, *or sus doncques*, *sus donc*, *sus sus*,etc.: "allons!" (I,169,297; V,99,102,105,170,256,306,347 ; VI, 235,239; VII,27; VIII,76; X,9,233,452,471; XI,15,106 ; XII,103,114,309,312).

susciter : "recevoir", par confusion peut-être avec un mot comme *susccepteur* (voir God.) (V,82).

sy : "condition, restriction" (I,319n; III,109 : *par tel sy* : "à telle condition").

sy, adv.affirmatif; *sy a* : "oui, elle l'a" (III,393,394).

sy : 1) *s'y* : "aussi (j')y" (IV,250n); 2) "pourtant" (XI,52); 3) *si*, conj. (XI,35,93,98,etc.); 4) "s'ils" (XI,268); 5) pour *cy* (XI,194).

tanné : "dont la peau est comme tannée par suite des coups" (II,55n).
tant : 1) "que!" (VI,62); avec un nom *(tant de...)* (IV,143) ; avec un adjectif (VII,235), et même sens pour *que tant* (III,352); avec un verbe (III,121); 2) *tant* et adjectif: "si" (III,21; VI,343; renforçant un adverbe : *tant seulement* (VI,160).
tant que : 1) *tant...que* : "si fort que" (IX,12); 2) avec le futur antérieur : "jusqu'à ce que" et le subj. (IV,183); 3) avec le subj.: "de telle sorte que, afin que" (XI, 23); 4) *tant qu'est à luy* : "en ce qui le concerne,quant à lui" (IX,235); 5) *tant que merveille,* voir *merveille;* 6) *en tant que* : "pendant que, dans la mesure où" (IV , 39; VIII,163).
tantinet (ung) : "un peu" (I,218; III,318).
tantost : "aussitôt" (dans un avenir très proche; d'où "sous peu") (III,129; V,221,348n ; VIII,82; IX,150; X,53,278; XI,74,204; XII,202,323).
targer : "tarder" (VII,127; VIII,5).
tasse : "bourse" (IX,61).
tasse : "coupe, petit vase (pour boire)" (IX,63; X,437).
taster : "goûter" (VIII,181).
taton(s) (à) : "en tâtant" (IV,262n; XI,200).
tel, adj. : "un, quelque" (VI,422; VIII,176); *tel,* au féminin: "telle" (IV,46; V,335; XII,166,210) ; on a aussi *telle* à scander *tel* : VIII,178; *telz,* au fém.sing. (X, 470).
temptation : "tentative" (III,384).
tenné : "fatigué,lassé" (XI,242).
tenray, futur de *tenir* (IV,181).
testée : "coup sur la tête" (II,49).
testière : "tête" (II,74).
tetinete (ma), terme affectif : "ma petite femme" (XI,40n).
teurdant, part.prés. de *tordre* (I,270).
thoreau : "taureau" (VII,257).
tirer : "aller" (XII,131); *tirer à* "pousser à" (IX,232).
tost : "vite" (I,228; III,213; IV,88; etc.).
toster : "cuire au four" (X,281).
tour (le) : "ruse, expérience ou fait" (III,105; IV,72,226); au plur.: "bonnes parties" (X,38,131).

tourmenter (se) : "être agité de (colère,passion)" (XII,332).
tousjours (à) : "toujours" (IV,270); et voir *mais*.
tout, adv. : "tout à fait, complètement" (V,304; XII,332); *du tout*, même sens (II,161; V,271); *ce m'est tout un*:"c'est la même chose, il ne m'importe" (VII,260).
trahistre : "traître" (IV,256,274).
trainée : "marche, promenade" (IX,84).
traire : "tirer" (X,440).
tranciller : "s'agiter" (XII,154n).
tranquiller : "mettre en paix, rendre paisible" (XII,156).
travaillé : "fatigué" (V,395).
travailler à la mort : "subir les tourments de l'agonie" (X, 398).
trebu(s)cher : "renverser, faire tomber" (IV,57); "se renverser" (VI,128).
tresbuchet : "chute, renversement" (VI,129).
trespasser qqn : "le transpercer, le faire mourir" (?) (IX, 42n).
trespasser (se) : "passer, s'en aller" (IX,52).
trestous : "tous" renforcé (V,280,383,407; VI,244; VII,339) ; *trestout*, adv.: "tout à fait" (V,394); *ma tretoute*,terme affectif (XI,41).
treuve : 3ème sing.ind.prés. de *trouver* (III,24,311; VI,413 ; X,135); mais aussi *trouve* (VIII,130).
trihory : danse bretonne (XI,213n).
tripotaige : "basse besogne, mauvaises actions" (X,341).
trocher : "échanger" (XI,155n,156).
trompe, fém.: "tromperie" (III,402).
tromper : 1) "sonner de la trompe" et 2) "tromper" (III,401).
trompeter : "publier à son de trompe" (III,403).
trop : "fort,très" (IV,61; VI,199; VII,108; VIII,45; X,8, 89, etc.; XI,100; XII,89,254); *trop plus* : "bien plus" (V, 332; VI,459).
trousse (donner la) : "jouer un tour,tromper" (X,413).
troussé : "détroussé" (IX,58).
truandailles : "façons de truand" (III,149); "ceux qui truandent: gueux, mendiants" (XII,157).
truynter : "siffler (comme un pinson" (V,371).
ty : "toi" (IV,238, à la rime).

vaillant, nom : "bien, fortune" (III,173); adj. : "généreux" (III,174); part.prés.de *valoir* : "valant comme prix"(IX, 264).
vaine : "veine, sang" (IX,80).
valletonnet : "petit garçon" (VI,112).
varier : "changer de sentiments" (VIII,17n).
varlet : 1) "valet,serviteur" (I,249,282; VII,9,etc.); sur la forme *valet*, voir XI,91n.; 2) "garçon" (en général) (V, 292).
vecy : "voici" (VI,16,38,etc.; X,72,148,283; XI,214; XII,315); *voecy* (XI,6,166,167,170,227); *veoicy* (XI,14); *voiecy*(XI, 194); *voyci* (XI,76); *voycy* (XII,205); *voicy* (II,151,avec adj.: "voici qui est ..."; IV,141,147, avec un nom: même sens); XI,10).
velà : "voilà" (II,86; IV,255 note du v.258; VI,365; IX, 116, 163; XII,117,184); *vellà* (X,374).
velecy : "le voici" (VI,154); et voir XI,194 : *voy les sy*.
vellé : "navigué, voyagé" (IV,6n).
velus de fain : "affamé" (IV,11).
veoir; voir *voir*.
verière : "vitre, vitrail" (XI,34).
verrine : "verre, vitre" (VI,362).
vertir : "se tourner" (XII,81).
vertu!, excl. (III,114); ordinairement suivi du nom d'un saint : "par la vertu de..." (voir *saints* George, Gris, Pol).
vesse : 1) "pet"; 2) "femme débauchée" (I,212); c'était une injure (voir Noël Du Fail, *Propos rustiques*, éd.Assezat, t.I,p.88 : "Putains, vesses, ribaudes...").
vessir : "laisser échapper sans bruit un pet de mauvaise o-deur" (III,113).
veu : "voeu" (III,378); ne pas confondre avec le part. pas. *veu* : "vu".
viegne, 3ème sing.subj.prés. de *venir* (VI,174,278).
vif (tout) : "très fort" (III,42); et voir IV,193.
vifz (les) : "les vivants" (X,158).
villain ; 1) nom : "paysan" (I,151; VI,10; X,191,234); 2)adj.: "grossier, mal élevé" (VI,162; X,46); *vil(l)ainement*:" à la manière d'un vilain" (III,364; X,472);*villennie*(VIII, 40).
ville, fém. de *vil* : "sans valeur, méprisable" (XI,217).

vinée : "récolte de vin" et "le vin lui-même" (X,405).
visiter : "examiner" (VIII,211).
vistement : "rapidement" (III,213,355,359,363; V,100; VI,235, 332; VII,53); *vitement* (XI,62).
vitupère (un) : "blâme, honte" (VI,35,172).
vo, masc.et fém.sing. : "votre" (IV,99,217,255).
voicy ; voir *vecy*.
voir (X,197,244) et *veoir* (II,122; III,200; IV,32; V,70; VI, 443; IX,86; XII,10; etc.); ind.prés. : *je voy* (II,5; VI, 253; etc.) et *je voys* (III,338), formes qui se confondent avec *je voy(s)* : "je vais"; futur : *voir(r)ay* (I, 248; VI,285; XI,162,208); passé simple : *je vy* (V,121 ; VI,318), *tu veis* (IX,20), *vous veistes* (VI,86,203); condit.prés.: (je) *verroye* (XII,194); part.passé : *veu* (I, 312; III,329; etc.).
voir, -e : "vrai" (VIII,232); *pour voir* : "vraiment"(IV,167n; X,245); *voire* ou *voyre* : "oui; vraiment; même" (II, 73, 189; III,375; IV,17; VI,282,328; VII,165; etc.) ; *voirement* : "vraiment" (V,251).
voirre (un) : "verre" (IX,205).
vollée (à la), loc.adv.empruntée au jeu de paume : "franchement, sans hésiter" (XI,77).
voluntiers : "volontiers, avec plaisir" (III,372; X,293);*voulenté* (IV,40), *voulentiers* (XII,106,194).
vouloir ; ind.prés.1ère sing.: (je) *vueil* (I,282; II,163; IV, 26; V,362; VII,309; IX,164) et *veulx* (I,299; III,36;etc.; VII,70; VIII,182; X,63; XI,196); impér. : *vueillez* (IV, 36; et passim).
voye (la) : 1) "le moyen" (IV,13); *tel voye* : "de cette manière" (V,335); 2) "le chemin, la route" (VI,306) ; *en voye* : "en route" (V,99,102; VI,294), "sur le chemin" (VIII,213); *par voye* : "sur le chemin" (VIII,70); *faictes voye* : "laissez le chemin libre" (XI,113); *droicte voye* : "sans détour" (VIII,164).
voyette : "petit chemin" (VIII,206).
voz : "votre"; 1) masc.sing. (II,17,128; VIII,79,189);2) fém. sing. (II,127; mais à la rime, *main* est peut-être pour *mains*); ailleurs : *vostre*.
vraymis, juron exclamatif (VII,144n).
vresbis, juron : "vrai Dieu! vraiment!" (VI,336,431).

y, devant consonne : "il" (IV,61,188,267; XI,22,114,254; et voir *qui* : "qu'il" et *si* : "s'il"); "ils" (XI,109, 177, 183,234,235); "elles" (XI,143).
y : "à elle" (IV,247).
ylà : "là" (VII,281; VIII,56).
ymage (un) : "une statue" (II,122).
yvresse : "ivrognesse" (I,213).

-

TABLE DES MATIERES
du Tome II

-

VII - LE BADIN QUI SE LOUE 3
Notice : textes ; date et origines; le "type" du badin; les thèmes; le badin en situation; structure et disposition scénique; versification 5
Texte 21
Notes 33

VIII - UN AMOUREUX 43
Notice : textes ; le quotidien schématisé ; la "cachette"; les personnages ; versification 45
Texte 59
Notes 69

IX - LE RAMONEUR DE CHEMINÉES 79
Notice : textes; intérêt de cette farce; l'équivoque de la cheminée; versification 81
Texte 97
Notes: 1) établissement du texte; 111
2) commentaire 116

X - LE MEUNIER DE QUI LE DIABLE EMPORTE L'AME EN ENFER 127
Notice : textes; originalité de cette farce ; la représentation à Seurre en 1496; les rapports ciel-terre-enfer ; versification 129
Texte 151
Notes 171

XI - LE BATELEUR 185
Notice : textes; une farce normande remaniée ; une farce apologétique sur les bateleurs ; versification 187
Texte 195
Notes 209

XII - LES GENS NOUVEAUX 229
Notice : textes; farce moralisée et sottie ; un thème d'actualité; structure dramaturgique ; scansion 231

Texte 243
Notes 257
GLOSSAIRE des tomes I et II 267

-

Achevé d'imprimer sur les
presses de l'Imprimerie
JACQUES ET DEMONTROND
25000 Besançon
N° d'impression 1351
Dépôt légal 8967
3e trimestre 1976
N° d'Editeur 716

Imprimé en France